Depois de 1945

FUNDAÇÃO EDITORA DA UNESP

Presidente do Conselho Curador
Mário Sérgio Vasconcelos

Diretor-Presidente
José Castilho Marques Neto

Editor-Executivo
Jézio Hernani Bomfim Gutierre

Superintendente Administrativo e Financeiro
William de Souza Agostinho

Assessores Editoriais
João Luís Ceccantini
Maria Candida Soares Del Masso

Conselho Editorial Acadêmico
Áureo Busetto
Carlos Magno Castelo Branco Fortaleza
Elisabete Maniglia
Henrique Nunes de Oliveira
João Francisco Galera Monico
José Leonardo do Nascimento
Lourenço Chacon Jurado Filho
Maria de Lourdes Ortiz Gandini Baldan
Paula da Cruz Landim
Rogério Rosenfeld

Editores-Assistentes
Anderson Nobara
Jorge Pereira Filho
Leandro Rodrigues

HANS ULRICH GUMBRECHT

Depois de 1945
Latência como origem do presente

Tradução
Ana Isabel Soares

© Suhrkamp Verlag Berlin 2012
© 2012 Editora Unesp

Título original: *Nach 1945: Latenz als Ursprung der Gegenwart*

Direitos de publicação reservados à:
Fundação Editora da Unesp (FEU)
Praça da Sé, 108
01001-900 – São Paulo – SP
Tel.: (0xx11) 3242-7171
Fax: (0xx11) 3242-7172
www.editoraunesp.com.br
www.livrariaunesp.com.br
feu@editora.unesp.br

CIP – Brasil. Catalogração na publicação
Sindicato Nacional dos Editores de Livros, RJ

G984d

Gumbrecht, Hans Ulrich, 1948-
  Depois de 1945: latência como origem do presente / Hans Ulrich Gumbrecht; tradução Ana Isabel Soares. – 1.ed. – São Paulo: Editora Unesp, 2014.

  Tradução de: *Nach 1945: Latenz als Ursprung der Gegenwart*
  ISBN 978-85-393-0521-6

  1. Alemanha – História – Século XX. 2. Comunismo – Alemanha (Oriental) – História. 3. Movimentos sociais – Europa, Leste – História – Século XX. 4. Movimentos sociais – Alemanha – História. 5. Berlim, Muro de. I. Título.

14-10807   CDD: 943.0009048
                                              CDU: 94(43)

Editora afiliada:

Em memória a Yasushi Ishii,
que nasceu em 8 de setembro de 1959, em Chiba,
e morreu em 17 de dezembro de 2011, em Tóquio:
um irmão mais novo
que experienciou um passado similar.

Sumário

A um automóvel da morte – Abertura   9

1. O emergir da latência? Começa uma geração   13
2. Formas de latência   53
3. Sem saída e sem entrada   65
4. Má-fé e interrogatórios   117
5. Descarrilamento e contentores   183
6. Efeitos de latência   247
7. Desvelamento da latência? Minha história com o tempo   259

A forma deste livro   337
Referências bibliográficas   345
Índice remissivo   349

A um automóvel da morte — Abertura

S. não se recorda de um único Natal de sua infância que não tenha sido passado na casa dos avós — uma cabana de caça, isolada e bem confortável, a pouco mais de 300 quilômetros a nordeste da terra onde vivia. A casa era rodeada de árvores altas que tantas vezes, no inverno, davam o ambiente de cartão-postal perfeito para a estação. Surpreendentemente, o avô conseguira comprar um automóvel para os pais de S., um Opel Olympia cor bege, novinho em folha, e que, por uma complexa razão administrativa que escapava ao seu entendimento, tinha a placa de identificação da "zona de ocupação britânica", onde os avós moravam (ele vivia com os pais na zona de ocupação norte-americana), o que lhe dava um exótico ar de estrangeiro. A viagem até a cabana passava pelos montes Spessart, a oeste de Frankfurt, região que naquele tempo era quase sempre usada para treinos do exército norte-americano, como se vê documentado no filme *G.I. Blues*, de 1960, estrelado por Elvis Presley. Fora acima de tudo para aquela parte da viagem, que o gelo e a neve tornavam mais perigosa, que os pais tinham comprado o aquecimento para o automóvel, e S. sentia orgulho de ter que manter pelo menos uma porção do vidro de trás quente e transparente para o condutor.

Certa vez, durante a viagem de Natal, eles estavam atrás de um Fusca e seguiam lentamente um tanque americano quando, de súbito, este começou a guinar à esquerda, devagar, e depois a girar em círculos, como se entrasse numa dança selvagem, irresistível e em aceleração cada vez maior. Mais tarde, o pai haveria de explicar-lhe que aquilo devia ter sucedido por conta de alguma correia quebrada no mecanismo do tanque. S. viu como a parte mais elevada do veículo, por baixo do longo canhão, caçou o Fusca – e, com um simples movimento, alisou-lhe a parte da frente, onde seguiam os dois passageiros; e viu depois como o arrastou, às voltas, até transformar aquele corpo numa sucata que não se parecia mais em nada com um automóvel. Estavam parados, à espera que terminasse a dança do tanque. Durante alguns minutos, seus pais discutiram sobre se, sendo ambos médicos, seria dever deles dar assistência aos passageiros do Volkswagen. Mas, quando o tanque finalmente parou, haviam concluído que qualquer ajuda teria chegado tarde demais e, lentamente, prosseguiram a viagem até a casa dos avós. S. ficou numa obsessão só, durante vários dias, imaginando os dois corpos humanos fundidos naquela bola de metal que antes havia sido um automóvel. No entanto, eles não queriam fazer o avô esperar, pois ele era sempre bastante meticuloso em calcular o horário aproximado da chegada deles à cabana, e só descansava quando lhe parecia que o pai de S. não tinha nem dirigido tão depressa nem ficado preso por qualquer circunstância que lhe escapasse ao controle.

O avô (padrinho de batismo de S.) nascera numa pequena aldeia, a meia hora da cabana. Durante os anos do nacional-socialismo, fizera fortuna numa cidade industrial próxima dali, com uns poucos bares que era autorizado a gerir, no bairro da luz vermelha, e com uma pequena fábrica de bebidas de elevado teor alcoólico. Havia se mudado para o campo, de acordo com o que S. hoje sabe, nas semanas do final da Guerra, provavelmente mais preocupado em proteger-se a si mesmo contra o que veio a ser chamado de processo de "desnazificação" do que com os militares americanos, acerca dos quais falava com grande condescendência, porque, ao contrário de verdadeiros heróis de guerra, tinham insistido em vasculhar cada quartinho da cabana "como se ali houvesse algum perigo para eles". Até a sua morte, em 1958, o avô e sua esposa nunca tinham deixado a zona da aldeia. Contudo, mantiveram os rendimentos dos negócios, através de deslocações semanais à cidade e com a ajuda de um secretário com ar demoníaco, que não parava de discorrer sobre a matéria e sobre a ilusão da vida eterna, como se anunciasse o seu suicídio, que veio a ocorrer muito antes da morte do avô.

De tal modo iam bem os negócios do avô que ele pôde dar-se ao luxo de um enorme Opel Kapitän preto, de rodas brancas cromadas e um motorista de nome polonês, que usava um chapéu como o de um policial, o que mostrava qual era a sua ideia de uniforme profissional. A cada ano celebravam a véspera de Natal no aconchego da cabana, rodeados de sua paisagem romântica sob a neve e cantando as canções tradicionais, e era esta a parte preferida de S., quando ouvia as memórias do passado que lhe parecia ora mais distante e glorioso, ora mais próximo e real, com as autoridades americanas e britânicas sempre no papel de inimigos naturais a que se estava ligado por vários acordos de índole pragmática. Havia uma história em particular que o fascinava e que nunca conseguira entender por completo, sobre grandes recipientes com álcool, escondidos em algum lugar na floresta e que o avô, pouco depois da guerra, lamentava ter destruído, por algum imperativo de necessidade, apesar do receio de causar algum incêndio.

1
O emergir da latência?
Começa uma geração

O dia 15 de junho de 1948, na Baviera, foi uma terça-feira ensolarada, apesar de úmida. Era ainda incerto o que viria a ser da Alemanha: o passado recente do país pesava sobre todos, ainda que o assunto não fosse o dos mais falados. Ninguém parecia perceber – ou interessar-se por isso – que teria o seu futuro definido daí a apenas uma semana. A capa do *Süddeutsche Zeitung – Münchner Nachrichten aus Politik, Kultur, Wirtschaft und Sport* era muito semelhante àquilo que é hoje; mas naquele dia saía uma foto em preto e branco de Carl Zuckmayer (escritor americano de origem alemã) com a esposa e a filha, e o preço também era diferente, apenas 20 *Pfennig*. No topo da página, cinco artigos apresentavam as principais notícias do momento, na Alemanha e no mundo, num tom estranhamente distante. Anunciava-se que estavam então terminados os preparativos para a reforma monetária [*Währungsreform*] nas três zonas ocupadas pelos Aliados; restava esperar pela notícia oficial da data precisa em que entraria em vigor a nova ordem monetária. Em outro artigo, cobria-se o discurso da campanha do presidente Truman em Berkeley, na

Califórnia, no qual ele apelava à União Soviética que não abandonasse o esforço coletivo para assegurar o futuro democrático de uma Alemanha unificada. (Supõe-se que os Aliados ocidentais e a União Soviética estivessem igualmente inclinados para a divisão do país – se bem que, por razões de estratégia política, cada uma das partes imputasse esse plano à outra.) Duas pequenas notícias davam conta de que o Parlamento francês hesitava em ratificar os passos políticos necessários ao estabelecimento de um Estado da Alemanha Ocidental, apesar da decisão tomada treze dias antes, em Londres, pelos outros aliados ocidentais e pela Holanda, Bélgica e Luxemburgo. Finalmente, o governador militar americano, o general Clay, era citado numa conferência de imprensa, prometendo que os Estados Unidos fariam todos os esforços para assegurar a representação da Alemanha Oriental no novo Estado. Quatro desses cinco artigos vinham compostos no estilo neutro, característico das agências de notícias: vinham da Associated Press, da Dena-Reuter e da United Press International. O único que tinha sido escrito pelos repórteres do jornal, apesar de se referir à iminente reforma econômica, que era de interesse vital para todas as pessoas ali, talvez fosse o mais desapaixonado de todos. Em outro lugar da página, mais duas matérias adotavam um estilo um pouco mais animado, que chegava a ser quase agressivo, embora estivesse relacionado a tópicos que exigiriam dos editores alemães maior tato e reserva. A primeira era uma conhecida coluna, do lado esquerdo (que continua a ser publicada), de título "Das Streiflicht" [A luz do lado]. Em 15 de junho de 1948, o texto dava voz à crítica da estratégia geopolítica dos Estados Unidos; mais concretamente, fazia objeção contra o fato de aquele país, através de uma legião estrangeira, aprovada pelo Senado, apoiar o Estado

Depois de 1945

Judaico, que fora fundado no antigo Protetorado Britânico precisamente um mês e um dia antes. Num antissemitismo descarado, mal disfarçado atrás de uma camada de pacifismo, "Das Streiflicht" ridicularizava 64 não judeus que tinham se voluntariado para lutar pela causa judaica e sido dispensados pelas autoridades israelitas. "Nós, alemães, não poderíamos desejar melhor maneira de nos vermos livres deste permanente elemento de agressão militar à nossa sociedade."[1] A maior parte do texto – e o entusiasmo mais autocongratulatório – era dedicada à "Segunda Manifestação Internacional da Juventude", que estava acontecendo em Munique e que juntara 1.400 participantes, vindos de 21 países diferentes. Entre os convidados de honra estavam trinta prisioneiros de guerra alemães, que as autoridades francesas tinham libertado para assinalar a ocasião. Carl Zuckmayer recebeu enorme aplauso ao declarar que a geração mais jovem de alemães não poderia ser responsabilizada pelo episódio mais recente do passado da nação. No dia seguinte, ainda no âmbito da Manifestação, a Universidade de Munique receberia, com toda a acadêmica pompa e circunstância, um professor honorário que falaria sobre o romancista francês Jules Romains. Surpreendentemente, foi anunciada a vinda tardia de uma delegação da Espanha, ou seja, de um país cujo governo militar (que tinha apoiado Hitler) estava completamente isolado da ordem política emergente na Europa Ocidental. A delegação espanhola foi recebida com boas-vindas particularmente calorosas.

Os jovens que se reuniram em Munique, relatava o jornal, "falaram dos seus amigos alemães com enorme respeito"; queriam cultivar a "boa vizinhança" e estavam impressionados

---

1 *Süddeutsche Zeitung*, n.48, 15 jun. 1948, p.1.

com "a qualidade da comida que era fornecida".[2] A questão da alimentação – "o como e onde procurar" – era preocupação de primeira ordem para o *Süddeutsche Zeitung* e seus leitores. Um longo artigo na página 3 (das quatro páginas daquele dia) debatia a oportunidade, sancionada legalmente, de comprar carne de animais abatidos [*Freibank*]; esclarecia os requisitos físicos exigidos pela medida e descrevia, com traços de ironia, mais de três mil pessoas que esperavam na fila. A cultura, assim como a comida, era tratada em termos de fornecimento e de quantidade. Na rubrica "Cabarés em maré alta", falava-se de três serões de cabaré político na noite de Munique. O jornal se referia também a diversas produções recentes de dramas clássicos – peças de teatro de Lope de Vega e de Henri de Montherlant, cujas obras estavam em toda parte àquela altura. (Não há dúvida de que a cultura francesa gozava de um prestígio sem igual, como sucedera na Alemanha até 1933.) O jornal trazia ainda uma matéria sobre a exposição na Haus der Kunst [Casa das Artes] – inaugurada por ninguém menos que o general Clay –, onde se exibiam quadros dos mestres da Renascença que as autoridades norte-americanas tinham devolvido à Baviera. Mesmo num jornal de quatro páginas, o esporte ocupava um espaço muito pequeno, ao menos para os padrões atuais. Abria com o programa de uma competição de boxe entre as cidades de Zurique e Munique – o pugilismo era talvez o esporte mais popular na Alemanha; o artigo aplaudia o evento e caracterizava-o como um gesto de generosidade da parte dos suíços, para acabar com o boicote aos atletas alemães nos eventos internacionais. Em contrapartida, a cobertura do futebol

---

2 Ibid., p.3.

tinha um tom estranhamente elegíaco: "o time de Mannheim, apesar de ter um estilo mais maduro, não fez um único gol; Munique 1860 marcou uma só vez. Esperemos que o seu ataque, que deixou muito a desejar, volte à antiga forma."³ Toda a parte inferior da página era preenchida com anúncios de oferta de emprego. Os mais comuns eram vagas para homens e mulheres com competências administrativas, de negócios ou de datilografia, e para "moças" trabalharem como faxineiras [*Alleinmädchen*]. Nesse dia, não havia anúncios de procura de emprego.

Um leitor que não conhecesse o contexto local e histórico teria dificuldade em imaginar que o *Süddeutsche* de 15 de junho de 1948 tinha sido escrito, impresso e distribuído numa cidade cujo centro urbano jazia ainda sob os escombros dos ataques aéreos. Esta cidade tinha acolhido a sede oficial dos trabalhadores do Partido Nazista – o partido de Adolf Hitler e de Heinrich Himmler –, que sujeitara a Humanidade a crimes de perfeição tecnológica sem precedentes. Mais difícil ainda para esse leitor desavisado seria encontrar sinais da miraculosa (mais do que apenas radical) reviravolta que Munique e a sua região haveriam de viver logo em seguida. Era como se aqueles que tinham sobrevivido à guerra estivessem tão atarefados com o cotidiano e a sobrevivência na nova e pacífica realidade que não fossem capazes de dar valor aos seus próprios feitos. Menos ainda conseguiam aperceber-se dessa cegueira. Nesse dia, já no final da primavera, de um lado os horrores do passado e do outro, os sucessos futuros, a vida parecia tão chã, incaracterística e sem rumo quanto a música transmitida na Rádio das Forças

---

3 Ibid., p.4.

Armadas Americanas – por exemplo, *On a Slow Boat to China*, de Benny Goodman.

∞

A nova moeda, o marco alemão, começou a circular, sob céus enevoados, nas zonas americana, britânica e francesa no domingo, 20 de junho de 1948. Cada cidadão podia cambiar até quarenta dos antigos marcos do Reich pelo montante correspondente na nova moeda. Para o mês de agosto prometia-se aumentar mais vinte marcos àquela quantia. Quantidades maiores de dinheiro poderiam ser cambiadas na razão de cem (da antiga moeda) para cinco (da nova); para as contas de depósitos à ordem e de poupança, assim como para os pagamentos mais avultados, a taxa era de dez para um. Foram levantadas as restrições de racionamento de mais de quatrocentos tipos de bens. Embora essas medidas fossem acompanhadas de certo medo e aumento do desemprego, acabaram se revelando eficazes porque romperam os laços com uma parte debilitante do passado do país e prepararam o terreno para o "milagre econômico" que haveria de dar o tom existencial da república federativa.

A velocidade da *Währungsreform*, a reforma financeira no Ocidente, apanhou de surpresa a administração da metade oriental do país. Três dias depois a reforma monetária também foi implementada na zona de ocupação soviética, para evitar que esta fosse inundada pelos antigos (e agora inúteis) marcos do Reich. A transição econômica no Leste se diferenciava da realizada na parte ocidental, uma vez que as autoridades perseguiam o objetivo da justiça social ao prometer melhores taxas de câmbio de moeda às pessoas com menor disponibilidade financeira.

No dia seguinte, quinta-feira, 24 de junho – intensificando uma tendência para intervir política e militarmente, em resposta às ameaças de política mundial –, a União Soviética interrompeu todo o trânsito por terra, ferrovia e água entre Berlim e a parte ocidental da Alemanha. Apesar de haver dúvidas, que eram de natureza logística, técnica e principalmente estratégica, o general Clay, junto com o apoio das autoridades britânicas, ordenou de imediato que se constituísse uma ponte aérea para Berlim. Em poucas semanas, havia 269 aviões britânicos e 314 americanos que realizavam cerca de 550 voos diários. Essas missões, que saíam de Frankfurt, Hannover e Hamburgo para três aeroportos da Berlim Ocidental (Tempelhof, Gatow e, no começo de dezembro, Tegel), restabeleceram o controle sobre os setores ocidentais da antiga capital e garantiram a sobrevivência da sua população. Menos de cem horas depois, entre 20 e 24 de junho de 1948, terminava o período do pós-guerra, e a Guerra Fria (que já se vislumbrava como possível pesadelo para as relações externas) começava a ganhar a forma de nova realidade. Antes do final desse mês, o Comitê dos Partidos Comunistas do Leste da Europa, liderado pela União Soviética [*Kominform*] – aparentemente obcecada com as profundas divisões que se avolumavam na paisagem política –, excluíra o Partido Comunista da Iugoslávia, alegando que este incentivava atitudes "antissoviéticas e anti-internacionalistas". Menos de dois meses depois, os países com zonas de ocupação na Alemanha Ocidental anunciaram a surpreendente decisão: as deliberações sobre a nova Constituição teriam lugar em Bona, uma pequena cidade universitária perto de Colônia.

∞

Se nas semanas seguintes, enquanto se tornavam visíveis os contornos do novo mundo, as pessoas pareciam estranhamente alheias às tensões que davam forma aos seus gestos, os meses finais da guerra testemunharam cenas de grotescas simultaneidades e de histeria. Considere-se, por exemplo, a horripilante foto de abril de 1945, em que Adolf Hitler – com ar frágil e aparentando ter bem mais do que seus 56 anos – cumprimenta uma fila de rapazes de uniforme, como se estes fossem soldados de verdade, como se ainda tivesse sobre eles alguma autoridade militar (ou paternal), como se a guerra não tivesse sido perdida há muito tempo e os jovens ainda acreditassem que fazia sentido o sacrifício de sua vida. Será que este "como se" está relacionado com a nossa impressão, hoje, de que certos gestos parecem deslocados, desajustados do ambiente em que ocorreram? Ou será este "como se" uma fórmula aproximada (mesmo se inadequada) da combinação de impotência e cinismo que assinalava o próprio momento e o modo como era vivenciado? Será que, na primavera de 1945, Hitler ainda acreditava no seu apelo? Será que os rapazes acreditavam nele? Estariam realmente sendo sinceros os alemães que – dias depois da capitulação – foram obrigados a caminhar pelos campos de concentração construídos pelos seus concidadãos, quando afirmavam ter estado na ignorância daquelas fábricas da morte? O que meus pais estariam pensando quando enviaram a seus amigos e familiares os cartões de papel artesanal [*Büttenpapier*], escritos em caracteres góticos e que anunciavam a festa do seu noivado para o dia 20 de abril de 1945? Ainda que não fossem muito ativos no Partido, era a data do aniversário de Hitler, e havia celebrações programadas para Dortmund, onde se travara até poucos dias antes uma das mais violentas batalhas de toda a guerra. Não veriam nisso nenhum problema? Terá passado pela cabeça deles que as casas destruídas, onde haveriam de dormir, de comer e de fazer sexo não combinavam precisamente com aqueles convites formais? Ou estavam agindo como se não fosse nada, porque o abismo era demasiado profundo – e estava bastante próximo – para enfrentar? Terá sido a ignorância que lhes permitiu sobreviver? Estaria Hitler, ou quem quer que estivesse com ele no seu triste *Bunker* subterrâneo, verdadeiramente convencido – "filosófica" ou "religiosamente" convencido (se é que podemos admitir esses advérbios no contexto) – quando afirmava que era necessário e justo que a "raça" alemã desaparecesse – que fosse fisicamente destruída e eliminada do planeta – porque tinha se revelado muito mais fraca do que outras "raças" e, portanto, não merecia dominar o mundo?

∞

A estridência grotesca da última fase da guerra estava destinada a desaparecer após a capitulação incondicional de 8 de maio de 1945. No entanto, aquele "como se" do ignorar agressivo permaneceu entre os sobreviventes, à medida que as condições de vida ficavam pior do que se poderia imaginar. Foi essa a impressão que Stig Dagerman, um jornalista sueco de 23 anos, levou consigo quando visitou a Alemanha. Dagerman chegou durante o verão de 1946 para fazer uma reportagem sobre a situação – certamente sem precedentes históricos nem existenciais – numa série de treze artigos que haveriam de ser publicados em Estocolmo no ano seguinte.[4] Com pormenores

---

4 Dagerman, *Deutscher Herbst'46*.

impiedosos, Dagerman descreveu o cotidiano de uma família que morava em um apartamento térreo que era continuamente inundado por água. Não era bastante dizer que viviam em condições "pré-históricas": tratava-se de pessoas de uma civilização moderna que tinham sido violentamente forçadas a uma vida do tempo das cavernas. Todos os seus movimentos representavam alto risco; tinham aprendido a dormir sem se mexer, e a ameaça das doenças espreitava em cada canto. Em vez de ir à escola ou de ter uma profissão, as crianças e os adultos caçavam comida; passavam os dias juntando combustível para o fogo; de vez em quando, trocavam por roupa aquilo que tivessem achado. Ninguém ali tinha tempo nem energia, tampouco vontade para sequer pensar o que os tinha conduzido àquela situação. A vida não era mais do que uma questão de escapar da morte, dia após dia. Os poucos alemães que podiam dar-se ao luxo de parar um pouco aceitavam sem reclamar que os Aliados tinham poder absoluto sobre aquilo que havia sido o "seu" país. Ao mesmo tempo, deveria parecer-lhes natural que contassem a um observador de fora que estavam sendo tratados de maneira injusta. Estariam falando a verdade, estariam com boa-fé quando perguntavam a Dagerman se este os considerava responsáveis por Hitler e pelos doze anos de nazismo? Estariam agindo com honestidade quando observavam que os alemães, depois das suas vitórias militares, nunca tinham tratado as outras nações com tal severidade?

À exceção dos julgamentos de Nuremberg, os Aliados deixavam os advogados alemães "de ficha limpa" presidir à "desnazificação" — um processo que garantia a condição inevitável para a reentrada na vida civil e profissional. Dagerman tinha uma ideia obscura sobre esta decisão de logística. Embora não acusasse os novos funcionários do Estado (que na sua maioria tinham exercido a mesma profissão antes de 1945) de descarada injustiça ou de nepotismo, ele considerava que faltava-lhes a paixão e a dedicação necessárias para detectarem e punirem os crimes do passado; achava que eles não estavam conseguindo fazer a ruptura comparável à que viria a ocorrer no sistema econômico dali a uns dezoito meses. Por fim, Dagerman percebia uma tensão cada vez maior entre duas gerações de alemães. Os que tinham entre 15 e 30 anos claramente acusavam seus irmãos mais velhos e os pais – ou seja, as pessoas responsáveis pelo país entre 1933 e 1945 – de terem colocado em risco o presente e o futuro deles. Em contraste – e com maior surpresa –, muitos alemães mais velhos acreditavam que a geração mais jovem deveria ter protegido (ou mesmo libertado) a nação do domínio nazista. Conforme Dagerman bem observou, ninguém se sentia, de fato, responsável.

Um dos casos mais emblemáticos e conhecidos se refere ao filósofo Martin Heidegger. Por razões biográfica e intelectualmente convenientes (isto é, pelas piores razões possíveis), Heidegger se alistou à NSDAP [Partido Nacional-Socialista dos Trabalhadores Alemães] em 1º de maio de 1933 – dez dias depois de ter sido eleito reitor da Universidade de Friburgo (com a aprovação do Partido). Desde o início, o mandato administrativo de Heidegger deve ter sido problemático para os novos governantes, os quais, tanto quanto podemos saber, nunca chegaram a compreender a importância da sua obra filosófica. Quase um ano depois de ter tomado posse, Heidegger pediu demissão, e a obteve. A partir desse momento, o filósofo se manteve distante da política, mesmo da política universitária. Uma vez ou outra chegou a fazer alguns comentários críticos – se bem que leves –, dizendo que o movimento do nacional-socialismo não estava cumprindo a sua missão histórica. Mas nunca teve a coragem (e provavelmente nunca terá tido a vontade) de deixar o Partido. No início de 1947, o assistente francês de Heidegger, e seu admirador, Jean Beaufret, enviou-lhe uma carta na qual perguntava ao filósofo como ele via – e, por consequência, como ele poderia então re-ver ou re-equacionar – a ideia de "Humanismo". Beaufret fora claramente influenciado pela palestra de Jean-Paul Sartre, "L'existentialisme est un humanisme" [O existencialismo é um humanismo], que, na época, tivera enorme influência. A reação de Heidegger foi menos do que educadamente negativa. Num texto que estava fadado a adquirir grande importância depois da capitulação da Alemanha, ele apresentou uma visão do estado contemporâneo da filosofia (ou do "pensamento", como preferia dizer) que não poupa a frieza. Essa frieza, creio, estava ligada às condições materiais que a Alemanha vivia naquele momento.

Heidegger começa com uma pergunta retórica, que acentua a posição de autoridade assumida no diálogo com Beaufret:

> Você pergunta: *Comment redonner un sens au mot "Humanisme"* [Como devolver o sentido à palavra "Humanismo"]? Esta pergunta implica a intenção de manter a palavra "Humanismo". Pergunto-me se isso será necessário. Não é já bem visível todo o mal produzido por palavras deste tipo?[5]

Nunca foi o gênero de Heidegger admitir que desenvolvia – e muito menos que modificava – as suas posições filosóficas

---

5 Heidegger, *Gesamtausgabe* 9, p.315.

em resposta aos acontecimentos que o rodeavam. No entanto, neste caso as palavras "ainda não" indicam que o filósofo reagia à influência do presente devastador. A *Carta sobre o Humanismo* nos oferece uma crítica fundamental do tradicional antropocentrismo. Mais especificamente, essa crítica sublinha que, seja qual for a importância que tenha o *Dasein* [a existência humana], ele assume esse sentido na relação com o "desvelamento do Ser", isto é, o evento da verdade como um destino mais elevado [*Geschick*], no qual o *Dasein* tem uma função, sem nunca se saber de que modo nem por que esta função interessa. Como se Heidegger nunca tivesse querido ser aquilo em que tinha se transformado (pelo menos durante o período em que foi reitor em Friburgo) – isto é, filósofo de uma nova concepção da nacionalidade enquanto decisiva moldura existencial –, ele rejeitava tanto o nacionalismo quanto o internacionalismo, por ambos serem configurações inadequadas dentro da história do Ser:

> Em face da essencial condição de sem abrigo da existência humana, o futuro destino do homem se revela dentro da história do Ser como uma descoberta da verdade do Ser e um começo de caminhada nessa direção. Num sentido metafísico, qualquer tipo de nacionalismo é antropocêntrico e, como tal, subjetivista. O simples internacionalismo não ultrapassará o nacionalismo – pelo contrário, apenas o amplificará e o levará ao nível de sistema. Assim como o coletivismo sem história não redimirá o individualismo, assim o internacionalismo não vai trazer o nacionalismo mais próximo da *humanitas*. O coletivismo é a subjetividade humana na sua forma totalitária. Ele torna real a autoafirmação humana incondicional. Não há como ser de outra forma. Nem sequer é possível ganhar experiência suficiente nesta situação através do

nosso pensamento habitual e apenas meio mediado. Sempre que a existência humana se exclui da verdade do Ser, está apenas relacionada consigo mesma enquanto *rationale* animal.[6]

Ler esta passagem nos termos mais diretos, com a metáfora filosófica da *Heimatlosigkeit* [o caráter de "sem abrigo"], transformou o destino dos milhões de alemães que haviam perdido suas condições familiares de existência – para não falar da destruição física que ocorrera nas cidades alemãs – numa concretização daquilo que, segundo Heidegger, representava a verdadeira crise do momento: a incapacidade, talvez mesmo a inépcia, da geração daquele presente de apreender o seu destino [*Ge-Schick*], isto é, o lugar-no-mundo que o Ser por revelar tinha lhes atribuído e enviado. Suspeito que nunca antes estes entendimentos da ontologia e da existência pareceram tão convincentes quanto naquele momento, num tempo de absoluta humildade. O mesmo poderia ser aplicado à própria filosofia:

> É tempo de pararmos de sobre-estimar a filosofia e de, à conta disso, sobrecarregá-la com expectativas que não consegue cumprir. Aquilo que mais precisamos, na miséria do nosso presente, é de menos filosofia e de uma maior atenção ao pensamento; menos literatura e maior cuidado às letras.
> No futuro, o pensamento deixará de ser filosofia, porque pensará de modo mais autêntico do que a metafísica (e a metafísica é sinônimo de "filosofia"). O pensamento do futuro tampouco irá cumprir a promessa hegeliana de que, abandonando o seu nome por "amor à sabedoria", se tornaria sabedoria na forma de

---

6 Ibid., p.341 e ss.

Depois de 1945

conhecimento absoluto. Nos nossos dias, o pensamento encontra-se numa situação de declínio em relação à sua essência inicial. O pensamento, hoje, reúne a linguagem em coisas simples de dizer. Por isso, a linguagem se torna na linguagem do Ser, como as nuvens são nuvens no céu. Através da simplicidade do que diz, o pensamento vai traçando humildes sulcos dentro da linguagem. São mais humildes ainda do que os sulcos que o lavrador faz, devagar, no campo.[7]

Em 1947, quando Heidegger escreveu estas palavras acerca da "miséria do mundo" e da "pobreza" da filosofia e utilizou imagens do mundo agrícola, na Alemanha escasseavam os alimentos: o fornecimento de comida tinha chegado ao nível de quase não garantir a subsistência. Após um inverno frio e um verão seco, a média de calorias que um adulto ingeria diariamente caíra para 900 – ou seja, 600 abaixo do limite mínimo fixado pelos ocupantes, as forças Aliadas. Antes da guerra, o número era de 3.000. No mesmo período, a taxa de divórcio subiu de 8,9 para cada 10 mil pessoas (em 1939) para 18 (em 1948).

∞

No início do verão de 1948, tudo melhorou; apesar disso, poucos alemães pareciam ver a grande mudança que se aproximava. Seria porque a sua situação tinha sido tão miserável durante tanto tempo – para eles, todo o tempo, na verdade – que teriam perdido a capacidade de imaginar, ou até mesmo de sonhar com uma vida diferente? Parecer-lhes-ia impossível

---

7 Ibid., p.364.

retornar daquele seu estado pré-histórico? Na edição de maio de 1948 de *Die Wandlung* – um influente jornal mensal de qualidade e de impressionantes convicções intelectuais, fortemente democrático, editado por Dolf Sternberger, Karl Jaspers, Marie Luise Kaschnitz e Alfred Weber – brilhavam alguns tênues vislumbres de otimismo: "Com um clima um pouco melhor e com o fornecimento de fertilizantes, espera-se que as colheitas sejam melhores e deem, quem sabe, entre 1.200 e 1.300 calorias diárias, em vez das 800 do ano passado."[8] Na mesma página, afirmavam os editores que, com os olhos postos numa perspectiva a longo prazo, a Alemanha deveria se juntar à comunidade internacional de comércio, o que beneficiaria todos os países. Dolf Sternberger observou como estava em declínio a função do Estado-nação na política internacional, a qual seria substituída por uma tensão entre os "dois partidos" (como lhes chamava): os blocos americano e soviético. O jurista e futuro representante da *Bundestag*, Adolf Arndt, deu a contribuição mais brilhante e filosoficamente complexa sobre o tópico. Tal como Heidegger, Arndt argumentava que, na crise contemporânea, desaparecera a tradicional "crença na Humanidade", juntamente com a convicção de que os seres humanos possuíam os meios para resolver os problemas que continuariam a enfrentar. Um dos exemplos que mencionava, e que envolvia um processo ainda por concluir, tinha a ver com a transição de dupla ordem de um Estado sagrado [*Sakralstaat*] para um "Estado social", e com a mudança de um Estado nacional para uma ordem universal. Arndt observou que, nas condições em que estavam, emergia

---

8 Brandt, Die Lösung des deutschen Ernährungsproblems, *Die Wandlung. Eine Monatsschrift 3*, n. 5, 1948, p.397.

um intenso – e compreensível – desejo de valores religiosos ou morais, um desejo de posições fixas que permitissem a orientação na vida. Argumentava, porém, que só um quadro legal que pusesse de lado tais matérias provaria ser suficientemente flexível para assegurar uma paz duradoura em um ambiente pesadamente complexo; em outras palavras: somente se fossem renunciadas as soluções de curto prazo se poderia sobreviver (ou mesmo atingir o sucesso a médio prazo).

∞

Menos de cinco anos depois, os problemas com que se debatiam os alemães da classe média, como meus pais, eram muito diferentes. Nunca os ouvi referirem-se à sua festa de noivado, que aconteceu dezoito dias antes da rendição total. Meu pai tinha estado detido como prisioneiro de guerra pelos americanos, durante cerca de um ano, num campo de prisioneiros chamado "Oklahoma", próximo à cidade francesa de Reims. Se as fotografias que trouxe para casa são confiáveis, ele passava o tempo em condições que quase poderiam ser consideradas confortáveis. Quando foi libertado (mesmo se por vezes nos contava que havia fugido), o diretor do campo chegou a escrever-lhe uma carta de recomendação – A quem de direito –, na qual era elogiado por ter dado assistência aos outros prisioneiros; meu pai, que tinha quase completado o estágio profissional em medicina, já era um médico em tudo menos no título. Meus pais casaram em maio de 1947, poucos meses antes de se ter chegado ao pior momento da fome do pós-guerra. Não causa espanto, então, que grande parte das suas lembranças daquele dia estivesse relacionada ao consumo exagerado de comida (que teve consequências desagradáveis para alguns dos convidados). Tiveram também a sorte de achar emprego no hospital universitário da minha cidade natal (que os bombardeios dos Aliados tinham transformado na segunda zona urbana mais devastada de toda a Europa; não é coincidência que seja a cidade irmã de Nagasaki, no Japão). Os dois salários somavam cerca de 200 marcos alemães, o que lhes permitia o luxo de contratar uma babá. Chamava-se Helgard, era filha de um trabalhador das ferrovias. Ainda me lembro de como era muito bonita – e mais carinhosa do que minha mãe. Mas um dia me disseram que Helgard não voltaria. "Ficou ruim", minha mãe falou, sem dar mais pormenores. O lugar da Helgard foi ocupado por uma freira com véu engomado, que me fazia ajoelhar – suponho que para rezar ao Senhor – antes do café da manhã. A primeira pessoa de quem senti saudade foi a Helgard. Uma tarde, no pequeno quarto onde morávamos, no hospital, ouvi meus pais falarem a um amigo sobre a verdadeira razão da partida da Helgard: "Ela anda com existencialistas." Não é necessário dizer que eu não tinha a menor ideia do que eram "existencialistas", e ainda era mais obscuro para mim o que eles faziam nas tais cavas [*Kellern*]. Meus pais cirurgiões, imagino, também não sabiam nada sobre as novas tendências intelectuais francesas que influenciavam o pensamento alemão. Foram rápidos a retirar-se para um mundo seguro onde, como era óbvio, se considerava necessário ter muros altos para proteger o estilo de vida da classe média, da ameaça da excentricidade. De vez em quando, ouvia-os referirem-se à "guerra", mas para mim era apenas uma menção vaga, como um acontecimento passado antes de eu nascer e que nem era necessariamente ruim. Associava a guerra às ruínas intermináveis da minha cidade, mas nunca tinha conhecido nenhuma cidade que não tivesse ruínas, e depressa descobri que eram lugares divertidos para as minhas brincadeiras.

A dada altura, em 1950, meu pai ficou uns seis meses trabalhando como médico interno em Munique, para fazer sua especialização em urologia – área emergente, na época, enquanto campo de prática e de pesquisa independente da medicina geral. De lá ele enviava ao seu filho bebê cartas com desenhos e fotografias. Em algumas dessas fotos, há zonas da cidade que estão exatamente como são hoje – isto é, como uma capital oitocentista de uma pequena monarquia –, com o ar opulento de dinheiro antigo e carros grandes (principalmente as Mercedes, meticulosamente bem tratadas, mas também havia modelos britânicos e americanos, de dimensões apreciáveis). Em outras, Munique aparece como um gigantesco estaleiro de construção, com o trânsito ininterrupto dos pequenos Volkswagen, sobretudo, mas também com alguns Opel e com caminhões que levavam areia e materiais para as obras. As poucas pessoas que se veem fora dos carros parecem estar todas com pressa. Achei também um postal ilustrado, a cores, com a data de 1955, que mostra o futuro da cidade onde meu pai vivia. Também ali aparecem os automóveis. A imagem mostra uma estação de serviço oficialmente declarada a "maior" [*Gross-Garage*] de Nymphenburg, um elegante bairro que toma o nome de um castelo de veraneio do começo do século XVIII. A *Gross-Garage*, de fato, não é assim tão grande – mas parece ter orgulho desse nome. Lá está apenas um automóvel – uma Mercedes preta, provavelmente da série 220 –, à espera de abastecer de combustível. O veículo tem o corpo compacto, quase quadrado, de toda uma primeira geração de Mercedes construída depois da guerra. Os pneus traseiros são adornados por uma tira de cor branca – um sinal de distinção e elegância que havia sido adotado dos Estados Unidos. Fora da oficina, está uma caravana Volkswagen, cuidadosamente pintada de vermelho e preto. À frente dessa van veem-se pendurados o anúncio de uma companhia de seguros (deveria ser a DAS, *Deutscher Automobil-Schutz* [Proteção de Automóvel Alemã]) e outro do conhecido ADAC (Allgemeinen Deutschen Automobilclubs [Clube do Automóvel da Alemanha]). O veículo tem duas palas estreitas sobre cada um dos refletores, provavelmente para reduzir o brilho das luzes dianteiras. Parecem-se com pálpebras, e por isso dão ao veículo um ar de rosto tímido mas amistoso. O mundo da *Gross-Garage* é pacífico, calmo, satisfeito consigo mesmo. A não ser que a foto tenha sido feita num domingo, parece que naquele tempo todos os dias queriam ser final de semana.

∞

Talvez surpreendentemente, é como se esse ambiente de contentamento não fosse apenas dos alemães em meados do século XX. Nem era sequer – como se poderia pensar – específico dos países que tinham participado da guerra. Tenho cartões ilustrados, de 1948, que encontrei numa feira de velharias em Lisboa, todos com fotografias privadas, em formato de cartão-postal, para serem enviados a amigos, parentes, amantes. Os homens, cuidadosamente penteados e vestidos, enviavam retratos em preto e branco às primas, às amigas, sempre com "saudações", e geralmente com algumas palavras (por exemplo, "isto é para recordar de como eu era", numa data específica). Apesar de estarem carregadas de sonhos e desejos, essas imagens nunca continham uma linguagem ambígua – nem sequer uma piada ou uma nota mais ousada.

Tenho também comigo uma foto de uma jovem família portuguesa. A mãe é tão bonita como uma estrela de cinema do seu tempo – ao estilo de Rita Hayworth, porém mais morena. Apesar de uma compleição marcada, o rosto, perfeitamente simétrico, é suave; o arco dos seus lábios empresta à boca um sorriso distante. O vestuário do pai é impecável e deve ter sido caro. Tem talvez a mesma idade que a esposa, mas se esforça por parecer sério – é o tipo de homem que se sentiria desconfortável se não estivesse vestido de terno e gravata. Apesar de tudo, seu corpo largo parece pertencer a uma criança feia, ou a um velho demasiado gordo. Seus braços são curtos, o rosto é inchado e os lábios vermelhos se cerram como se segurassem a palavra que ele não pode pronunciar. É difícil imaginar que alguém pudesse apreciar tal pessoa, numa primeira impressão – será de confiança? Ou, para dizer de outro modo: será demasiado fraco e infeliz para se sentir no direito daquele status, ou será perigoso? Entre aquela linda mãe e aquele pai estranho, numa cadeira está a filha, que deve ter uns três anos. Seu vestido é xadrez, do tipo que Shirley Temple ou os filhos de aristocratas britânicos daquele tempo usavam. Impossível não pensar que, algum dia, o rosto dessa menina vai se parecer com o do pai; mas isso não a impede de ser bonitinha, como se diria hoje, ou de parecer um querubim barroco, como se teria dito naquele tempo. Desde que comprei esse cartão, suspeito que exista nele uma história latente, do gênero que é impossível inventar. Deve haver ali um drama real, complicado, e até doloroso – a história de um defeito físico, talvez, ou de uma traição, ou até de um crime; é uma história que nunca ouviremos, mesmo que pressintamos a sua presença.

∞

O que haverá naquele tempo – que uns bons sessenta anos atrás já escondia tanto – que interesse nos dias de hoje? É útil comparar os anos depois de 1945 ao período, uns trinta anos antes, que se seguiu à primeira guerra que ganhou o título honorífico de "mundial". Foi um tempo vivenciado como um momento de profunda depressão, e não apenas pelos intelectuais. A mobilização que ocorreu por toda a Europa no começo de agosto de 1914 foi uma orgia universal de fé patriótica – mas aqueles que regressaram das trincheiras em novembro de 1918, fossem vitoriosos ou vencidos, traziam no rosto a gravidade da desesperança. As fotografias e os filmes de noticiários revelam que o mundo envelheceu décadas só naqueles quatro anos. A busca desenfreada de fundações sobre as quais se poderia começar uma nova vida – busca que estaria relacionada com os traços de desesperança que encontramos no texto de Heidegger de 1947 – continuou a agitar as almas de todos os grupos sociais depois de 1918. A biografia de Ludwig Wittgenstein nos oferece um exemplo particularmente dramático e ao mesmo tempo comum. No sentido mais literal, Wittgenstein pretendia iniciar uma nova vida depois da capitulação e do final do império austro-húngaro. Fê-lo através da doação de sua imensa fortuna e da mudança do seu interesse intelectual, da engenharia para a filosofia.

Que tipo de experiência, na Primeira Guerra Mundial, justificaria o sentimento generalizado de que era impossível continuar existindo como antes? Durante os primeiros meses de envolvimento militar, ambos os lados tinham se surpreendido com a evidência de que mais nenhuma vitória fácil poderia ser obtida por vias cavalheirescas (ou, ao menos, napoleônicas). Agora, os combates paralisados nas trincheiras, onde os avanços eram breves e custosos, constituíam o horizonte da guerra. O desenvolvimento acelerado da tecnologia militar – metralhadoras, aviação, ofensivas de gás – trouxe consigo uma profunda frustração existencial. Uma guerra nesta escala deixava de oferecer a estrutura de vida em que faria alguma diferença cada ato de bravura ou cada lance individual de gênio; já não era a mesma guerra em que Ernst Jünger conseguira experimentar encontros e situações individualizadas. O resultado do combate, agora, seria decidido pela quantidade e pela eficiência do "material"; a vitória seria dos que tivessem melhor produção industrial e estivessem mais dispostos a sacrificar a vida do seu povo. Em contrapartida, as novas ideologias – acima de tudo, o comunismo e o fascismo – iam adentrando a esfera pública e prometiam definir, alegadamente por meio de "novos" valores, o sentido da vida e da perda, tanto para os indivíduos quanto para as comunidades.

No que diz respeito à dimensão da destruição e do alcance que atingiu, a Segunda Guerra Mundial ultrapassou a Primeira. Apesar disso, é surpreendente – e contrastante com o conflito antecedente – que a Segunda quase não tenha desencadeado nenhum esforço de repensar a existência humana. Houve, é claro, reações intelectuais, mas estas não pareciam ir ao encontro do sentimento geral; em consequência, obras importantes como as de Max Horkheimer, ou *A dialética do esclarecimento*, de Theodor W. Adorno, só obtiveram algum impacto décadas mais tarde. Tal como já afirmei acima, a diferença entre os ecos da guerra depois de 1945 e depois de 1918 foram inversamente proporcionais à devastação que cada uma provocou. Em termos geográficos, apenas ao segundo conflito se ajusta, de fato, o nome de "Guerra Mundial". As estimativas do total de baixas são muito variáveis, mas os números do Museu do Exército, em Paris, dão uma base vívida de comparação. Na Primeira Guerra Mundial, a nação mais afetada foi a França, que contabilizou 1,37 milhão de vítimas; na Segunda Guerra Mundial, a União Soviética detém as maiores perdas: 26,6 milhões de mortos. A Primeira Grande Guerra não tem paralelo para os mais de seis milhões de pessoas massacradas nos campos de concentração alemães, entre 1939 e 1945; e nada corresponde ao número, ainda desconhecido porém maior, de homens, mulheres e crianças que morreram em circunstâncias diferentes – mas igualmente cruéis – na União Soviética, no Japão e em outros países.

A principal diferença entre as duas guerras – aquilo que as torna verdadeiramente incomparáveis, de um viés, poderíamos dizer, antropológico – não é passível de quantificação. Em primeiro lugar, a diferença está na fria perfeição de execução industrializada, conseguida pelas SS alemãs; em segundo lugar, no limiar transposto quando os líderes militares alemães e japoneses, ao perceberem que a guerra estava perdida para eles, imaginaram a possibilidade da autodestruição nacional e até mesmo da extinção da Humanidade. Em 6 de agosto de 1945, quando pela primeira vez explodiu uma bomba nuclear sobre uma cidade deserta, a imagem do suicídio coletivo de um país – estendido a toda a Humanidade – transformou-se numa possibilidade material ao alcance da tecnologia, e isso o mundo não poderá esquecer. Sabemos – mais até pelos rostos imortalizados num punhado de fotos do que pelas palavras dos sobreviventes – que as mulheres e os homens que viveram aqueles momentos em Hiroshima acreditaram que tinha chegado o início do fim do mundo. Nunca haverá futuro suficiente para provar-lhes o contrário.

∞

E, apesar de tudo, o que é que ainda não foi dito sobre aquele tempo? Por que razão parece tão urgente escrever mais um livro sobre aquele período? Parece necessário justamente porque a sensação de destruição irreversível – cuja presença foi tão forte nos anos que imediatamente seguiram a guerra (e não apenas nos países onde ela ocorreu) – desapareceu de modo súbito; para ser mais preciso, é como se o evento não tivesse deixado sinais comparáveis aos que marcaram o mundo depois de 1918. Olhar a edição da *Life* de 24 de dezembro de 1945 me faz pensar que o Natal desse ano deve ter sido já o momento em que foram neutralizados os efeitos da destruição, pelo menos nos Estados Unidos. Página após página, a revista está repleta de palavras e imagens que anunciam como o mundo está voltando àquilo que sempre deveria ter sido. Tem um longo artigo com o título "O lavrador japonês regressa da guerra para o antigo modo de vida na aldeia".[9] Nas legendas, pode ler-se, por exemplo: "Um soldado fica mais gordo e faz uma boa colheita, apesar da má qualidade do arroz";[10] "Os antiquíssimos rituais xintoístas

---

9 *Life*, 19, 26, 24 dez. 1945, p.67.
10 Ibid., p.68.

ainda são observados";[11] ou "A aldeia de Harada é frugal, de trabalhadores dedicados, e não ficou marcada pela guerra".[12] Não há nessa edição qualquer referência às catástrofes de Hiroshima e de Nagasaki. Em seu lugar, surge a publicidade da "Graflex, câmeras premiadas",[13] através de uma fotografia, tirada por um soldado da Marinha norte-americana, da erupção do monte Vesúvio; a fumaça se esvai, numa nuvem em forma de cogumelo, semelhante à que viemos a associar, desde Hiroshima, com armamento nuclear.

Em outra imagem, que ocupa metade de uma página, são mostradas três belas e jovens mulheres vestidas seguindo a última moda, sentadas num sofá com os seus bebês, como numa escultura de simetria perfeita. Todas estão de perna cruzada, a esquerda sobre a direita, e olham para o seu lado esquerdo. A legenda diz:

> Três filhas mais velhas dando mamadeira para os seus bebês. Da esquerda para a direita: Jeanne, 22 anos, e o filho Joe; Myrra Lee, 23 anos, com o filho John; e Betty, 25 anos, com sua filha Julia. Os maridos de Jeanne e de Myrra Lee, de licença do serviço militar, estão presentes na celebração natalina. O marido de Jeanne era operador de rádio da Força Aérea, contava 27 missões. O de Myrra Lee era um maquetista naval de segunda classe, com 26 meses cumpridos em missões militares na Europa. O marido de Betty está dado como desaparecido.[14]

---

11 Ibid., p.70.
12 Ibid., p.72.
13 Ibid., p.88.
14 Ibid., p.17.

De algum modo, a simetria espacial que rege essas três lindas mães e seus filhos absorve a assimetria existencial entre Jeanne e Myrra Lee (cujos maridos estão de regresso) e Betty, que tem o marido desaparecido em combate. Alguns historiadores sublinharam que, no Japão, este estado de neutralização pós-guerra só viria a ser atingido em 1964, ano das Olimpíadas de Tóquio. Já no que diz respeito à situação na Alemanha e na França, Peter Sloterdijk defendeu que começava a desaparecer a obsessão mútua e a rivalidade que produzira tanto uma admiração excessiva como as guerras cruéis ao longo de dois séculos. Isso porque o eixo central da incipiente unificação europeia, a chamada "amizade" entre os dois países, teria de ter como condição fundamental um desinteresse mútuo. Sendo assim, como poderemos descrever a estranha presença de um passado que não tinha desaparecido, mesmo se aparentemente perdera seu impacto? Seria o caso de alguma coisa na década depois de 1945 ter desvanecido, em vez de "emergir"?

∞

Gostaria de evitar a palavra "repressão" para descrever o processo que se desdobrava. A revista *Life* poderia não ter documentado – poderia ter escolhido "reprimir" o destino de Betty. Porém, em vez de ficar "reprimida", a excitação dos anos da guerra se tornou parte de um mundo novo e pacífico. Não desapareceram nem os fatos nem a memória dos acontecimentos; mas as sensações de dor e de triunfo (isto é, os ecos da guerra) foram se atenuando. Enquanto iam desaparecendo os sentimentos causados pela destruição irreversível, logo surgiu uma atmosfera de latência. (Talvez a causa para essa peculiar impressão de paradoxo associada com o período tenha origem nisto: desaparecidos os sentimentos pessoais, a latência começou a espalhar-se como uma atmosfera, uma disposição geral.) Quando me refiro a "latência", em vez de "repressão" ou "olvido", refiro-me ao tipo de situação que o historiador holandês Eelco Runia chama de "presença", que ele ilustra com a metáfora do passageiro clandestino. (Runia explorou profundamente esta noção, no artigo com que contribuiu para o volume *Latenz – blinde Passagiere in den Geisteswissenschaften*, editado por mim e por Florian Klinger.)

Numa situação de latência, sempre que há um passageiro clandestino, sentimos que existe alguma coisa (ou alguém) que não conseguimos agarrar ou tocar – e que esta "qualquer coisa" (ou qualquer pessoa) tem uma articulação material, o que significa que essa coisa (ou pessoa) ocupa determinado espaço. É impossível dizermos com precisão de onde nos vem a certeza dessa presença, tampouco sabemos afirmar exatamente onde está agora aquilo que é latente. E, porque não conhecemos a identidade do objeto ou da pessoa latente, nada nos garante que reconheceríamos essa entidade se alguma vez viesse a revelar-se diante de nós. Além do mais, aquilo que está latente sofre transformações durante o tempo em que permanece oculto. Um passageiro clandestino envelhece, por exemplo. Mais importante: não temos razão – ao menos não temos uma razão sistemática – para acreditar que o que quer que tenha entrado num estado latente algum dia virá a revelar-se, ou se não virá a ser esquecido.

Não existe um "método" nem "procedimentos padrão" – e com certeza não existem "interpretações" – que nos permitam reaver o que quer que tenha passado para o estado de latência. Aquilo que está latente, se queremos que seja acessível à interpretação – isto é, que possibilite a identificação de um sentido que possa estar "subjacente" a uma superfície –, teria de trazer para frente, ou assumir a forma de um "conteúdo proposicional"; às vezes isso é possível, mas em geral é pouco provável que aconteça. Apesar disso, como poderemos ter a certeza de que aquilo que está latente está "mesmo lá", se ilude até a nossa percepção? Retorno ao exemplo a que referi acima: quando folheio essas revistas do pós-guerra, muito assumidamente pacíficas e ordeiras, surpreende-me a violência recorrente na publicidade – acontece, por exemplo, na foto da erupção vulcânica feita com a câmera Graflex. De um modo semelhante, a qualidade das lâminas de barbear é anunciada com imagens que mostram como são suaves a passar sobre a pele macia do rosto de um bebê. Alguns quadrinhos representam a vida de casado, com piadas sobre maridos que espancam as esposas porque o café não está forte o suficiente, ou porque a ela se esqueceu de acordar o trabalhador da família a tempo de ele ir ao emprego. Parece haver também uma obsessão com velhos que se agitam doentes e que necessitam com urgência de determinada marca de medicamentos.

∞

Algo como uma disposição para um nervosismo violento perpassa a calma aparente desse mundo do pós-guerra, que aponta para um estado de coisas latente. Permitam-me que recorra ao conceito alemão de *Stimmung* como base para descrever, nos capítulos centrais deste livro, esta complexa configuração. Do mesmo modo, gostaria de sublinhar que essas *Stimmungen* muitas vezes nos fazem assumir que existe alguma coisa latente, mas raramente indicam como identificar do que se trata – em geral, as *Stimmungen* emergem como efeitos de condições latentes, ainda que não tenham necessariamente origem nessas condições. A palavra *Stimmung* é mais frequentemente (e corretamente) traduzida como "disposição"; num registro mais metafórico, a expressão pode ser vertida para "clima" ou "atmosfera". O que essas metáforas de "clima" e de "atmosfera" partilham com a palavra *Stimmung* – cuja raiz etimológica é *Stimme*, palavra alemã que significa "voz" – é que todas sugerem a presença de um toque material, tipicamente um toque muito leve, sobre o corpo de alguém ou alguma coisa que (a)percebe. Clima, sons, música, todos têm sobre nós um impacto material, embora invisível. *Stimmung* implica uma sensação associada a certos sentimentos "internos" ou "íntimos". Toni Morrison descreveu esse aspecto de *Stimmung* através do paradoxo de "ser tocado como que desde dentro". As imagens da publicidade no pós-guerra, das lâminas de barbear no rosto das crianças, dos maridos violentos, dos avós agitados, tudo isso nos afeta de um modo corpóreo, na medida em que faz despertar dentro de nós sentimentos de desconforto para os quais dificilmente temos conceitos descritivos. No sentido duplo de um fugaz contato físico e de sentimentos que não somos capazes de controlar, os *Stimmungen* formam parte objetiva das situações e das épocas históricas. Como tal – isto é, enquanto condições de "sensibilidade objetiva" –, constituem uma dimensão crucial, ainda que negligenciada em larga medida, daquilo que pode tornar o passado, para nós, numa coisa presente – imediata e intuitivamente presente. Poderá argumentar-se que os textos e os gêneros que chamamos de "épicos" sempre tornaram presente a sensibilidade do passado, sem se esforçarem por conter fatos rigorosos nem proporem uma interpretação histórica.

∞

Há muitos anos, falei a um amigo sobre a necessidade que sentia – e que na época me soava estranha, quase estrangeira – de escrever sobre os anos que se seguiram a 1945. Sem nenhuma hesitação, dúvida, ou qualquer espaço para questionamento, ele me respondeu que a tragicomédia *Esperando Godot*, de Samuel Beckett (produzida pela primeira vez no Teatro de Babylone, em Paris, em 1952/1953) teria de ser peça central num livro que eu escrevesse sobre o tópico. Nunca tinha pensado nisso, mas a observação do meu amigo logo se transformou numa daquelas certezas que, em retrospectiva, jamais pomos em causa. *Esperando Godot* não se limita a encenar as condições latentes do período do pós-Segunda Guerra Mundial – a peça condensa todo um oceano de latências num único *Stimmung*. Nunca passa pela cabeça de Estragon nem de Vladimir que Godot, que eles nunca viram, pode ser um fantasma, ou pode nem sequer existir. No mundo em que se estão, a existência de Godot é uma certeza. (Muitas vezes eles o afirmam um ao outro, e continuam conversando sobre as consequências desse fato.) Acima de tudo, o Godot latente obriga-os a permanecer onde estão:

ESTRAGON: Belo lugar. [*Ele volta-se, avança para diante, detém-se, de frente para o público.*] Inspira projetos. [*Voltando-se para Vladimir.*] Vamos embora.
VLADIMIR: Não podemos.
ESTRAGON: Por que não?

VLADIMIR: Estamos esperando Godot.
ESTRAGON: [*Em desespero.*] Ah! [*Pausa.*] Tem certeza de que era aqui?[15]

Godot, ou o "grande Deus" (contaminação da palavra inglesa "god" [Deus] com o sufixo francês "-ot"), tem as qualidades do Deus tal como era conhecido na Idade Média, cuja presença real nunca foi questionada por ninguém, apesar de nunca se saber o local e o modo como esta presença se manifestaria. E esse estado de coisas não muda, nem no final da tragicomédia:

ESTRAGON: Ah, sim, vamos para longe daqui.
VLADIMIR: Não podemos.
ESTRAGON: Por que não?
VLADIMIR: Temos de voltar amanhã.
ESTRAGON: Para quê?
VLADIMIR: Para esperar por Godot.
ESTRAGON: Ah! [*Silêncio.*] Ele não veio?[16]

Como nunca viram Godot, Vladimir e Estragon não têm garantia alguma de que o reconhecerão se ele aparecer na sua frente – e o mesmo vale para qualquer coisa que esteja latente. Até é possível que Pozzo (com quem se cruzam duas vezes) seja Godot:

ESTRAGON: Você sonhou. [*Pausa.*] Vamos. Não podemos. Ah! [*Pausa.*] Tem certeza de que não era ele?

---

15 Beckett, *Waiting for Godot*, p.8.
16 Ibid., p.107.

VLADIMIR: Quem?
ESTRAGON: Godot?
VLADIMIR: Mas quem?
ESTRAGON Pozzo.
VLADIMIR: Não era, não! [*Menos seguro.*] Não era ele! [*Menos seguro ainda.*] Não era ele![17]

Esperando Godot introduz um efeito de latência que ainda não está bem focalizado. Esperar por um Godot que não chega nunca tem o efeito, por assim dizer, de congelar o tempo. O tempo congelado impede qualquer progresso, logo, qualquer tipo de ação – porque as ações necessitam do futuro para passarem de motivações a realidades. O final da peça de Beckett é famoso:

VLADIMIR: Então? Podemos ir?
ESTRAGON: Sim, vamos. [*Não se movem.*][18]

Num tempo que se recusa a abrir, Vladimir e Estragon não conseguem prosseguir, não conseguem agir – nem sequer conseguem se matar. Assim como velhos casais sempre ranzinzas, nada nunca muda entre os dois. É o mesmo que se passa na relação mestre/escravo, entre Pozzo e Lucky, que parece imutável. Da segunda vez que Estragon e Vladimir encontram Pozzo e Lucky, Pozzo tenta assumir um papel submisso em relação a Vladimir e a Estragon (evidentemente, a ele é impossível ser "igual", seja a quem for). Apesar disso, as relações de poder entre ele e Lucky não se alteram: Lucky continua a ser escravo, o animalzinho do seu mestre.

---

17 Ibid., p.104.
18 Ibid., p.109.

Quando faz um esforço para pensar, Lucky também não altera nada. Pensar não ajuda Vladimir nem Estragon a ficarem mais próximos da latência de Godot (da sua "presença na ausência") ou da sua possível chegada. Quando Lucky "pensa", a única coisa que acontece é que Estragon e Vladimir passam do tédio ao "protesto violento". Na verdade, aquilo que na peça os protagonistas chamam de "pensar" (como o "andar" de Vladimir e Estragon) significa um movimento que não leva a lado algum.

∞

Não saltarei daqui para a conclusão (demasiado geral) de que, à medida que o impacto da guerra foi se esvanecendo e se transformando em *Stimmung* de latência, o tempo do pós-guerra se congelou e não avançou mais. O que direi aqui (antes de retomar a matéria no capítulo final) é que a vida das pessoas da minha geração têm sido acompanhada de expectativa e de esperança — condensada numa série de momentos históricos ao longo das seis décadas e meia que hoje nos separam de 1945 — de que alguma coisa "latente" avançaria para a boca de cena e se exibiria, dando-nos finalmente a possibilidade de fugir da longa sombra de um *Stimmung* cuja origem nunca conseguimos identificar; mas que esta expectativa e esta esperança de um desvelamento da latência — que, no fundo, corresponde a uma nostalgia geracional da "redenção" — nunca foram satisfeitas. Nossa situação é igual à de Vladimir, na peça de Beckett: "Bem, suponho que no final eu me levantarei sozinho [*ele tenta, falha*]. No tempo completo."[19] De certo modo, aguardamos ainda pela

---

19 Ibid.

chegada desta "completude do tempo", mas já deixamos de acreditar que virá a acontecer.

Se vocês assistiram ao final de *O casamento de Maria Braun*, de Rainer Werner Fassbinder, sabem que a ilusão inicial do pós-guerra alemão, que tem a ver com a chegada desta "completude do tempo", ironicamente está ligada a uma partida de futebol. Eu tinha pouco mais de seis anos quando, em 4 de julho de 1954, fiquei ouvindo, junto a meus pais e alguns amigos, a narração da Final da Copa do Mundo de Futebol na rádio. Foi um jogo sensacional em que a Alemanha derrotou o time da Hungria, claramente superior, por 3 a 2. No filme de Fassbinder faz-se ouvir o grito triunfante de Herbert Zimmermann, o comentarista da rádio – *"Aus, aus, aus, Deutschland ist Weltmeister!"* [Fora, fora, fora, Alemanha é campeã do mundo!], que coincide com uma explosão. A explosão destrói a *villa* que simboliza a fortuna reunida por Maria Braun, conseguida por ela à custa de trabalho duro e de uma cruel exploração desde o tempo da guerra, e é o lugar onde ela esperava viver uma vida sossegada assim que o marido fosse libertado da prisão.

No novo apartamento de dois quartos onde vivíamos, a voz de Zimmermann – que parecia estar dando uma ordem militar – fez os adultos se levantarem e cantarem uma canção solene, que eu nunca ouvira. Provavelmente, era a estrofe inicial do hino da Alemanha, cujas palavras chauvinistas (*Deutschland, Deutschland über alles, über alles in der Welt*) haviam sido proibidas por lei da esfera pública. A minha impressão, vaga mas certa, de que alguma coisa importante se alterara foi confirmada pelo *slogan* autocongratulatório que se ouvia na Alemanha em meados da década de 1950 – *"Wir sind wieder wer"* [voltamos a ser alguém]. No entanto, ao passo que a respeitabilidade social – baseada no futebol, combinada com o claríssimo "milagre" da economia alemã – ajudava o país a se esquecer daquilo que não conseguia propriamente recordar, a verdade é que não pôs fim, de maneira alguma, à latência do pós-guerra.

Uma década e meia depois, o estranhamente imóvel *Stimmung* da latência do pós-guerra transformar-se-ia num interrogatório agressivo e numa acusação da geração mais velha, durante a chamada "revolta estudantil" que ocorreu por volta de 1968 em todo o mundo ocidental (e talvez para além dele). Em vários países diferentes, a minha geração acreditava que a documentação o mais completa possível dos crimes cometidos durante as primeiras décadas do século XX – e principalmente aqueles que haviam sido cometidos pelos nossos pais e avós – nos libertaria de uma atmosfera claustrofóbica e hipócrita. Durante um curto espaço de tempo, 1968 chegou a produzir o efeito superficial de uma revolução cultural, gerando maior transparência histórica, um grau mais elevado de solidariedade social e com uma tolerância ideológica abertamente generosa em relação aos Estados socialistas do "outro lado da cortina de ferro". No entanto, acabamos caindo em outro período de latência calma e pacífica, e, grotescamente, fomos incapazes de lidar com o violento terrorismo ao qual recorreu o que restava da nossa tendência de esquerda, uns dez anos depois. Duas décadas mais tarde, quando a Guerra Fria parecia disposta a transformar-se numa quase harmoniosa "coexistência pacífica" entre o socialismo e o capitalismo, a implosão do Estado Socialista, em 1989, apanhou-nos de surpresa e obrigou-nos a reconhecer que o fim da linha do pós-guerra tinha, mais uma vez, avançado. Assim como Vladimir e Estragon, caminhávamos todo o tempo sem progredir no caminho, sem conseguir livrar-nos do passado. O pós-guerra parecia não ter fim.

Depois de 1945

∞

Já anunciei que o último capítulo deste livro voltará, com mais pormenores e persistência analítica, a todos estes (e outros) momentos de condensação histórica em que pensávamos que o pós-guerra tinha acabado. Hoje, no começo do livro – escrevo estas linhas em Paris, é o dia 20 de março de 2010 –, as principais questões que me motivam são cruas, indiferenciadas, de certa forma, e só ganharam urgência durante as décadas que não me deram respostas. São de espécie dupla: alguma vez será possível desenhar uma linha que nos separe definitivamente da latência do pós-Segunda Guerra Mundial? E será essa dificuldade que experimentamos, na tentativa de desenhar essa linha – a qual se tornou o destino da minha geração –, específica do "nosso" tempo histórico; ou será um problema geral com que se confrontam todas as culturas e épocas, sempre que tentam deixar o "seu" passado para trás?

Já nos habituamos a isso – no entanto, é incrível que haja mais do que apenas vestígios da rendição absoluta, sessenta e cinco anos depois de findado o poder do Eixo. A Rússia e a República Popular da China, por exemplo, já deixaram de ser totalmente comunistas, mas ainda são vistas como "o outro" do antigo bloco ocidental. Se os Estados Unidos da América nunca chegaram a aprender como desempenhar o papel de potência hegemônica que assumiram nos anos finais da Segunda Guerra Mundial, hoje o país luta para transcender a identidade que nunca foi, de fato, capaz de assumir. Os historiadores e os generais franceses continuam a discutir o modo como os museus da França, e os seus *lieux de mémoire*, deveriam encenar e narrar os anos entre 1940 e 1945 (quando o país sofreu uma derrota, mas acabou saindo vitorioso) para as gerações mais novas e os turistas que, de todo o mundo, os visitam. E, se é verdade que parece haver pouquíssimos fatos ainda por conhecer acerca do Holocausto – o período em que a essência da Humanidade se revelou de modo mais radical –, um filme como *Bastardos inglórios*, de Quentin Tarantino, consegue tirar o sono de milhões de espectadores porque os leva a considerar se a compreensão, o perdão e a reconciliação – o trabalho da História sem retaliação violenta – alguma vez virão a ser suficientes para que nós, nossos filhos e nossos netos possamos deixar o passado para trás. Alguma coisa desse passado e de como se tornou parte do nosso presente nunca terá sossego. E qualquer tentativa de achar uma solução terá de começar por definir muito bem o que essa "alguma coisa" poderá ser.

    Há uma série de razões por que este livro não pretende dar a "solução" para esse problema. Em primeiro lugar, porque, dependendo de como se defina "solução", é impossível evitar tender para o "ético" ou mesmo para o "edificante" – e essas são dimensões de escrita e de pensamento com as quais nunca me senti à vontade. (Nem acredito que as Humanidades, enquanto espaço acadêmico, ocupem uma posição que torne as reflexões deste tipo particularmente esclarecidas ou convincentes.) Em segundo lugar, tais "soluções", se é que são, de fato, possíveis, viriam demasiado tarde para a minha geração. A história da nossa vida, penso, tem sido essa incapacidade de achar uma relação estável com o passado que herdamos, e não nos resta tanto futuro assim para nos libertarmos deste fado. Por fim – e acima de tudo –, penso que o único objetivo mais ou menos realista está no passo que se der antes de chegar a qualquer "solução"; no contexto, o que quero dizer com isto é a descrição da década que se seguiu ao final da Segunda Guerra Mundial, de modo que se possa ver como o *Stimmung* emergiu da latência, como se difundiu e talvez mesmo como foi se transformando ao longo do tempo. Se não parecesse demasiado pretensioso, arriscaria dizer que este projeto, ao mesmo tempo modesto e imoderadamente ambicioso, representa uma necessidade "existencial" que tenho. O trabalho que tudo isto implica tem ganhado muito a partir de aspectos diferentes das minhas atividades acadêmicas e profissionais, mesmo se a maioria das ligações aqui estabelecidas são meio casuais – ou, quando muito, de importância secundária. Não tenho intenção de desenvolver, ilustrar ou aplicar quaisquer "teorias" (e muito menos "métodos"), por mais que, na prossecução desta matéria vital, tenha recorrido ao – e dependa do – pensamento de outros que me precederam, de colegas e de alunos.

2

Formas de latência

Certa tensão perpassa o conceito de "latência emergente", que utilizei, num gesto de introdução, para trazer à presença os anos que se seguiram à Segunda Guerra Mundial. Por razões etimológicas, estranhamente inevitáveis, tende-se a relacionar a "emergência" a um movimento espontâneo para cima – semelhante ao que faz um pedaço de madeira dentro da água, logo que desaparece a força que o mantém submergido. A um nível quase visceral, podemos ainda sublinhar que os estados de "latência" implicam um movimento para baixo, como é o caso de alguma coisa que cai do nosso lado e que ninguém repara, até o momento que se nota sua presença. Então, falando de um modo específico, aquilo que "emergiu" depois de 1945 não pode, de fato, ser chamado de "latência", porque a latência não está associada com um movimento para cima. De qualquer maneira, poderemos descrever isso como um *Stimmung* – ou seja, ao mesmo tempo uma atmosfera envolvente e um clima experienciado de modo subjetivo. Invocar os *Stimmung* permite-nos ter a certeza retrospectiva de que alguma coisa negligenciada ou à qual não havíamos prestado atenção – ou mesmo algo perdido para sempre – teve impacto decisivo na nossa vida, em algum momento da história, e fez parte de cada presente que existiu desde esse momento.

Depois da Segunda Guerra Mundial, essas impressões – relacionadas com a diferença pouco clara entre aquilo que esperavam que fosse o seu presente e aquilo que de fato ele veio a ser – eram comuns entre os intelectuais. Num ensaio, com o título modesto de "La fin de la guerre" [O fim da Guerra], publicado no número de outubro de 1945 de *Les Temps Modernes* (diário editado pelo próprio), Jean-Paul Sartre sublinhava a relação cruzada entre os graus de "crueldade" vividos nas duas guerras mundiais, por um lado, e uma escala diametralmente oposta de como os eventos eram recordados, por outro: "*Aussi semble-t-il que cette guerre, qui fut beaucoup plus atroce que la précédente, ait laissé de moins mauvais souvenirs*" [Até parece que esta guerra, que foi muito mais atroz do que a anterior, deixou menos lembranças ruins].[1] Sartre, ao elaborar esta observação, afirmou considerar o segundo conflito "menos estúpido", por ter ocorrido com um propósito bem razoável. Porém, curiosamente, recusa-se a dar uma explicação sobre isso, e só o faz mais tarde. No excerto seguinte pode-se ler:

> Talvez porque durante muito tempo pensamos que a Segunda Guerra Mundial havia sido menos estúpida. Não nos parecia estúpido lutar contra o imperialismo alemão nem resistir ao exército de ocupação. Só hoje começamos a compreender que Mussolini, Hitler e Hirohito eram tiranos em miniatura. Os

---

1 Sartre, *Situations III*.

Depois de 1945

Estados que pilharam e se lançaram e fizeram sangrar as democracias eram, de longe, os países mais fracos. Esses tiranos estão mortos, enterrados, e os seus principados feudais – a Alemanha, a Itália, o Japão – foram arrasados. O mundo ficou mais simples: emergem dois gigantes, mas não se veem um ao outro com bons olhos. Ainda terá de passar algum tempo até que esta guerra revele o seu verdadeiro rosto.[2]

Quando li esta passagem pela primeira vez, surpreendeu-me a convergência – mais de seis décadas e meia de distância – entre o pressentimento de Sartre de que a Segunda Guerra Mundial ainda não tinha revelado "seu verdadeiro rosto" (na época em que surgia a Guerra Fria) e a minha própria tese, de hoje, segundo a qual não sabemos ainda como nos relacionar com esse evento. Se Sartre esperava que uma resposta sólida fosse formulada no espaço de poucos meses, podemos afirmar que aquilo que na época lhe pareceu uma situação de latência a curto prazo é hoje um estado de coisas que a humanidade deve suportar – e que pode nunca desaparecer. Assim como ainda acontece no século XXI, Sartre aponta a bomba atômica para identificar condições "latentes" que, uma vez reveladas, não permitem um total reconhecimento:

> São muitos os europeus que teriam preferido ver o Japão invadido e destruído pelos bombardeios dos navios de guerra: mas aquela pequena bomba que mata centenas de milhares de pessoas de um só golpe, e que amanhã matará dois milhões, coloca-nos perante nossas responsabilidades. Da próxima vez, quem sabe o planeta

---

2 Ibid, p.52.

vá explodir: esse fim absurdo deixaria para sempre por solucionar os problemas que tanto nos preocuparam durante os últimos dez mil anos [...]. De certo modo, retornamos ao ano mil e todas as manhãs nos deparamos com o fim dos tempos; o dia em que a nossa honestidade, a nossa coragem, a nossa boa vontade, deixarão de fazer sentido para quem quer que seja, e sucumbirão, junto com a nossa maldade, a má vontade e o medo de uma indistinção radical. Depois da morte de Deus, eis que se anuncia a morte do Homem.[3]

É significativo que a frase, tal como Sartre a formulou, faz com que não seja ele próprio a anunciar a "morte do Homem". É como se ele, assustado com a última consequência da sua própria análise, assumisse distanciação retórica através da afirmação impessoal e da forma passiva, "eis que se anuncia [...]". Muito provavelmente, foi um choque demasiado forte quando pela primeira vez se apercebeu que, a partir daí, teria de viver para sempre com a possibilidade de que a Humanidade acabaria por destruir-se a si mesma com os meios tecnológicos que a guerra deu a conhecer. Quem já tenha visto as fotografias da série *Viewfinder Clouded with Tears* [Visor embaçado com lágrimas], feitas meia hora depois da detonação da bomba de Hiroshima, compreenderá o impulso que subjaz à hesitação de Sartre. Os rostos desesperadamente serenos (será essa a liberdade dos que nada mais têm a perder?) e os corpos dos sobreviventes rompem com a ideia daquilo que aceitamos como "humano". Hoje, porém, estranhamente, já nos habituamos à sensação: muitos dos sintomas do "fim do Homem" tornaram-se pontos de referência permanentes – quase populares – quando nos referimos a eles;

---

3 Ibid., p.52.

olhamos para eles de fora, em vez de assumirmos a responsabilidade e de questionarmos como foi que chegaram a acontecer, ou quais as suas consequências. Conforme foi previsto por Sartre, estamos tendo a experiência da ameaça de autoextinção da Humanidade, em abstrato, mas muito felizes por deixar que se esvaia do nosso pensamento.

Mas, pelo contrário, sentimo-nos confiantes ao descrever a forma objetiva que a condição de latência (sublinhe-se, não o latente "em si mesmo") assume em *Stimmungen* específicos. O *Stimmung*, tal como já afirmei, combina certas configurações de conhecimento com a sensação de que estamos ao mesmo tempo envolvidos no e influenciados pelo mundo material que nos rodeia. Em cada uma das formas sob as quais apareça essa amálgama ontologicamente estranha – que pode ser chamada de *topoi*, se quisermos sublinhar as conotações espaciais do termo, que nos foram transmitidas pela tradição retórica – produzem-se desejos distintos, assim como, muitas vezes também, certos sentimentos de resistência acompanhando a satisfação desses desejos. Os *Stimmungen* emergem quer em reação, quer como consequência da latência; ao mesmo tempo, eles ativamente preservam aquilo que está latente – aquilo que está ali, mas fora de vista. Nos próximos três capítulos, descreverei três configurações de *topoi* que, a meu ver, representam resultados de ou reações à situação de latência, tal como ela emergiu especificamente após a Segunda Guerra Mundial; ao mesmo tempo, essas mesmas configurações deverão ter funcionado como meios de manter coberto e distante aquilo que estava/está latente. Para ilustrar essas três configurações, recorrerei a documentos de várias línguas e culturas – incluindo de países que não participaram da Segunda Guerra Mundial –, pois acredito que, depois de 1945, a condição de latência e dos concomitantes *Stimmungen* adquiriram uma natureza "global" ("global" *avant la lettre*, como é óbvio). Permitam-me acentuar que identifiquei estes *topoi* e seus modos de inter-relação através de métodos puramente indutivos, ao longo de várias leituras e intensas discussões em aulas de seminário. Do que me lembro, nunca o processo foi influenciado nem moldado por nenhuma "filosofia da história" em particular, tampouco por alguma "teoria" mais de moda.

Para a maioria dos casos dos *topoi* que nos permitem experimentar e contemplar as formas de *Stimmung* depois de 1945, referir-me-ei metonimicamente a textos-chave da década após a guerra – textos em que o correspondente *Stimmung* característico aparece de forma particularmente acentuada e visível. Não é por acaso, creio, que alguns desses documentos – pelo menos em seus contextos originais – tornaram-se altamente emblemáticos, se não mesmo "clássicos". A primeira das três configurações combina a sensação claustrofóbica de estar preso em um espaço "sem saída" com a obsessão contrária, mas complementar, de estar fora de um espaço que não permite "nenhuma entrada". As três personagens principais de *Entre quatro paredes*, de Sartre, por exemplo, precisam de um tempo considerável para tomar a plena consciência de que nunca serão capazes de sair do espaço que ocupam; em última análise, compreendem que nem uma porta aberta para o exterior alterará sua condição. A fronteira entre o interior que habitam e o fora que lhes é negado torna-se um horizonte cada vez mais distanciado – isto é, um limite que gera o ceticismo sobre a existência real de um fora. Pelo contrário, o soldado Beckmann (*Gefreiter* Beckmann) – o soldado que volta tarde da guerra, em *Draussen vor der Tür*, de Wolfgang Borchert (literalmente, *Em frente da porta, do lado de fora*) – tenta, várias vezes e de diferentes formas, entrar na sociedade emergente de um mundo finalmente em paz; mas encontra apenas portas fechadas, gestos de rejeição e falta de apoio. Em certo ponto, Beckmann se recusa a compartilhar sua cama com uma mulher cujo marido está desaparecido em combate – desse modo, encenando (de modo muito corpóreo) alguém que partilha precisamente a sua posição, o destino que ele mesmo sofre. Parece não haver alternativa entre ser rejeitado ou ser o agente de rejeição. Nessa configuração, de qualquer uma das perspectivas – do ponto de vista quer dos protagonistas de Sartre, quer dos de Beckmann –, há certo espaço, fora do mundo habitado no presente e sobre o qual pouco se sabe, que constitui objeto de desejo. Em ambos os casos, o espaço desejado se transforma em um espaço de latência.

No segundo conjunto de *topoi*, a questão da "má-fé" – assunto de relevância central para a filosofia da época – se conecta com a coreografia e com as regras que disciplinam certos rituais de interrogação. Mais uma vez, retornamos às obras de Jean-Paul Sartre. O segundo capítulo da sua obra-prima O Ser e o Nada toma como ponto de partida a descrição de situações do cotidiano permeadas de má-fé e delas retira consequências à escala de um sistema, que arrasa as fundações da filosofia dependente da forma e da estrutura do Sujeito cartesiano. A autotransparência total, para Sartre, é uma ilusão de que tantas vezes somos vítimas. Na verdade, nunca conseguimos saber inteiramente o que queremos alcançar ou o que queremos dizer – e isso implica que é impossível mentir descaradamente. Uma mentira deslavada seria negar por completo aquilo que queremos dizer ou alcançar – e esse ponto de referência não nos é disponibilizado. A literatura do período pós-Segunda Guerra Mundial é rica em narrativas biográficas e autobiográficas, nas quais os protagonistas – sob várias formas – atingem ou "encarnam", textualmente, este estado. Como concretizações de um *topos* filosófico historicamente específico, as histórias se cruzam com narrativas e projetos que apresentam procedimentos agressivos de investigação – processos que tentam trazer à tona as verdades escondidas ou latentes. Assim, em *Réquiem por uma freira*, de William Faulkner, um parente da personagem principal (uma jovem da classe alta de um dos Estados do Sul) recusa-se a abandonar sua função de juiz, mesmo no contexto mais privado. Por isso, obriga a heroína a enfrentar um passado chocante, que ela acreditava ter deixado para trás. Da mesma forma – ainda que com os métodos fornecidos pelas ciências sociais contemporâneas –, o famoso *Relatório* de Alfred Kinsey tenta penetrar – e mapear, com intermináveis diagramas e gráficos – as dimensões da nossa psique e da nossa memória, às quais, segundo Sartre, é negada total transparência. Assim sendo, a segunda configuração de *topoi* confronta as diferentes formas de desejo de conhecimento com obstáculos e problemas que a autocompreensão enfrenta. O *Relatório Kinsey* (a primeira parte foi publicada em 1948) ao mesmo tempo causou entusiasmo e provocou escândalo. Hoje, podemos entendê-lo como um passo inicial na direção da compreensão de que a vida sexual não existe sem espaços de latência.

Por fim, na terceira configuração de *topoi* que moldam o *Stimmung* após a Segunda Guerra Mundial, autores e personagens literários descobrem de que modo o seu presente difere daquilo que havia sido previsto que fosse, quando era ainda o futuro do passado. Descobrimos aqui uma convergência entre a experiência da decepção e o sonho da calma, dentro de um espaço estreito, bem definido – uma situação existencial que chamo de "recipiente". No começo, a terceira configuração pode parecer mais difícil de entender do que as outras duas. Esta intersecção específica de *topoi* foi facilitada pelo sentimento de que o muito aguardado (e muito desejado) futuro não conseguiu se concretizar – uma sensação que causou desorientação e mal-estar existencial. Grande parte da poesia de Pier Paolo Pasolini depois da guerra revela a fascinação com a experiência que as profecias marxistas – que tinham ganhado popularidade à medida que a Itália estava sendo libertada do fascismo – não tinham sido cumpridas; por conseguinte, o futuro ficou em aberto e manteve-se precário. Numa variação sobre o mesmo tema, o romance de Boris Pasternak, *Doutor Jivago*, fecha com uma conversa entre duas personagens. Olhando para a paisagem urbana da desaparecida Moscou stalinista, os dois concordam (no que representa uma expectativa histórica reformulada) que o comunismo se manterá, mesmo que o curso de seu desenvolvimento e a data precisa de sua chegada provem ser mais temidos (e contestados) do que se espera.

No final da década de 1940 não restava muito (se é que alguma coisa ficara) do século XIX e do começo do século XX, quando o futuro era repleto de gloriosas promessas – fosse mais especificamente a promessa de progresso capitalista ou a da teleologia socialista. Apesar de tais imagens de felicidade não terem desaparecido por completo, agora começavam a parecer muito mais vagas e instáveis. Juntamente com a desvalorização maciça do valor atribuído à vida humana, ocorrida com os horrores da guerra, a experiência deve ter provocado sonhos de descanso eterno – como acontece, por exemplo, na imagem da "cama no céu" em alguns textos de Paul Celan, ou quando o grande poeta brasileiro João Cabral de Melo Neto exibe seu fascínio por sepulturas enquanto lugares protegidos. A única condição de vida inequivocamente positiva parecia estar na redenção prometida pelo sono eterno da morte.

Estas três configurações, que irei explorar mais detidamente, são dominadas pelos efeitos de exclusão e de não realização. O que parecia ser inteiramente alcançável nas muitas ilusões da agência humana (individual e coletiva), que prevaleceu durante a primeira metade do século XX, começava agora, lenta mas firmemente, a parecer remoto e congelado em memórias cada vez com menos energia para mantê-las vivas. Em termos objetivos, as condições de vida do pós-guerra tinham melhorado para centenas de milhões de pessoas; ao mesmo tempo, no entanto, o luminoso horizonte de antes perdera brilho e a vida, muita da sua intensidade. A humanidade – entendida como processo histórico – estava cada vez mais paralisada por restrições invisíveis que pareciam não querer abrandar. É esta situação – o processo lento, quase imperceptível, que ocorreu ao longo das últimas sete décadas – que gostaria de descrever. Embora o ritmo de nossas atividades e invenções possa ter acelerado, já não podemos ter certeza se passaremos para o limiar do futuro.

No último capítulo analiso momentos específicos e acontecimentos históricos que, quando ocorreram pela primeira vez, pareciam fazer ou desfazer o mundo (por exemplo, as revoltas de 1968, a implosão do socialismo de Estado em 1989 ou o Onze de Setembro de 2001). Agora, ao olharmos em volta, esses momentos e acontecimentos estão se tornando parte de um presente cada vez mais amplo, o qual não podemos seriamente esperar superar. O tempo – hoje e para nós – parece revelar uma nova estrutura e se desdobrar num ritmo que é diferente do tempo "histórico" que governou o século XIX e o começo do XX. Neste novo cronótopo – para o qual ainda não existe nome, apesar de vivermos dentro de suas formas – a agência, a segurança e o progresso histórico da humanidade desapareceram numa memória distante. Apenas nos restam o desejo não redimido, a incerteza e a desorientação. Ao mesmo tempo, ameaça-nos um futuro que jamais escolhemos. Não há nem escape nem grande ideia sobre onde estamos neste momento – ou sobre onde deveríamos estar. Isto é, não há qualquer razão para acreditar que o que esteve latente durante tanto tempo possa agora, finalmente, começar a "mostrar o rosto".

3
Sem saída e sem entrada

O "couraçado de bolso" Graf Spee primeiro tocou a água em 1º de outubro de 1932 – não mais do que quatro meses antes de o Partido Nacional Socialista de Adolf Hitler subir oficialmente ao poder – e teve o seu batismo de navegação em 30 de junho de 1934. Seu nome homenageava o almirante Graf Maximilian von Spee, que morreu em 8 de dezembro de 1914, com dois de seus filhos, na primeira batalha das Ilhas Malvinas. Depois de cumprir funções de controle internacional ao largo da costa leste da Península Ibérica, durante a Guerra Civil Espanhola, o navio foi enviado em 26 de setembro de 1939 – quase ao mesmo tempo da eclosão da Segunda Guerra Mundial – como navio mercante para o Atlântico, onde afundou nove navios mercantes dos Aliados. A ameaça que representava, em parte, devia-se à tecnologia avançada que levava a bordo: o Graf Spee foi o primeiro navio de combate da Marinha alemã a ser equipado com radar Seetakt. No entanto, esse poder também deve ser creditado ao capitão Hans Langsdorff, veterano da Primeira Guerra Mundial, que assumiu o comando em 1º de novembro de 1938.

Langsdorff respeitou com grande rigor as regras de guerra mercantil, poupando a vida dos trezentos e três marinheiros a bordo dos navios que afundou. (Mais tarde, nas neutras águas norueguesas, um destróier britânico libertou, à força, os prisioneiros do petroleiro alemão Altmark.) Muitos dos homens tinham Langsdorff em grande consideração; o capitão falava um inglês perfeito e ofereceu a alguns deles livros em inglês para ajudar a passar o tempo.

Oito grupos de caça — um total de vinte e cinco navios (principalmente britânicos) — foram mobilizados para encontrar o Graf Spee. Em 13 de dezembro de 1939 — era o auge do verão no hemisfério sul — a sétima dessas flotilhas avistou o couraçado ao largo da costa da Argentina e do Uruguai. No início da batalha que se seguiu, um projétil de oito polegadas penetrou duas de suas plataformas e causou danos sérios na área da chaminé. O Graf Spee foi forçado a rumar à doca para reparos no porto de Montevidéu (oficialmente um posto neutro, mas de fato pró-aliado). Nos termos da Convenção de Haia de 1907, o navio dispunha de 72 horas antes de zarpar. Mais de trinta tripulantes foram enterrados, com honras militares, no cemitério alemão de Montevidéu. Enquanto isso, Langsdorff recebia ordens do próprio Adolf Hitler para abrir caminho até Buenos Aires, usando a munição que lhe restava. O Graf Spee deixou o porto de Montevidéu às 18h15 de 17 de dezembro de 1939; três navios de guerra britânicos esperavam-no para escoltá-lo até águas internacionais. Assim que saiu do porto, foi afundado às 19h52, em água rasa — uma decisão que provavelmente salvou muitas vidas. Três dias depois, envolto na bandeira do império alemão (que era diferente da bandeira dos nazistas, com a suástica), Langsdorff suicidou-se. Numa jogada inteligente, os cerca de mil marinheiros do Graf Spee foram abandonados à deriva no Rio da Prata, onde foram resgatados por três embarcações de bandeira argentina, mas de propriedade de alemães locais. Alguns dos tripulantes feridos foram detidos em Montevidéu e, mais tarde, decidiram permanecer ali. Após o fim da guerra, em fevereiro de 1946, foi realizada uma operação para repatriar à força os mais de oitocentos alemães que ainda estavam em Buenos Aires. A essa altura, a maior parte preferiu ficar na América do Sul. Puderam fazê-lo graças à intervenção da Marinha argentina, que, no último momento, lhes garantiu os documentos de identidade necessários.

Após ser afundado, a maior parte da enorme estrutura do Graf Spee manteve-se à tona da água. Ao longo de muitos anos, foi progressivamente desaparecendo. Hoje em dia, apenas a parte superior do mastro pode ser vista, quase à superfície. Como o navio afundado representa um perigo para a navegação, em fevereiro de 2004 foi feita uma tentativa para resgatá-lo. Os trabalhos foram interrompidos por decreto presidencial do Uruguai em 2009. Junto com os descendentes dos tripulantes do Graf Spee que ainda vivem na Argentina e no Uruguai, o mastro do navio e as peças que foram erguidas desde o fundo do mar preservam – em estado de latência – um episódio do começo da Segunda Guerra Mundial que fascinou o mundo nos meados do século XX. Para ser mais preciso: alguns restos materiais do episódio ainda estão presentes e visíveis; no entanto, é pouco provável que consigamos reconhecê-los por conta própria. A história do Graf Spee diz respeito ao sentimento de claustrofobia, da incapacidade de deixar Montevidéu e o Rio da Prata. Além disso, também se relaciona à recusa do capitão Langsdorff de se juntar por completo aos militares sob controle nazista, bem como à falta de vontade dos antigos tripulantes de deixar o Rio da Prata. Durante a cerimônia fúnebre em Montevidéu, em 15 de dezembro, Langsdorff fez a saudação naval tradicional, enquanto os homens ao seu redor levantavam os braços na saudação a Hitler. Seja como for, nunca saberemos ao certo o que motivou a sua última ação como comandante naval.

∞

Desde o começo da guerra, a história do Graf Spee — que fala sobre a incapacidade de ir-se embora, mas sem ser capaz de entrar — antecipa e condensa, como uma alegoria, uma dimensão de *Stimmung* que surgiu durante os últimos anos do conflito, um clima que haveria de dominar o mundo depois de terminados os combates. Em *Entre quatro paredes* — drama escrito por Jean-Paul Sartre aos 38 anos, que estreou na Paris ocupada, no Le Vieux Colombier em maio de 1944, poucos dias antes do desembarque dos Aliados na Normandia — encena-se a impossibilidade de sair de um determinado espaço e deixar uma situação existencial básica. Três pessoas — Inês, Estela e um homem que responde por "Garcin", apesar de ter o aspecto de homem de meia-idade — juntam-se num salão decorado com mobília pesada, de meados do século XIX. A sala não tem janelas nem espelhos: não só é impossível as personagens olharem para fora, como também não podem ver-se a si mesmas; esse estado das coisas parece torná-los mais sensíveis — até vulneráveis — ao olhar dos outros. Estela, Garcin e Inês sabem, desde o começo — e, portanto, falam livremente —, que chegaram ao fim de suas vidas. A sala e a situação em que se encontram são infernais. Aquilo que transforma em inferno o espaço em que estão é o fato de precisarem viver, para sempre, na presença dos outros e de seus olhares. "O torturador é cada um de nós para os demais", diz Inês.[1] Inês é uma lésbica que deseja Estela, que, por sua vez, quer ser amada por Garcin – o que causa ciúme em Inês, que se vinga tão simplesmente porque Estela e Garcin não podem fazer amor sem estarem expostos ao olhar atento dela. Nenhuma ação nem decisão são necessárias, da parte de Inês, para constranger e frustrar Estela e Garcin. Este é o primeiro a descobrir que faz parte da situação os ocupantes do quarto não terem pálpebras. O contato visual com o mundo que os rodeia não pode ser interrompido – trata-se de uma condição que é normal na vida, mas de uma maneira diferente:

> Você não sabe sequer como isso foi reconfortante. Quatro mil momentos de descanso numa hora. Quatro mil breves momentos de fuga. E quando digo quatro mil... bem? Vou viver sem pálpebras? Não seja estúpido. Sem pálpebras, sem sono, é a mesma coisa. Nunca mais voltarei a dormir... Mas como serei capaz de me suportar?[2]

Sem pálpebras, os olhos não podem sequer derramar lágrimas. Nesse espaço fechado, sem janelas, também não existe nenhuma diferença entre o dia e a noite. Para piorar a situação, Estela, Garcin e Inês não podem sequer desligar a luz; tudo está organizado de modo a aumentar a agressividade dos olhares dos outros. A única surpresa na intriga de *Entre quatro paredes*, além da sensação cada vez mais intensa de claustrofobia, chega ao final.

---

1 Sartre, *Huis Clos, suivi de Les Mouches*.
2 Ibid., p.18.

Garcin bate com os punhos na porta. Parece que o faz em vão — até que a porta se abre, repentinamente e de modo inesperado:

ESTELA: [...] Se a porta se abrir, fujo.
INÊS: Para onde?
ESTELA: Tanto faz. Para o mais longe possível de ti.
[*Garcin continua a bater na porta.*]
GARCIN: Abram! Abram! Aceito tudo: o borzeguim, as tenazes, o chumbo derretido, o garrote, aceito o fogo e a tortura, quero sofrer o quanto possível. Prefiro cem dentadas, o chicote, o vitríolo, a este sofrimento moral, a este fantasma de sofrimento que paira, que acaricia e nunca faz realmente mal. [*Agarra na maçaneta da porta e gira-a.*] Abrirá ou não? [*A porta se abre bruscamente, e ele quase cai.*] Ah! [*Um longo silêncio.*]
INÊS: Então, Garcin? Vá embora.
GARCIN [*Lentamente.*]: Pergunto a mim mesmo por que esta porta se abriu.
INÊS: Por que espera? Vá embora.
GARCIN: Não irei.
INÊS: E você, Estela? [*Estela não se move; Inês desata a rir.*] Então? Qual? Qual dos três? O caminho está livre, quem nos impede? Ah! Isto é de morrer de rir! Nós somos inseparáveis.[3]

Interpretada num viés sociológico, a cena sugere que as três personagens interiorizaram a sua situação, que se lhes tornou numa "segunda natureza". De um ponto de vista psicanalítico, por outro lado, pode-se dizer que, sem o saber, os três se apaixonaram pelo seu próprio sofrimento. Mas talvez não seja

---

3 Ibid., p.86-7.

necessário perguntar o que a cena "significa". Podemos simplesmente observar que o tipo de claustrofobia aqui não depende de condições materiais, específicas, de confinamento. Em vez disso, trata-se da incapacidade daqueles três mortos de cruzar o limiar que os separa de um mundo exterior por que anseiam – especialmente quando o relacionamento deles passa por momentos de tensão. Ou será que não existe, de todo, um mundo exterior?

O anjo exterminador (1962) de Luis Buñuel, filme produzido no México, apresenta um cenário similar. A história trata de um casal rico que convida um grupo de amigos para sua casa de luxo, depois de uma apresentação de ópera. Após algumas bebidas e muita conversa fútil, os convidados descobrem, às primeiras horas da manhã, que não podem sair da casa, apesar de as portas estarem abertas. Em consequência, devem ficar juntos durante vários dias, desconectados do mundo exterior e de suas rotinas diárias. À medida que o tempo vai passando, tanto os convidados quanto os anfitriões vão perdendo os vestígios de decoro. No fim, abandonam a maior parte do que chamamos de padrões de comportamento "humano". As autoridades tentam entrar na propriedade, mas falham – até que, como que por magia, entra na casa um rebanho de ovelhas e cordeiros. Os convivas abatem e alimentam-se de alguns dos animais. De repente, já podem sair. Também aqui não faz sentido perguntar o que "quer dizer" – perguntar como o feitiço foi lançado e o que fez com que fosse anulado. O filme de Buñuel é simplesmente sobre a sensação de estar confinado num espaço mínimo sem barreiras físicas. A este respeito, *O anjo exterminador* apresenta uma situação não diferente daquela que é enfrentada por Estragon e Vladimir em *Esperando Godot*, de Samuel Beckett. Nessa peça também as personagens não podem se afastar do local onde por acaso se encontram:

ESTRAGON: Vamos.
VLADIMIR: Não podemos.
ESTRAGON: Por que não?
VLADIMIR: Estamos esperando Godot.
ESTRAGON: Ah![4]

Nenhum dos dois sabe quem é Godot, nem mesmo como é sua aparência. Muito provavelmente, não o reconheceriam se ele aparecesse. Tampouco sabem se ele virá. Godot "encarna" a condição imaterial que eles sofrem, de não serem capazes de sair dali. Quando apareceram, pela primeira vez, textos como *Esperando Godot* ou *Entre quatro paredes*, os leitores ficaram particularmente intrigados com as diferentes razões (aparentes ou ocultas) que tornavam impossível às personagens saírem de onde estavam. Entusiasmavam-se ao descobrir que o olhar dos outros, ou a ausência de Deus, se apresentava como eventuais fontes de sofrimento existencial. Em retrospectiva, o que hoje mais nos impressiona, pelo contrário, é a obsessão pura com o confinamento que ambas as peças revelam.

∞

A única peça de teatro de Wolfgang Borchert, *Draussen vor der Tür*, foi encenada pela primeira vez em Hamburgo, em 21 de novembro de 1947 – um dia após a morte do autor num hospital de Basel, aos vinte e seis anos. Nove meses antes, quando foi produzido para a rádio, o drama já havia causado uma reação calorosa na Alemanha. Até a década de 1960 – e até o início

---
4 Beckett, *Waiting for Godot*, p.96.

da década de 1970 – era tido como um clássico do teatro. Nas aulas de literatura, o texto era ensinado como representativo do período pós-guerra. Hoje, Borchert e sua obra estão em grande medida esquecidos – vivem quase que unicamente no mundo dos historiadores de literatura. Borchert foi um dos poucos intelectuais alemães de sua geração que provocaram abertamente o regime nacional-socialista em seus escritos e espetáculos de cabaré; por isso, passou mais tempo no tribunal e na prisão do que na frente de combate. Desde 1942 o autor sofria de icterícia. Em vez de uma lesão, ou de uma doença específica, foi o total esgotamento físico a causa de sua morte prematura.

Visto por esse prisma, o soldado Beckmann (*Gefreiter* Beckmann) – o protagonista de *Draussen vor der Tür* – não é uma figura autobiográfica. Beckmann regressa do front (ou talvez da prisão, como centenas de milhares de jovens alemães do pós-guerra), enquanto Borchert conseguiu fugir de uma prisão francesa na Alemanha, antes do cessar-fogo (ele caminhou 600 km, por terrenos onde aconteciam combates, e chegou a sua Hamburgo natal em 10 de maio de 1945, dois dias depois da rendição incondicional da Alemanha). Foram os amigos que o ajudaram – chegaram inclusive a financiar sua viagem de trem para a Suíça, onde recebeu tratamento médico e onde viria a morrer. O soldado Beckmann, por sua vez, descobre que todas as portas lhe foram fechadas – como se fecharam para tantos soldados que voltaram da guerra.

Se os protagonistas de Sartre não conseguem sair do salão onde se encontram, mesmo estando as portas abertas, a entrada de Beckmann nunca lhe é permitida, em qualquer espaço ou situação existencial que pudesse lhe oferecer calor, abrigo ou repouso. Para usar uma expressão nova, ele experimenta uma espécie de "claustrofilia" não cumprida. Usando os óculos escuros que deveriam protegê-lo contra ataques de gás, Beckmann descreve a um companheiro que sofreu uma amputação aquilo que está no cerne de sua experiência:

> Foi precisamente isso que perguntei, ontem à noite, ao homem que estava com a minha esposa. Ele estava lá, vestindo a minha camisa. Na minha própria cama. O que você está fazendo aí?, perguntei. Encolheu os ombros e disse: Bem, o que estou fazendo aqui... Foi o que ele respondeu. Por isso, fechei de novo a porta do quarto — não, primeiro apaguei a luz. E depois me deixei ficar do lado de fora.[5]

Quando Beckmann chega à casa de seus pais, a mulher que agora vive no apartamento conta-lhe que, sucumbindo à pressão que se abateu sobre os apoiadores do Nazismo, eles tinham se suicidado com o gás do fogão: "Uma manhã, vi que estavam no chão da cozinha, rígidos e sem vida. Que desperdício, comentou meu marido: com esse gás todo, poderíamos ter cozinhado durante um mês inteiro."[6] No final da conversa, é o próprio Beckmann que pede à mulher que feche a porta na frente dele. Seu comandante de guerra, um coronel, acha graça de Beckmann e aconselha-o a seguir carreira no teatro. O diretor do teatro diz-lhe que volte depois de ter adquirido mais experiência de vida e de ter-se tornado matéria de sucesso: "Todas as portas estão fechadas. Só se abrem para Shirley Temple ou para Max Schmeling, o campeão de boxe." Deus é um velho que sabe que

---

5 Borchert, *Draussen vor der Tür und ausgewühlte Erzäblungen*, p.20.
6 Ibid.

ninguém mais vai confiar nele – porque ele não pode mudar nada. A morte, por outro lado, goza de tanto sucesso que sua figura alegórica "ganhou algum peso".[7] No entanto, também a morte rejeita Beckmann. Quando ele tenta se afogar no Elba, o rio cospe-o para fora:

> Procure outra cama, se a sua está ocupada. Não quero esse nada infeliz que é a sua vida. A questão é que você não é suficiente para mim, meu rapaz. Primeiro, vai ter de viver. Atire-se, deixe-se ser nocauteado. Um dia, quando estiver podre de bêbado, quando estiver paralisado e lutando para se mexer, deitado na lama, então a gente pode conversar de novo. Mas, por enquanto, caia na real, o.k.? E agora vaze daqui, querido menino. Seu pequeno punhado de vida não é foda o suficiente. Fique para você. Não quero isso.[8]

Em um nível não alegórico – de qualquer forma, menos alegórico –, não é o rio que salva a vida de Beckmann porque o rejeita, mas uma jovem moça que arrasta para fora da água seu corpo gelado. Ela quer levá-lo para casa – de tal maneira que ela parece ter o poder da ressurreição:

> MOÇA: Ah, então iremos para casa juntos, para a minha casa. Sim, ficar vivo outra vez, pequeno peixinho! Para mim. Comigo. Venha, vamos ficar vivo juntos.
> BECKMANN: Mas eu viverei? Você estava mesmo procurando por mim?

---

7 Ibid.
8 Ibid., p.12.

MOÇA: Todo o tempo. Você! E mais ninguém. Todo o tempo, só você. Por que está morto, pobre fantasma cinzento? Não quer ficar vivo comigo?
BECKMANN: Quero, sim, sim. Vou com você. Quero ficar vivo com você![9]

A cena final sugere que a moça que salvou Beckmann é a esposa de seu companheiro amputado. Ser rejeitado pela sua própria esposa, na porta da casa dos pais, acaba por desencadear uma sequência de ações em que Beckmann impõe àqueles que compartilham seu destino, um destino semelhante. O companheiro amputado que, ao contrário de Beckmann, conseguiu se matar, agora chama Beckmann de assassino. A acusação torna seu papel concretamente duplo. Beckmann não pode voltar para casa, mas deve ficar de fora, na frente da porta, porque outro homem tomou o seu lugar na cama, ao lado de sua esposa. Ao mesmo tempo, porém, ele ocupa agora o lugar de seu companheiro na cama ao lado da esposa do segundo homem. Conforme percebe que não existe saída para a situação, Beckmann constata que mais outra porta está fechada para ele. É a porta representada pelo suicídio, a entrada para a morte – a única coisa que pode impedi-lo de matar os outros: "Não tenho o direito de acabar com a minha vida? Vou apenas continuar matando e matando? Para onde hei de ir? Como devo viver? Com quem? Para quê? Para onde iremos, neste mundo?"[10]

Quer tomemos "este mundo" como expressão que se refere ao mundo do drama, ao mundo do soldado Beckmann ou, talvez,

---

9 Ibid., p.56.
10 Ibid.

ao mundo de Wolfgang Borchert, a conclusão óbvia é que "este mundo" não dá acesso a nenhum lugar livre de culpa. Enquanto em *Entre quatro paredes* temos alguém cujo olhar penetrante torna insuportável a presença do outro, em *Draussen vor der Tür* é simplesmente a nossa presença física que sempre – e inevitavelmente – priva o outro do espaço (circunstância que, aliás, corresponde exatamente ao cotidiano de muitos alemães nos anos que se seguiram à guerra). Só quando se apresenta como voz é que o outro físico não ocupa espaço. No monólogo final, em vez de tentar escapar à dimensão social da vida, Beckmann anseia pela resposta do outro – por um sinal de sua presença (em que "sua" pressupõe que o outro a quem Beckmann se dirige é o outro homem cujo espaço ele ocupou ao dormir com a sua esposa). Beckmann tomou consciência de que não era uma vítima inocente, mas uma vítima que transformava os outros em vítimas também:

> Onde você está, Outro? Não estará sempre, de outro modo, aqui? Onde você está agora, ser afirmativo? Responda agora! Preciso de você agora, que você me responda! Mas onde você está? De repente, não está mais aí! Onde você está, onde você está, que não quis permitir-me a saída da morte? Onde está o velho de nome Deus?
> Responda-me, por favor!
> Por que você está calado? Por quê?
> Então, ninguém responde?
> Ninguém responde?
> Então não há ninguém, então, ninguém que responda?[11]

---

11 Ibid., p.59.

Quando analisados no seu conjunto, os dramas do pós-guerra de Sartre e de Borchert dão a sensação de que nada pode ser naturalmente bom ou estar naturalmente isento de conflito entre os seres humanos. Os personagens vão sempre se sentir invadidos – ou excluídos – pela presença dos outros; por isso mesmo, devem perceber que é impossível não terem o mesmo efeito sobre os outros. Não é meramente metafórica a intensidade obsessiva com que as sensações de espaço dão forma a essa condição a partir dos anos 1945. Em vez disso, ela sugere que, nesse momento histórico, o que está errado na relação que se tem com os outros é sempre, pelo menos em parte, também uma espécie de defeito físico: causa dor física e, através do corpo, causa a experiência de um espaço aflitivo. Esta condição, em sua complexidade, estimula um desejo de redenção, na medida em que desperta um sonho – ou uma memória – de que as coisas podem ser diferentes, que, de fato, já foram diferentes, e que um dia poderão mudar de novo e ser "boas". Mas esse "outro" mundo permanece latente, pois só existe, vagamente, no desejo de que as circunstâncias mudem.

∞

O desespero de não conseguir sair e o desespero de não conseguir entrar, que centraram nossa discussão de *Entre quatro paredes*, de Sartre, e de *Draussen vor der Tür*, de Borchert, são onipresentes em muitos textos da década que se seguiu à Segunda Guerra Mundial – e não apenas em obras dos países que participaram da ação militar. Começa-se a compreender, então – pelo menos na particular constelação daquela época –, de que modo os dois *topoi* (mais uma vez, utilizo *topoi* para designar, pelo menos em parte, "espaços" e "formas de espaço", no sentido literal) são mais difíceis de distinguir do que a princípio se pode imaginar. O mesmo acontece, como vimos, com as distinções entre agência e agressão, por um lado, e vitimação, por outro. Claro que, enquanto dimensões da experiência, elas não são de todo idênticas nem a sua relação se caracteriza por oscilação ou por instabilidade. Em vez disso – um pouco como na descrição hegeliana da dialética "mestre/escravo" –, não há praticamente nenhuma condição de vítima que não venha, a longo prazo, a revelar-se como agressão (e vice-versa). Ainda assim, apesar dessa ligação profunda, gostaria de demonstrar – em primeiro lugar no caso de "sem saída", e, depois, no caso de "sem entrada" – como esses motivos perpassavam todo o tipo de textos compostos para executar diferentes funções. Nesse processo, conseguiremos um reconhecimento mais amplo, quer dos *topoi* de assimetria, quer da sua inseparabilidade.

O desejo obsessivo por uma saída impossível muitas vezes conflita com o pesadelo de uma abertura para o exterior, que cada vez mais vai se afastando e que, de repente, pode se transformar em desejo de permanecer no interior. A intensificação mais drástica e devastadora do motivo "sem saída" ocorre num romance espanhol de 1962 que nunca teve o reconhecimento que merece. A cena em causa, extraída de *Tiempo de Silencio*, de Luis Martín-Santos, retrata um aborto malsucedido que termina em morte. A jovem – a garota que vai morrer – está grávida após ter sido estuprada, regularmente e na presença de toda a família, por seu pai. O pai daqueles dois seres, a mãe e o filho a nascer, tenta causar a morte e a expulsão do feto, num estágio já muito avançado da gravidez, sem qualquer constrangimento e com o apoio de toda a família:

Sentou o corpo pequeno e redondo da esposa na barriga da filha, supondo, talvez, que assim satisfaria, ao mesmo tempo, os requisitos físicos de gravidade e os de decência; depois amarrou uma corda em torno do corpo da moça, na altura de seu umbigo e amarrada com mais força quando se aproximava de seus quadris largos; uma vez abandonada a corda, que tinha deixado marcada a pele da garota, ele apertou e puxou-lhe para baixo a barriga, com as duas mãos, tentando forçar para fora toda a matéria fetal e toda a urina que o corpo dela estava segurando; em seguida, fê-la beber infusões muito quentes, feitas com receitas secretas que queimavam o céu da boca da que não era nem mãe nem virgem; jogou água fria em sua barriga e água quente, com um pouco de mostarda, sobre suas coxas; finalmente, começando a suar, ele anunciou que iria puxar "aquilo" com as mãos, o que mostrou-se completamente impossível [...]. A esposa, ao contrário, pensou que seria bom colocar entre as pernas de sua filha um ramo de funcho, talvez o cheiro atraísse o bebê.[12]

Ora, acontecia que o pai da menina grávida conhecia um jovem médico, a quem chamou mais por impaciência do que por quaisquer sentimentos de piedade ou de responsabilidade. Quando o médico chega, prepara os seus instrumentos, mas logo percebe que chegou tarde demais: aquilo que o útero contém já está morto e nunca deixará o corpo da mãe.

Não há caminho algum para o exterior aberto, e qualquer tentativa de deixar o "interior" acabará se provando mortal. Este é o mais dramático entre os claustrofóbicos cenários que assombram os anos do pós-guerra. Aquilo que rodeia, constitui

---

12 Martín-Santos, *Time of Silence*, p.96.

e contém o interior pode ser frágil – como o corpo da menina grávida –, ainda assim, persiste com tenacidade, resistindo a todas as tentativas de romper, de sair. Além disso, o interior muitas vezes engendra uma atmosfera insuportável, que só contribui para reforçar o desejo de sair – o desejo de ir embora, que se transformou numa necessidade de sobrevivência. O que é verdade, enquanto realidade psicológica, para o quarto em que Estela, Inês e Garcin não podem morrer nem fechar os olhos, em *Entre quatro paredes* de Sartre, tem equivalente espacial na cidade de Oran, em *A peste*, de Albert Camus. Aqui, a praga se espalha e os habitantes da cidade não têm como escapar:

> A quentura úmida dessa primavera fez as pessoas ansiarem pelo calor do verão. Na cidade, construída sobre a planície como um caracol, sem abertura para o mar, prevalecia uma monotonia cinza. Dentro de suas longas paredes frágeis, ao longo das ruas de vitrines empoeiradas, nos bondes pintados de um amarelo sujo, sentiam-se um pouco como prisioneiros do céu. Só o paciente idoso de Rieux estava feliz: esse clima atenuava a sua asma.[13]

Alemanha, ano zero, de Roberto Rossellini, o capítulo final da sua trilogia da guerra, foi filmado em Berlim e em Roma entre setembro de 1947 e janeiro de 1948. O filme apresenta uma situação semelhante na dimensão temporal. O pai de dois jovens adultos e de Edmund, o sensível e precoce irmão de onze anos, está esgotado da vida de resistência na Alemanha nazista. Sua energia física desapareceu por completo e não deixou nenhuma esperança de recuperação. O pai está para sempre

---

13 Camus, *La Peste*, p.36.

inválido: não pode sair da cama, mas também não morre. Está muito consciente do quanto e dos diferentes modos como se tornou um fardo para os filhos. Abalado pela fraqueza insuportável do pai – e influenciado também pelas ideias mal digeridas, que ainda circulavam, sobre a sobrevivência do mais forte –, Edmund acaba por envená-lo com frieza e firmeza incríveis. Há, no entanto, um preço a pagar por fazer o pai atravessar a fronteira da morte: a vida do próprio Edmund que, na cena final do filme, se suicida.

∞

A dinâmica contrária ao confinamento é igualmente veiculada. Na literatura, assim como no mundo real, as pessoas fazem tudo quanto está ao seu alcance para permanecer em espaços circunscritos, resistindo a forças de dentro e de fora que as fariam cruzar o limiar em direção ao exterior. Fervoroso defensor do nazismo (cujas motivações eram menos uma questão política do que o virulento e descarado antissemitismo), o romancista francês Louis-Ferdinand Céline deixou Paris em junho de 1945. Após uma curta estada na Dinamarca, passou os meses restantes de guerra na Alemanha, dando assistência médica aos membros exilados do governo de Vichy. Em março de 1945, Céline regressou à Dinamarca, onde usou todos os recursos legais disponíveis para evitar ser extraditado para a França, onde fora acusado de traição e enfrentava uma eventual sentença de morte. Numa carta (escrita em inglês) que mandou ao seu advogado dinamarquês, datada de 12 de fevereiro de 1946, Céline inclui uma missiva anterior à sua mulher, Lucette Destouches (Destouches era o verdadeiro nome de Céline). Nesta, o escritor declara que em nenhuma circunstância pretende se entregar ao sistema jurídico francês:

> Minha querida: verifico com grande preocupação que você acha natural a ideia de eu ir para a França para ser condenado. Mas em diabo de nenhuma circunstância! Não consentirei nunca com tal proposta. Vou agarrar-me ao direito de asilo como um demônio! Como um judeu! Nenhum judeu fugido para a Dinamarca jamais se deixou ser ludibriado para regressar e ser julgado na Alemanha de Hitler! De jeito nenhum! Meu caso é exatamente o mesmo! Claro que os dinamarqueses ficariam muito felizes se eu me rendesse![14]

Depois de ter sido julgado à revelia por um tribunal militar – e posteriormente perdoado como veterano da Primeira Guerra Mundial –, Céline retornou à França em 1951 e não sofreu mais consequências. Viria a morrer dez anos depois.

Essa complexa situação jurídica fez com que Céline evitasse a extradição da Dinamarca – que provavelmente teria lhe custado a vida. Em *Réquiem por uma freira*, de William Faulkner, o forte senso de justiça de Gavin Stevens, advogado de defesa, faz com que ele fique, teimosamente, na casa de seu sobrinho Gowan e da esposa dele, Temple. As extensas conversas correspondem a uma resistência cada vez mais desesperada – e intensa – por parte dos familiares. Stevens deseja confirmar – e acabará por fazer isso mesmo – a suspeita, que à primeira vista parece improvável, de que a ré, a afro-americana Nancy, matou a filha dos dois porque – razão plausível – queria proteger o outro filho do casal das consequências dos viciosos arroubos eróticos

---

14 Céline, *Lettres*, p.799.

da mãe. A responsabilidade moral pela morte da criança acaba, então, recaindo sobre os pais, em vez de sobre Nancy (que era a ama das crianças).

No início da história, Gowan começa a perceber que a presença do seu tio poderia comprometer o esquema que ele combinara com a esposa para fazer Nancy morrer pelo crime que eles — os pais da criança — tinham cometido (e pelo qual, consequentemente, são responsáveis). O advogado ignora todos os sinais e palpites dos seus familiares, de que, segundo as convenções sociais de uma família tradicional do Sul, ele deveria ir embora. À medida que a tensão aumenta, Gavin Stevens chega mesmo a fingir que não entende quando Gowan alude à execução de Nancy como "vingança" armada por ele e por Temple. Por isso quase faz seu sobrinho perder o controle:

GOWAN: Beba. Afinal, também tenho de jantar e preparar as malas. Que tal isso?
STEVENS: Isso o quê? Fazer as malas, ou a bebida? E você? Pensei que também bebesse alguma coisa.
GOWAN: Ah, claro, claro. [*Pega um copo cheio.*] Talvez seja melhor você ir, e deixar a gente com nossa vingança.
STEVENS: Quem me dera se pudesse confortá-lo.
GOWAN: Quem me dera se pudesse. Quem me dera eu só quisesse a vingança. Olho por olho — Alguma vez as palavras já foram mais vazias? Só que precisa perder o olho, para sabê-lo.
STEVENS: Mas ela tem de morrer.
GOWAN: Por que não? Mesmo se ela fosse uma perda — uma prostituta negra, uma bêbada, uma inimiga...

STEVENS: Uma vagabunda, uma vadia, desesperada, até que um dia o sr. e a sra. Gowan Stevens, por simples piedade e humanidade, a tiram da sarjeta para dar-lhe mais uma chance...
[*Gowan fica imóvel, a mão aos poucos se agarrando ao copo. Stevens olha para ele.*]
E depois, em recompensa...
GOWAN: Veja, tio Gavin. Por que, por amor a Deus, não vai para casa? Ou para o Inferno, ou para onde quer que seja, fora daqui?
STEVENS: Já irei, daqui a pouco. É por isso que você pensa – por que é que ainda diz que ela tem de morrer?[15]

Há limiares no mundo do pós-guerra que ninguém consegue atravessar, seja em que direção for; e há personagens que, principalmente por razões da lei, resistem à pressão para fazer essa travessia. Existem também limiares que, por estarem em constante recuo, não podem ser cruzados. *Paisà*, o segundo e o mais longo dos filmes da trilogia de guerra de Rossellini, dá a ver, em detalhes épicos, a conquista da Itália pelas tropas americanas. Cada avanço do exército americano – da Sicília para o norte da península – apenas atrasa o momento da vitória, quando a Itália é finalmente libertada do ocupante alemão. Até esse ponto, os alemães arrastam-se numa atitude de retirada, conseguindo evitar todos os confrontos diretos e potencialmente decisivos. Da mesma forma, em *O gigante* – terceiro e último filme protagonizado por James Dean –, as torres de extração de petróleo pululam pela extensão aparentemente sem fim de uma fazenda do Texas. Começam a brotar na pequena propriedade do jovem rebelde, até que, finalmente, cercam a casa de uma simpática

---

15 Faulkner, *Novels 1942-54*, p.518-9.

família local, que se recusa a reconhecer e a render-se à nova era industrial.

Por vezes, essas fronteiras que se afastam abrem-se, num momento imperceptível, e absorvem docemente a força que ameaça quebrá-las. Em *Paisà*, de Rossellini, os poucos monges que permaneceram num convento se recusam a abrigar um rabino que, junto com um padre católico e um pastor protestante, serve no exército americano. Finalmente, em vez de se limitarem a ceder à força militar, eles se convencem de que estão obrigados pela ética à lei da hospitalidade universal – hospitalidade sem exceções –, e que o cumprimento dessa obrigação só fortalece sua fé cristã. No início de 1950, Ernst Jünger e Martin Heidegger envolveram-se numa discussão que seguiu, detalhada e explicitamente, esta lógica de uma linha de demarcação que recua e que pode, por momentos, se abrir e transformar o que está dentro dela. O debate relacionava-se com possíveis respostas filosóficas àquilo que ambos descreveram como o niilismo crescente do século XX. Os interlocutores recorreram ao conceito espacial de "linha" para apresentar suas respectivas respostas a uma questão de interesse mútuo. Se Jünger tende a afirmar a necessidade de manter o niilismo a distância, Heidegger, por sua vez, propõe-se trabalhar com os desafios que coloca e, assim, torná-lo parte de sua própria situação existencial:

> Portanto, qualquer discussão sobre a "linha" tem de perguntar o que poderia vir a ser a completude do niilismo. A resposta parece óbvia. O niilismo ficará completo uma vez que tenha ocupado todas as dimensões e uma vez que se afirme em todos os lugares, quando nada puder reivindicar-se como exceção ao niilismo, e ele se tornar o estado de normalidade. Mas esse estado de normalidade

não é mais do que a tomada de consciência da completude. A normalidade é uma consequência da completude. A completude é a junção de todas as possibilidades essenciais inerentes ao niilismo, que é difícil imaginarmos em absoluto, quer como um todo quer em detalhe. Só podemos pensar as possibilidades essenciais inerentes ao niilismo se regressarmos à sua essência. E afirmo que teremos de "voltar", porque a essência do niilismo precede suas manifestações individuais.[16]

É abrindo-se ao que, a princípio, parece ameaçar a sua própria possibilidade, que a filosofia afirma seu vigor. No entanto, uma vez que o niilismo – isto é, a negação potencial da filosofia – se pensa até às últimas consequências, a sua ameaçadora fronteira – uma "linha" para além da qual um final letal parece estar à espera – se desloca, uma vez mais:

> E o que isso significa para a nossa expectativa de um transpassamento dessa linha? Estará a existência humana já *trans lineam*, ou estamos agora apenas chegando à vasta planície que se encontra aquém da linha? Ou será isso uma inevitável ilusão? Talvez a linha apareça bem diante de nós como a ameaça de uma catástrofe planetária. Quem, então, a atravessaria? E o que tais catástrofes nos causariam? As duas guerras mundiais não fizeram abrandar o avanço do niilismo nem mudar a sua direção [...]: onde está agora a linha? Onde quer que ela se encontre, esta questão deve incentivar a discussão sobre se poderemos ousar pensar o transpassamento da linha.[17]

---

16 Heidegger, *Gesamtausgabe* 9, p.393.
17 Ibid., p.394.

Quando se sobrevive ao pior e se percebe do que se tinha de fugir ou de afastar-se, o que aparecia como o futuro da morte pode tornar-se parte da vida.

Tal experiência de consolo surge no belíssimo *pathos* do *Diário de Hiroshima*, escrito entre 6 de agosto e 30 de setembro por Michihiko Hachiya, médico japonês que, depois de sobreviver a primeira bomba nuclear, trabalhou incansavelmente, em meio à destruição física e material, para ajudar aqueles que tinham sido mais gravemente afetados pela catástrofe do que ele. Em 29 de setembro – um dia antes da última entrada do diário –, o dr. Hachiya tem a tarefa de guiar "dois jovens oficiais da força de ocupação" pelo hospital. Além do evento de 6 de agosto, há a barreira da língua a separar os três homens. Mas, surpreendentemente, a primeira impressão que o médico transparece é tão positiva que vai anulando a fronteira entre ele e os oficiais norte-americanos:

> Senti uma nota de simpatia e cordialidade nas vozes dos jovens oficiais. Invocando toda minha coragem, disse a eles em inglês: "Como vocês estão?". Em resposta, um dos oficiais me deu um cigarro. Aceitei, com timidez, e ele o acendeu para mim, antes de acender outro para si mesmo. O cigarro tinha um cheiro agradável e o grande círculo vermelho, no maço, me impressionou.[18]

Segue-se, durante algum tempo, uma conversa, cautelosa e justificada pelo interesse mútuo. Os jovens oficiais americanos experimentam as poucas palavras de japonês que aprenderam. Em seguida, partem:

---

18 Hachiya, *Hiroshima Diary*, p.125.

Depois de 1945

Entraram no caminhão com grandes sorrisos no rosto e acenaram até sumirem de vista. "Tudo vai ficar bem", alguém falou, e houve um cordial consenso. Todos se sentiram aliviados. Tínhamos ficado impressionados com a aparência dos soldados norte-americanos: os elegantes uniformes que vestiam, o modo alegre que aparentavam. O cheiro do tabaco americano não abandonou o meu olfato. Era diferente do que fumavam os oficiais japoneses. Nada havia de arbitrário ou esquisito nestes jovens oficiais; também eles eram diferentes dos japoneses. Estes homens pareceram-me cidadãos de um grande país.[19]

Como já vimos, as fronteiras inflexíveis, assim como as em permanente recuo, provocam medo e pânico. Além disso, podem gerar atividade bastante agitada. Às vezes, em raros momentos excepcionais, podem até conceder vislumbres de consolo. Muitos personagens de romances de meados do século XX atingem uma espécie de visão quando são confrontados com o caso-limite de uma fronteira que recua e que toma a forma de espaço infinito. Em *Doutor Jivago*, de Boris Pasternak (1957), o protagonista e sua família – que antes era abastada – escapam dos perigos da pós-revolucionária Moscou num trem rumo ao Leste. Depois de passarem vários dias e noites num compartimento úmido e pegajoso, o trem para numa estação. Parece não prosseguir viagem. Mas, na verdade, a estação não marca o fim da jornada – nem sequer está localizada em qualquer topografia existencial:

Estava demasiado quente e abafado dentro do vagão para se conseguir dormir. O travesseiro do médico estava encharcado de suor.

---

19 Ibid., p.225.

Com cuidado, para não acordar os outros, ele desceu do beliche e abriu as portas. [...] Era uma estação enorme, talvez um entroncamento. Para além da neblina e do silêncio, havia um sentimento de vazio, de abandono, como se o trem tivesse se perdido e ficado esquecido. Deveriam estar no lado mais distante da estação, e tão grande era o labirinto de pistas que os separavam dos edifícios da estação que, se no outro extremo do quintal a Terra abrisse e engolisse a estação, ninguém no trem teria notado.[20]

Em cenas como essa desaparece a antecipação de qualquer fronteira. Daí que – invertendo a lógica das fronteiras inflexíveis, que faz o transpassamento delas uma situação de pânico absoluto – parece não sobrar nada que pudesse importar. Nada pode acontecer; nenhuma mudança é possível; todos os esforços são vãos, independentemente do propósito. Um ano antes de aparecer a tradução italiana do *Doutor Jivago* de Pasternak, João Guimarães Rosa publicou *Grande sertão: veredas*. Esse livro é o épico do sertão, a paisagem desértica do coração do Brasil. (Meu amigo Pedro Dolabela, que mora lá, descreve-o assim: "É uma região muito seca, coberta por solo rochoso e vegetação magra, espinhosa, de arbustos; pouco habitada, cheia de montes, com um céu plano – mas não abobadado; é silenciosa; tem lagartos por todo o lado, e cabras; você sempre sente como se o sol mordesse a sua pele.") Mais ainda do que o livro monocromático de Pasternak, *Grande sertão* poderosamente evoca a infinitude do espaço, ao mesmo tempo que sugere uma meditação sobre a não confinada existência humana:

---

20 Pasternak, *Doctor Zhivago*, p.242.

Depois de 1945

A gente olhava para trás. Daí, o sol não deixava olhar rumo nenhum. Vi a luz, castigo. Um gavião-andorim: foi o fim de pássaro que a gente divulgou. Achante, pois, se estava naquela coisa – taperão de tudo, fofo ocado, arrevesso. Era uma terra diferente, louca, e lagoa de areia. Onde é que seria o sobejo dela, confinante? O sol vertia no chão, com sal, esfaiscava. De longe vez, capins mortos; e uns tufos de seca planta – feito cabeleira sem cabeça. As-exalastrava a distância, adiante, um amarelo vapor. E fogo começou a entrar, com o ar, nos pobres peitos da gente.[21]

Fugir do sertão é impossível, porque não há outro lugar para onde ir. Pensar num estranho encantamento cujo feitiço talvez pudesse ser quebrado se revela nada mais que uma forma de ilusão. Acima de tudo, qualquer ideia ou esperança de sair deste espaço acaba sendo uma ilusão, todas as vezes: "Sertão é isto: o senhor empurra para trás, mas de repente ele volta a rodear o senhor dos lados. Sertão é quando menos se espera."[22]

∞

Cercadas por horizontes existenciais tão ameaçadores que nunca podem ser atravessados, ou tão fugazes que nunca se alcançam, muitas pessoas nos anos do pós-guerra sentiram-se impelidas a voltar-se para dentro – "para dentro" de si mesmos. "Para dentro" também pode descrever o movimento existencial, mas o objetivo desses movimentos tem diferentes formas e

---

21 Guimarães Rosa, *The Devil to Pay in the Backlands* [Grande sertão: veredas], p.38.
22 Ibid., p.238.

qualidades. Uma possível meta é a esfera interna do indivíduo, ou a "interioridade". Outras incluem o "dentro" de um espaço protegido ou o "dentro" de um mundo familiar que, abandonado e esquecido, aguarda agora ser redescoberto. Em 1950, o escritor alemão Gottfried Benn escreveu um curto poema, de título lacônico: "*Reisen*" [Viagem]. Essa obra evoca o contraste entre a ilusão da satisfação que se experimenta longe de casa, por um lado, e a felicidade de se achar no interior tranquilo do "eu", por outro:

> Acredita, por exemplo, que Zurique
> poderia ser um lugar mais profundo
> onde milagres e bênçãos
> estivessem sempre ao alcance da mão?
>
> Acredita que a partir de La Habana,
> branco e vermelho-hibisco,
> um maná eterno poderia jorrar
> para o deserto da sua vida?
> [...]
> Como é fugidia a viagem!
> Entardece antes de você viajar em direção a si mesmo:
> Trata-se de permanecer e de manter, em silêncio,
> o eu se contendo em si.[23]

Tal retirada de volta à interioridade poderá servir de algum consolo, contanto construa – ou descubra – uma fronteira que dê forma, proteção e força àquilo que contém. Desde a publicação de *Ser e Tempo*, em 1927, Heidegger insistiu que se desse

---

23 Benn, *Gedichte*, p.384.

mais atenção filosófica à dimensão existencial do espaço. Em uma série de palestras e ensaios na década de 1950, dedicada aos conceitos de "habitar" e de "construir", elaborou a ideia do "quádruplo" [*Geviert*] como a condição mais fundamental da vida humana. É no "quádruplo", argumenta Heidegger, que a existência humana encontra a estabilidade interna e uma relação viável com o mundo em torno da natureza e da transcendência:

> Dizer "sobre a terra" implica sempre "debaixo do céu". Ambas as expressões pretendem incluir um "restante antes dos deuses", e implicam um "pertencimento ao estar junto dos seres humanos". Partindo de uma união *original*, os quatro, terra e céu, Imortais e Mortais, pertencem uns aos outros.[24]

Os seres humanos formam uma dimensão do quádruplo e devem, por isso, ser entendidos como parte do que o constitui como espaço existencial; mas Heidegger sugere também que – como o "eu interior" do poema de Benn – o quádruplo protege e abriga a existência humana. "Juntar-se" [*sich sammeln*] no quádruplo não implica um movimento para longe do "eu" interior nem do mundo dos objetos. Na lógica do paradigma tradicional de sujeito/objeto, o "eu" e o mundo dos objetos encontram-se face a face; estão, portanto, de certa maneira separados por um fosso ontológico intransponível. Pelo contrário, para Heidegger, o retorno ao "eu" significa igualmente um retorno à familiaridade primordial com o mundo dos objetos. Não poderia ser de outra forma, pois Heidegger entende o *Dasein* (ou seja, a existência humana) como ser-no-mundo – isto é, como sempre já junto do seu ambiente

---

24 Heidegger, *Gesamtausgabe 7*, p.151.

físico: "Nem quando os mortais se voltam para si eles abandonam o pertencimento ao quádruplo. Quando, como afirmamos, nos voltamos para nós mesmos, isso representa um retorno da esfera das coisas que *não* abandona a proximidade das coisas."[25]

Esse modo específico de uma "viragem para nós mesmos", que é também um retorno ao mundo dos objetos, corresponde, creio, a outro tipo de movimento para dentro: ou seja, ao movimento que nos conduz para mais perto do chão [*Grund*]; consequentemente, em última análise, confronta-nos com o Ser. Para Heidegger, a existência convida os seres humanos a encontrar um chão ôntico: "O chão enquanto tal pede que seja devolvido, como chão, em direção ao Sujeito que representa o mundo para si mesmo."[26] É um tanto paradoxal (pelo menos quando comparado com a clássica filosofia de Sujeito) que um retorno ao "eu" — e de lá para o chão — renove aos seres humanos o seu sentimento de pertencimento e de compromisso para com a terra; segundo Heidegger, só através dessa interioridade podem ocorrer "momentos da verdade" nos quais o Ser se revela. Mas o "Ser" de Heidegger não é uma entidade transcendental, uma entidade que vem de outro lugar. Em vez disso, ele é — na articulação das mais tênues nuances da disposição existencial dos anos do pós-guerra — pura interioridade: as coisas individuais em sua substância, percebidas como se nada de subjetivo as distorcesse. O aparente paradoxo se esvai na medida em que um retorno deliberado em direção ao "eu" (ou seja, aquilo que costumava ser chamado de "o sujeito") atinge o mundo dos objetos no âmbito do evento da verdade, isto é, da presença no desvelamento do Ser.

---

25 Ibid., p.159.
26 Heidegger, *Gesamtausgabe 10*, p.41.

Depois de 1945

∞

O homem revoltado, de Albert Camus, publicado em 1951, marca a ruptura definitiva do autor com o compromisso que a sua geração mantinha com o evangelho das ideias marxistas – um movimento de regresso ao "eu" individual, à terra e ao culturalmente familiar. O gesto de Camus equivale a uma fuga a todos os horizontes utópicos da tradição hegeliana da filosofia da História, e deverá ser entendido como forma especificamente secular de transcendência, distante das promessas de um futuro que deveria estar para além da morte do indivíduo. A obra de Camus representa mais um voltar de costas às fronteiras "para além das quais" o cumprimento e a redenção haviam sido declarados a mentir. A crítica implacável que o autor tece às promessas abstratas – que, em sua opinião, são uma traição ao presente e, consequentemente, à existência individual – foi estimulada pela sua experiência dos cínicos regimes totalitários que tinham iniciado a guerra:

> Os homens da Europa, abandonados às sombras, se afastaram do reluzente ponto fixo. Esquecem o presente em favor do futuro, a plenitude do ser em favor da névoa do poder, a miséria dos subúrbios em favor de uma cidade brilhante, a justiça cotidiana em favor de uma vã terra prometida. Desesperam com a liberdade das pessoas e sonham com uma estranha liberdade da espécie; recusam a morte solitária e chamam de "imortalidade" uma prodigiosa agonia coletiva.[27]

---

27 Camus, *L'Homme révolté*, p.380-1.

Camus escolhe Ítaca – a ilha à qual Ulisses nunca perde a esperança de voltar – como nome mítico e preciso para o regresso ao presente temporal e espacial que defende. Faz essa escolha à revelia de todas as promessas, vagas e perigosas, de um "além" que ficaria no futuro, ou nas nuvens:

> Escolheremos Ítaca, a terra fiel, escolheremos o pensamento audaz e frugal, a ação lúcida, a generosidade do homem que sabe. Nessa luz, a Terra se mantém nosso primeiro e último amor. Nossos irmãos respiram debaixo do mesmo céu que nós, está viva a justiça. É aqui que emerge a estranha alegria que nos ajuda a viver e a morrer, a qual recusaremos adiar. Sobre a terra dolorosa, essa alegria é joio que não morre, amargo alimento, o duro vento que vem do mar, a antiga aurora e a nova.[28]

Ítaca representa a desapaixonada concentração no presente, o rompimento com um tempo em que o passado pesa sobre a ação e o futuro a distorce. Por alguns momentos, em passagens breves, Camus deve ter sentido em si energia suficiente para romper com esse tempo histórico que tinha ficado congelado pela ideologia.

∞

O homem invisível, de Ralph Ellison, publicado pela primeira vez na primavera de 1952 após muitos anos de revisão e de ampliação, foi acolhido pela crítica como um dos melhores livros já escritos por um afro-americano. Também essa obra

---

28 Ibid., p.381.

parece começar com uma retirada semelhante para um mundo interior. No porão de um prédio, o protagonista narrador, um negro, habita um espaço que chama de "buraco":

> Vivo sem pagar aluguel, num prédio só para brancos, numa parte do porão que esteve selada e esquecida durante o século XIX [...]. O importante agora é que achei um lar – um buraco no chão, como preferirem. Mas não vão já concluindo que, porque chamo minha casa de "buraco", ela seja úmida e fria que nem um túmulo; existem buracos frios e buracos quentes. O meu é um buraco quente. E lembrem-se, os ursos recolhem-se nos seus buracos para passar o inverno e sobreviver até à primavera seguinte; no fim, saem como se fossem pintinhos da Páscoa, largando a casca do ovo.[29]

Porém, a experiência que motiva a sua escolha de habitação é diferente de tudo o que vimos até agora. O narrador de Ellison viu barrado seu acesso aos mundos sociais; correu na direção de fronteiras impossíveis de atravessar e achou outras fronteiras, demasiado fugidias para serem alcançadas; uma vez seguida de outras, a sua experiência foi a de "sem entrada". Se é assim, a razão mais consistente para todas estas frustrações tem sido que, enquanto homem negro, ele é invisível para todos ao seu redor. O ato de se refugiar no porão representa uma reação à discriminação que, embora não seja fisicamente violenta, é existencialmente aniquiladora. Numa espécie de vontade de reverter a situação, ele obsessivamente se rodeia, no "buraco", de toda uma panóplia de aparelhos de iluminação elétrica:

---

[29] Ellison, *Invisible Man*, p.5-6.

A luz confirma minha realidade, dá à luz a minha forma. Uma moça muito bela me falou uma vez sobre um pesadelo recorrente que tinha: via-se deitada no centro de um enorme quarto escuro e sentia o rosto expandir até preencher todo o espaço daquele lugar, tornando-se uma massa informe, enquanto seus olhos corriam pela geleia biliosa, chaminé acima. Assim é o meu caso: sem a luz não sou apenas invisível, mas também não tenho forma; e não ter consciência de nossa própria forma é viver uma espécie de morte. Eu mesmo, após existir uns vinte anos, só me tornei verdadeiramente vivo depois que descobri minha invisibilidade. Por isso luto essa batalha com a Monopolated Light & Power. Pela razão mais profunda, digo: ela me permite sentir a minha vivacidade vital. É certo que também pugno porque me levaram tanto dinheiro antes de eu saber como me proteger. No meu buraco, no porão, existem precisamente 1.369 luzes. Equipei o teto todo, cada polegada dele.[30]

Como se sabe, o romance de Ellison se desenvolve numa longa série de cenas em que o personagem principal vê impedido o seu acesso a diversos ambientes e situações sociais. É esse o *leitmotiv* da narrativa. Ao mesmo tempo, é crucial que a rejeição nunca seja abertamente racializada. Por exemplo, quando o protagonista fica com a tarefa de mostrar o campus do colégio afro-americano, do qual ele é o zelador, para o sr. Norton – o principal patrono da instituição, um homem branco –, os dois acabam indo a um bordel cuja clientela consiste, em sua grande maioria, de veteranos da Primeira Guerra Mundial psicologicamente desequilibrados. Por isso, é irônico que um

---

30 Ibid., p.7.

barman "escurinho" identifique o protagonista como "moço de escola"[31] e se recuse a vender uma bebida ao seu acompanhante. Depois desse rumo ruim que a conversa toma, o sr. Norton diz ao presidente do colégio – que é negro – para "cuidar" do protagonista. O jeito sutil com que ele faz isso inclui mandar o moço a Nova York para procurar trabalho – com cartas de recomendação que denunciam negativamente o jovem aos potenciais empregadores. Em vez de ser confrontado com atos de exclusão inequívocos e agressivos, o protagonista deve passar por uma série de conversas e de encontros frustrados, antes de perceber até que ponto ele é "invisível". Mas a sua invisibilidade e a consequente falta de distinção social não são meras questões de discriminação racial. Em meados do século XX, era esse o destino de todos aqueles que habitavam mundos sociais estreitos e confinados. Em grande medida, o romance *Tiempo de Silencio*, de Luis Martín-Santos, analisa as relações sociais precisamente por esse viés. Na lucidez reflexiva que consegue atingir, depois de uma longa noite bebendo, Pedro – o jovem e tímido médico que é protagonista do romance – se dá conta de que será para sempre excluído das zonas de conforto social que tanto ambiciona: "Desejando: não estar sozinho, ficar num calor humano, cingido por uma carne aveludada, desejado por um espírito próximo [...]. Temendo: Nunca chegarei a saber viver, sempre alguma coisa ficará à margem."[32] Mais tarde – depois de ter se espalhado a notícia de que ele havia feito parte de uma tentativa de aborto que terminara na morte da moça (e apesar das circunstâncias atenuantes que, do ponto de vista jurídico, o

---

31 Ibid., p.76.
32 Martín-Santos, *Time of Silence*, p.164.

reabilitariam) – o superior de Pedro no sistema médico elimina todas as esperanças de carreira acadêmica que ele pudesse ter alimentado (assim como a ascensão social que viria com ela). O jovem médico nunca virá a atingir os píncaros que ambicionara:

> – Nossa profissão é um sacerdócio – disse ele, pausadamente e sem qualquer vestígio de raiva – e exige que sejamos dignos dela. Eu diria que não basta responder a esse mínimo de honestidade, mas é preciso também parecer honesto. Há suspeitas que são intoleráveis. Já sei que me dirá que está livre de qualquer acusação. Com efeito, está livre de todas as acusações, mas não – atente nisso – não de todas as suspeitas. [...] Escute meu conselho. Deixe-se de pesquisas. Você não tem vocação para isso. Jamais chegará a nada. Vejo-me forçado, dadas as circunstâncias, a interromper sua bolsa de pesquisa. Mas talvez seja para seu bem. Você tem boas mãos. Vá para o interior. Exerça a profissão. Poderá vir a ser um cirurgião razoável. Viverá mais tranquilo, longe de certas companhias.[33]

Porém, discriminação e "invisibilização" não são apenas hierárquicas, como nessa cena. São igualmente mútuas – e até universais – na muito compartimentada sociedade espanhola da ditadura militar de meados do século XX. Uma das razões pelas quais isso se dá é o fato de as situações de exclusão social sempre proporcionarem prazer acrescido àqueles que estão em posições de poder – independentemente do tempo que efetivamente estiverem no "poleiro". A partir de uma perspectiva de discriminação universal, e com ironia suprema, Martín-Santos descreve Muecas – pai da desafortunada moça grávida (e da

---

33 Ibid., p.192-3.

criança que ela carregava), que mora numa favela e cria ratazanas para as pesquisas laboratoriais de Pedro – na sua tentativa de se distanciar de pessoas para quem a situação dele pudesse constituir objeto de desejo:

> O cidadão Muecas, bem estabelecido, veterano da fronteira, notável de sua cidade, respeitado entre seus pares, homens de conselho, desde os píncaros de seu rentável estabelecimento, vencedor, olhava para os que – uma mão na frente, outra atrás – pretendiam começar a viver, recém-chegados em pobres vagões de terceira classe desde o longínquo país da fome. Uma certeza depreciativa permitia encontrar no rosto dos coreanos a marca da ignomínia e da inferioridade. Intuitivamente, ele percebia que aqueles homens jamais seriam capazes de – como ele – se erguer à dignidade de um empresário liberal que negocia contratos com uma instituição de pesquisa autêntica e legal.[34]

Até um favelado como Muecas "barra a entrada" aos outros, na defesa do seu status social contra aqueles que procuram "subir na vida" e atingi-lo, condenando-os à imobilidade que Pedro identifica como sendo a condição das prostitutas da cidade: "O baixo realismo de sua vida não chegava a formar estilo. Dali não saía ninguém."[35]

Até o mundo da prostituição tem o poder de negar a entrada aos de fora. Em *Vidas amargas* [*East of Eden*], de Elia Kazan, um moço de boa família (interpretado por James Dean) descobre que a mãe – que, segundo conta seu devoto pai, teria morrido

---

34 Ibid., p.56.
35 Ibid., p.66.

ainda jovem – vive na cidade vizinha, onde é dona de um bordel. Ao saber da notícia, o moço tenta contatar a mãe. Ela, porém, numa atitude de orgulho inverso, decide mantê-lo à distância. É muito claro que o desejo de discriminação social não traça aqui a fronteira. Em vez disso, *Vidas amargas* encena o paradoxo existencial, segundo o qual nada é mais difícil de obter do que aquilo que está próximo de nós – mesmo a parte meio consciente da nossa identidade. A experiência, que é universal, representa um tópico de preocupação constante na filosofia do século XX. Como tal, domina e determina a estrutura textual do *Der Satz vom Grund* [Princípio da razão], de Heidegger. Nessa obra, o autor interpreta de modo obsessivo uma série de citações e de motivos da história da filosofia, que parece prometer o acesso à "terra" como substância do "Ser". Por tudo isso, é o que Heidegger percebe, nunca acontece a passagem para o evento concreto da verdade: "A nossa relação com aquilo que nos está mais próximo sempre foi obtusa e chata. Porque o caminho em direção ao que nos está mais próximo sempre tem sido o mais distante e o mais difícil para os seres humanos."[36]

∞

Para além do fato óbvio de ser incapaz de penetrar determinados ambientes sociais, e para além de outras situações em que a experiência do "sem entrada" tem relação com estruturas da existência humana, existe, por fim, um sentimento – talvez específico dos anos do pós-guerra – de que o regresso à história, ou uma reentrada no tempo histórico, se tornou impossível. É

---

36 Heidegger, *Gesamtausgabe 10*, p.5.

surpreendente, dado o seu excelente gosto em matérias de cultura, que Carl Schmitt tenha se referido ao título – em inglês – do famoso romance de Thomas Wolfe, *You Can't Go Home Again* [Você não pode voltar para casa] (1940), numa reflexão breve sobre a sua situação, escrita em 2 de janeiro de 1948. Depois de mais de uma década em Berlim, onde exerceu uma influência considerável (pelo menos dentro do sistema jurídico alemão), Schmitt retornou à sua cidade natal de Plettenberg, na província, no sul da Westfalia; nunca mais poderia ocupar um lugar numa universidade nem trabalhar num tribunal. Num certo sentido, sua experiência é semelhante à de Beckmann na peça de Borchert. Schmitt, no entanto, retira dela conclusões um pouco menos depressivas:

> You can't go home again!? Não pode voltar ao ventre da mãe! Minha estadia atual em Plettenberg: uma flecha que já foi disparada regressa ao estilingue e parece pedir para ser atirada de novo. O pressuposto *naïve* dessa imagem é que o estilingue continua tão distendido e forte quanto era cinquenta anos antes; e, estranhamente, não tem ninguém segurando o arco.[37]

O sentido da metáfora, para Schmitt, é óbvio: com o colapso da Alemanha do nacional-socialismo, tornou-se claro para ele que a sua vida não voltaria sequer a aproximar-se daquilo que fora determinado como o culminar da sua concretização e da sua satisfação. A história caminhara para frente: não tinha meio de ele ter outra vida, uma trajetória de existência diferente da que tinha. Assim como uma flecha disparada não regressa ao arco, a vida

---

37 Schmitt, *Glossarium*, p.76.

não pode reganhar a energia nem o entusiasmo da juventude. Uma vez tida – e desperdiçada – a "nossa" chance no palco da história, não é possível recomeçar. Estruturalmente, o sentimento de resignação de Schmitt assemelha-se à determinação mais ativa de Albert Camus, de abandonar as promessas abstratas em favor de um futuro melhor. O protagonista de Ralph Ellison também acaba decidindo abandonar a história, assim que percebe a amplitude da sua invisibilidade: "Não sei, suponho que por vezes um homem tenha de mergulhar para fora da história."[38] No romance de Ellison, a decisão de parar de tentar encontrar um trilho dentro da história surge do entendimento de que a história, de fato, tem produzido invisibilidade. Ao mesmo tempo, "um mergulho para fora da história" significaria também abandonar a Irmandade dos afro-americanos:

> Fora da Irmandade, estávamos fora da história; mas lá dentro não nos viam. Era um diabo de situação, não estávamos em lado algum. Queria afastar-me, mas não deixava de querer discuti-la, de querer consultar alguém que me dissesse que tudo aquilo não passava de uma ilusão emocional e breve. Queria que os adereços fossem devolvidos para debaixo do mundo.[39]

Sem solução à vista, o narrador de Ellison sente a urgência de "mergulhar para fora da história" e, ao mesmo tempo, ele quer que a história lhe garanta, uma vez mais, a base da existência – ser "devolvido para debaixo do mundo". Porém, a impressão – ou a intuição – de que a História não deu certo, de que não é possível – e

---

38 Ellison, *Invisible Man*, p.377.
39 Ibid., p.499-500.

que não se deve – reentrar nela, vive regressando, com insistência e desafio.

∞

Perante essas linhas de separação – que são, alternativamente, acentuadas e tênues –, o mundo dos anos do pós-guerra parecia pouco decidido sobre que nova forma assumir. Em 1948 começava a se impor outra grande linha de separação, como se fosse definitiva. Era a linha da separação política, ideológica e econômica entre países de influência soviética e a zona controlada pelos aliados do Ocidente – isto é, a linha que logo seria conhecida (e com boas razões) como "Cortina de Ferro". Em 31 de janeiro de 1948 – quase um ano antes dos acontecimentos políticos que tornariam essa separação visível de maneira definitiva – Carl Schmitt referia-se a uma pressão estranhamente ambígua que se abatia sobre o seu país: "A Alemanha – limitada e excluída pelos dois lados de um mundo escancarado."[40] Foi então surgindo, talvez como efeito cumulativo de todas as linhas e fronteiras que rompiam através do mundo do pós-guerra, uma obsessão com fossos – com aqueles que aumentam de tamanho e com a separação irreversível que produzem. Anos mais tarde, esse fosso haveria de se tornar um espaço visível; metonimicamente, seria a vazia terra de ninguém entre as duas Berlins. Mas os fossos e a dor da separação penetraram também os dois lados do mundo deparado. Nesse mesmo sentido, o romance *Estudantes*, de Yuri Trifonov, que ganhou o prêmio Stálin em 1950, termina com uma conclusão inesperada. Durante os

---

40 Schmitt, *Glossarium*, p.90.

seus anos de universidade, Olga e Vadim, os protagonistas, têm tudo certo para o casamento. Mas na cena final, passada durante um feriado socialista, eles se dão conta de que a História, cuja forma material é o novo plano quinquenal do Estado, lhes destinou caminhos distintos: cada um deles, cada metade do jovem casal, será enviado para lugares diferentes, afastados milhares de quilômetros:

— Depois de algum trabalho prático, volto a Moscou e vou para a Academia Timiryasev.
— Entendo — murmurou Vadim, numa resposta vazia. — Será precisamente na época em que terei terminando minha graduação e estarei saindo para Sacalina.
— Ah, então você também está pensando em sair?
— Sim, mas também não será para sempre. Voltarei...
— Estou vendo — disse Olga, ecoando o tom de Vadim. — Quando eu tiver terminado a Academia e partir para Kamchatka.
— Ou seja: nunca nos encontraremos — disse Vadim, num sorriso amarelo.
[...]
— Mas com certeza que sim — disse Olga, calmamente. — E se isso não acontecer... bem, significa que não era para existir nada entre nós.
Vadim sorriu, olhando nos olhos dela, que os erguia para ele com tímida expectativa.
— Está contente por mim, Vadim? — ela perguntou, a voz ainda baixa.
Claro que estava! Por ela e por ele — por não a desiludir. Vadim continuou, dizendo que passaria o verão no sul dos Urais, com uma turnê do grupo folclórico, e no regresso a encontraria na estação.

Depois de 1945

— Fica tão próximo da região de Stalingrado, o sul dos Urais. É só atravessar o Volga...[41]

Curiosamente — e significativamente também — o motivo do fosso aparece em momentos decisivos de *O Ser e o Nada*, de Jean-Paul Sartre. Enquanto variação existencialista da tradicional topologia sujeito/objeto, Sartre propõe ao longo do livro os conceitos de "em-si" [*en-soi*] e "para-si" [*pour-soi*]. Nas páginas finais, porém, ele conclui que a possibilidade de assimilar os dois sempre foi uma ilusão. Os dois são termos separados — e sempre o foram — por um fosso:

> Tudo nos leva a supor que o em-si e o para-si se apresentam em estado de desintegração, quando comparados com o ideal de uma síntese. Não que a integração tivesse já ocorrido. Pelo contrário, sempre tinha sido prometida — e sempre fora impossível. É esta falha permanente que explica que nem o em-si nem o para-si podem ser dissolvidos, e que são relativamente independentes um do outro. [...] A mesma falha explica o fosso (hiato) que encontramos no conceito de Ser [*l'être*], bem como no do existente [*l'existant*]. Se é impossível passar do conceito de ser-em-si ao de ser-para-si e uni-los em uma única dimensão, isso significa que não se conseguirá alcançar nem um movimento nem uma síntese entre eles.[42]

Outro fosso — uma fissura que pode ser interpretada como sinônimo da distância entre em-si e para-si (ou como o motivo

---

41 Trifonov, *Students*, p.497-8.
42 Sartre, *L'Être et le Néant*, p.717.

dessa distância) – tinha sido evocado no começo do livro. Esta divisão se relacionava com o "infinito" e o "finito", que, de acordo com Sartre, constitui uma nova dimensão filosófica. Com "infinito" o autor quer referir à estrutura de experiências do Sujeito, que sempre ocorrem a partir de um ponto de vista particular, mesmo quando existe uma quantidade potencialmente ilimitada de perspectivas. O "finito", por sua vez, refere-se ao ideal – ao desejo de um objeto que permanece idêntico a si mesmo quando entregue à experiência. Uma vez que o objeto ideal é (e deve permanecer) inatingível, a filosofia deve contentar-se com os fenômenos – isto é, com a realidade e com os acontecimentos tais como se apresentam à perspectiva permanentemente alterada do Sujeito. A (fugaz) distinção entre a aparência de um objeto e o seu Ser é agora substituída pela diferença entre o "infinito" e o "finito", separados ambos por um imenso abismo.

∞

Entretanto, nos Estados Unidos, o clima predominante do cotidiano do pós-guerra parece ter sido caracterizado por uma suave reintegração e absorção. Já vimos o caso do número da *Life* do Natal de 1945 e o episódio da família do Kansas cujos homens (na sua maioria) regressaram da guerra. Ocorrem múltiplas variações deste tema. "Um lavrador japonês", lê-se no título de outro artigo, "regressa da guerra para o modo anterior de vida na sua aldeia".[43] Após "doze semanas de difíceis negociações", os representantes do Reino Unido e dos Estados

---

43 *Life*, 24 dez. 1945, p.23.

Depois de 1945

Unidos assinam um complicado acordo de empréstimo para recuperação da economia britânica. Um anúncio de página inteira ao "novo e surpreendente automóvel Pontiac 1946"[44] prega que "tudo o que era bom no modelo anterior à guerra permanece neste novo modelo". Mas por debaixo da capa pacífica do primeiro Natal do pós-guerra, sente-se o remanescente de um perigo. Apesar dos esforços do diretor do Instituto de Pesquisa Física e Química de Tóquio, o professor Nishina, os soldados americanos desmantelaram cinco cíclotrons. Peças desses cíclotrons "foram transportadas para dois navios militares de carga e atiradas à baía de Tóquio".[45] Surgiram dúvidas, mesmo nos Estados Unidos, sobre se aqueles aparelhos teriam sido destinados a operações militares. Semelhante ambivalência emergiu, também, numa série de desenhos de árvores de Natal, feitos por nove artistas de renome – entre eles Salvador Dalí – e que tinham sido encomendados pelos editores da *Life*. Seis das imagens são variações, nostálgicas ou humorísticas, sobre o tema; mas não deixam de incluir uma "árvore de natal desmontável, automática, controlada por radar".[46] Em outra imagem, mostra-se, em primeiro plano, um rapazinho com um "brinquedo que é uma bomba atômica".[47] Na última imagem da série vê-se a explosão de uma árvore de Natal, enquanto voa pelos ares a parafernália nazista (provavelmente, os ornamentos). No meio, a inscrição: "Onde está a paz?"[48]

---

44 Ibid., p.29.
45 Ibid., p.26.
46 Ibid., p.9.
47 Ibid.
48 Ibid., p.10.

∞

Minhas memórias de infância guardam a imagem dessas árvores. Durante as férias do Natal meus pais me levavam para a casa de meus avós, uma antiga cabana de caça, entre as montanhas quase sempre cobertas de neve. Era ali que meu avô tinha decidido refugiar-se depois do fim da guerra. Todos os anos escolhíamos com bastante cuidado nossa árvore; depois a decorávamos com os enfeites de costume. Cantávamos as canções tradicionais do Natal, como se nada tivesse acontecido às tradições alemãs. Por vezes, íamos à missa do galo. Também gostava de folhear os álbuns de família, repletos de fotografias de minha mãe no seu tempo de estudante, e dos valentes automóveis de meu avô rasgando os Alpes nas férias. Algumas fotos haviam sido retiradas. Quando perguntei à minha mãe sobre isso, respondeu-me que "eram coisas que já não queríamos ver". Alguma coisa na resposta dela me fez entender de imediato – ela não queria que eu fizesse mais perguntas. Então, procurava em outros lugares, em caixas cheias de objetos inúteis, em malas de viagem vazias. Mas não encontrava nada. Muito em breve, o novo enredado de fronteiras substituía as linhas de combate que tinham desenhado e redesenhado o mundo da Alemanha até maio de 1945. Incluía fronteiras que não se poderiam, em circunstância alguma, atravessar – especialmente a que nos separava da "zona de ocupação soviética". No geral, a vida no pós-guerra não permitia sair facilmente para nenhum lado – mesmo que fosse apenas para regressar à casa, fosse onde fosse, houvesse fronteiras "de aço" ou não. O "outro mundo" da transcendência religiosa não tinha desaparecido por completo, mas deveria parecer bastante distante para até mesmo os voos da imaginação o atingirem. O papa Pio XII, com a sua compleição ascética e seus modos esquisitos, parecia incorporar essa distância, o fosso entre o cotidiano e a transcendência. Como não era suposto atravessar as fronteiras, como ninguém estava autorizado a sair nem a entrar, ao menos nada poderia acontecer. Não deveria acontecer coisa alguma neste mundo. E, apesar disso, a calma que havia nunca era permanente; a vida continuava parecendo precária. O mundo estava em paz, mas qualquer faúlha de emoção, a menor perda de controle – nem que por uma fração de segundo – poderia provocar uma explosão, ou o colapso.

Conforme afirmei antes, *Esperando Godot*, de Samuel Beckett – principalmente a cena final da "tragicomédia" – exemplifica essa imobilidade, absoluta mas frágil: "Vladimir: Então? Vamos?/ Estragon: Sim, vamos./ *Não se movem*."[49] Ser incapaz de movimento, para dentro ou para fora, torna obsoletas todas as narrativas que pressupõem ou propõem uma relação necessária entre o tempo e a transformação. Em outras palavras, ser incapaz de movimento faz sentir o desejo de abandono da forma que a História, desde o começo do século XIX, tomou, de modo tão dominador e insistente, que poderia ser confundido com uma estrutura existencial eternamente válida. Um pouco antes, em *Esperando Godot*, quando Estragon recorda que ele "sempre quis caminhar nos Pireneus",[50] Vladimir (que não consegue levantar-se e juntar-se ao companheiro) cita – e, enquanto o faz, denuncia – o discurso que promete satisfação futura ou no final dos tempos:

---

49 Beckett, *Waiting for Godot*.
50 Ibid.

VLADIMIR: Depressa! Me dê sua mão!
ESTRAGON: Estou indo. [*Pausa, mais alto.*] Estou indo.
VLADIMIR: Bem, presumo que, no final, me levantarei sozinho. [*Tenta, falha.*] Na totalidade do tempo.
ESTRAGON: O que se passa com você?
VLADIMIR: Vá pro Inferno.
ESTRAGON: Você ficará parado aí?
VLADIMIR: Por enquanto.
ESTRAGON: Venha, levante-se, você vai pegar um resfriado.
VLADIMIR: Não se preocupe comigo.
ESTRAGON: Venha, Didi, não seja tão teimoso![51]

Esta cena pode ser lida como ponto de convergência, ou como alegoria das diferentes situações em que autores como Albert Camus, Ralph Ellison e até mesmo Carl Schmitt se deram conta de que a História não lhes permitiria movimentarem-se na direção que queriam – circunstância que fez com que todos eles decidissem abandonar a História.

Quando as fronteiras mal podem ser transpostas, quando o movimento não produz acontecimentos, quando nada é deixado para trás – literal ou metaforicamente –, o espaço não se traduz em tempo, como ainda acontecia nos dois séculos anteriores. O mundo do pós-guerra passará a ser o mundo da Guerra Fria, onde o espaço é dominante, porque os eventos "quase" acontecem, mas não "na verdade". A linha que separa o Ocidente do Oriente, ao longo da Cortina de Ferro, acabará por se consolidar e ser reproduzida na Alemanha, na China e na Coreia. Sempre que essa separação estiver em perigo – como aconteceu em

---

51 Ibid., p.93.

Berlim em 1953, em Budapeste em 1956, de novo em Berlim em 1961 e em Praga em 1968 –, ela apenas se aprofundará mais, aumentando o fosso entre os dois lados. No começo, a guerra do Vietnã seguiu uma lógica semelhante – o fato de ter terminado de maneira diferente pode ter marcado o começo do fim da Guerra Fria.

Muito tempo antes, em 4 de outubro de 1957, a União Soviética havia colocado em órbita o primeiro satélite artificial, o Sputnik I. O evento causou tanto medo no Ocidente que o equilíbrio militar e tecnológico entre as duas superpotências – condição de estabilidade durante a Guerra Fria – inclinava-se agora em favor do lado comunista. No entanto, esta foi apenas uma de duas reações típicas. A outra foi entender o evento como a mais importante transposição de fronteira que poderia se imaginar – isto é, como o começo da saída do Homem do planeta Terra. O prólogo de *A condição humana*, de Hannah Arendt (1958) – sem dúvida o seu livro filosófico mais importante –, está dominado pelo seu forte descontentamento com a antecipação triunfante de um futuro "histórico" que, como se sabe, nunca veio:

> Em 1957, um objeto criado na Terra, feito por seres humanos, foi lançado para o universo, onde, durante algumas semanas, circundará ao redor da Terra, de acordo com as mesmas leis da gravidade que mantêm os corpos celestes em movimento – o Sol, a Lua e as estrelas. [...] Este acontecimento, da maior importância, mais importante ainda do que a divisão do átomo, seria saudado com alegria infindável, não fosse o desconforto das circunstâncias militares e políticas que o rodeiam. Curiosamente, porém, essa alegria não foi triunfal; não era orgulho nem espanto perante o

tremendo poder humano, ou a sua sabedoria, aquilo que enchia os corações dos homens que, agora, quando olham desde a terra para os céus, podem observar uma coisa de sua fabricação. A reação imediata e que ficou expressa logo no momento foi de alívio quanto ao passo inicial em direção à fuga do homem desta prisão na Terra. E esta estranha afirmação, longe de ser um descuido verbal de qualquer repórter norte-americano, sem querer fazia brado do verso extraordinário que, mais de vinte anos atrás, ficou gravado no obelisco funerário de um dos maiores cientistas russos: "A Humanidade não ficará confinada à Terra para sempre."

Tais sentimentos já há algum tempo se tornaram lugares-comuns. Eles revelam que por todo o lado os homens são tudo menos lentos a alcançar e a ajustar-se às descobertas científicas e aos avanços tecnológicos; pelo contrário, estão adiante deles muitas décadas.[52]

Muito neste excerto nos leva até o longo período do pós-guerra e ao seu *Stimmung*. Por exemplo: a nada surpreendente, porém estranha, comparação que Arendt faz entre um "repórter norte-americano" – que, apesar de não existir, encontra meios de expressar tudo aquilo que Arendt lamenta – e um "dos maiores cientistas russos", que na verdade se supõe ter sido aquele que pronunciou tais palavras. Porém, o que importa aqui é o medo que Arendt sente de que o desejo de deixar a Terra e a satisfação parcial dessa vontade possam fazer parte da "era moderna", ou seja, parte da história que começou com a "emancipação e a secularização".[53] Na medida em que ela afirma que "a Terra é a quintessência da

---

52 Arendt, *The Human Condition*, p.1.
53 Ibid., p.2.

condição humana, e que a natureza terrestre, até onde se sabe, pode ser a única no universo a poder garantir aos seres humanos um habitat no qual podem movimentar-se e respirar sem esforço e sem meios artificias",[54] Arendt também ocupa uma posição de resistência relativa à dinâmica da História. Em última análise, ela não teria querido que o lançamento do Sputnik tivesse se tornado, como escreveu, um evento "da maior importância", pois isso significaria que uma fronteira teria sido transposta e que a Terra faria agora parte do passado da Humanidade. Hoje sabemos que os satélites artificiais, as naves espaciais e as viagens à Lua são transposições de menos fronteiras do que aquelas que imagináramos; em vez disso, eles expandiram a zona de habitação humana contra uma fronteira que se afasta. No entanto, a tecnologia transformou a fina camada de espaço, conquistada por todos aqueles programas ambiciosos, na crosta mais externa da Terra. Os milhares de satélites que estão em órbita vieram a limitar e a definir nosso espaço no planeta, em vez de o transcenderem. Uma vez que qualquer fronteira que se afaste costuma incentivar o movimento em direção ao interior, esta camada móvel (mas cada vez mais densa) pode bem ser uma das razões por que hoje nos centramos mais do que nunca na Terra e na sua superfície. Acreditamos que a nossa sobrevivência coletiva e individual depende da sua condição. Não há saída da Terra. O futuro tornou-se um futuro do passado. Ao desaparecer, deixou-nos com o receio de termos compreendido demasiado tarde que o tempo deixou de estar do nosso lado se quisermos preservar o planeta.

---

54 Ibid.

4
Má-fé e interrogatórios

Os interrogatórios dos processos jurídicos que viriam a ser conhecidos como o "julgamento de Nuremberg" foram organizados na Alemanha por militares norte-americanos, britânicos, soviéticos e franceses. Foram acusadas vinte e duas das mais altas patentes dos sobreviventes do domínio nacional-socialista, já então designados como "criminosos de guerra". Os processos tiveram início em agosto de 1945. Por vontade de Winston Churchill, estes nunca teriam acontecido. Nos dois últimos anos da guerra, e nos meses que se seguiram à rendição incondicional da Alemanha, o primeiro-ministro britânico havia repetido várias vezes que todos os nazistas, assim como os (antigos) dirigentes italianos e japoneses, deveriam ser considerados "criminosos mundiais" e executados nas seis horas seguintes à sua identificação inequívoca por um oficial local, de patente de major-general ou mais elevada. Ao que sabemos, os acontecimentos desenrolaram-se da maneira que se conhece por conta da insistência manifesta do governo de Stálin de que tudo fosse tratado segundo os moldes formais.

Porém, as motivações da União Soviética podem não ter sido as mais nobres: os seus oficiais tinham entendido muito bem os efeitos políticos dos julgamentos mediáticos que decorreram em Moscou na década de 1930. Os vereditos anunciados em outubro de 1946 são, neste contexto, extraordinários (como o são os termos das posições de Churchill e as expectativas que os norte-americanos mantinham – para não falar dos resultados de outros julgamentos que decorreram em circunstâncias semelhantes, ao longo das últimas seis décadas). Nem todos os réus foram condenados à morte. Três deles foram absolvidos porque tinham se envolvido com a ditadura nazista apenas nos seus anos iniciais. Seis mereceram longas sentenças de prisão, que cumpriram, sob vigilância das Forças Aliadas, em Berlim-Spandau. Doze dos criminosos de guerra nazistas foram condenados à morte por enforcamento.

O único réu cuja atitude durante o interrogatório e perante o tribunal lhe trouxe algum respeito foi o antigo Reichsmarshall e ministro da aviação, Hermann Göring. Ele respondeu as perguntas da acusação com pormenor considerável, sem procurar negar nem desculpar-se pelas suas ações – era quase como se estivesse regressando à identidade que tivera enquanto ás voador da Primeira Guerra Mundial. Pode até se imaginar que ele estava convencendo a si mesmo que seria tratado como representante de uma nação derrotada, e não como criminoso de guerra. Goering foi condenado à morte, mas se suicidou na manhã da execução, com o cianeto que ou tinha escondido na cela ou lhe fora levado por um guarda americano que simpatizava com ele. Todos os outros réus apresentaram os seus casos – sem sucesso, claro, e com graus diferentes de inteligência e de dignidade – como se tudo tivesse acontecido longe dos centros de decisão. Rudolf

Hess, por exemplo, tinha sido um dos mais fiéis seguidores de Hitler, desde o começo dos anos de 1920, e foi nomeado seu adjunto em 1933; com o tempo, foi perdendo influência e status, até que, em 1941 – numa missão cujo objetivo e condições nunca foram bem explicados –, tomou um Messerschmitt ME-110 para a Escócia, para dar início às conversações de paz com o governo britânico. Hess defendia-se dizendo que sofria de um tipo de esquecimento que o acusador russo ironizava, chamando de "amnésia histérica".

Entre os réus que nem foram condenados à morte nem absolvidos, estava Walter Funk, de 55 anos, membro do Partido Nacional-Socialista desde 1931. Funk tinha sido nomeado secretário pessoal de Hitler para a imprensa quando os nazistas chegaram ao poder, em janeiro de 1933; em 1938 tornou-se subsecretário de Estado no Ministério da Propaganda de Joseph Goebbels; depois veio a ser ministro da Economia e, finalmente, diretor do Banco Nacional Alemão e Plenipotenciário para a Economia de Guerra. Foi com Funk que Heinrich Himmler assinou o contrato em que se especificavam, em grande detalhe, as avultadas quantias de dinheiro que seriam transferidas para as contas das SS; os fundos vinham dos pertences das vítimas do Holocausto (incluindo dentes de ouro, extraídos de cadáveres). Durante os anos de 1920, Funk fora um jornalista influente e um comentarista econômico, que trouxe ao movimento nacional-socialista vários contatos na indústria; as doações resultantes foram decisivas para as campanhas eleitorais que levaram Adolf Hitler ao lugar de chanceler. Outros réus julgados na mesma época que Funk, em Nuremberg, desprezavam-no abertamente e consideravam-no alcoólatra e homossexual. Durante os últimos anos da guerra, à medida que o seu poder ia diminuindo, essa reputação já não se desligava do seu nome e tornou-o um marginal – embora ainda fosse uma figura visível e oficialmente importante. Funk foi o único dignitário do Terceiro Reich que por várias vezes colapsou, desmaiado, durante o interrogatório em Nuremberg. Queixava-se de inúmeras doenças, que iam desde problemas da próstata até depressão. Muitas vezes chorava enquanto lhe faziam perguntas, e chegou a perder a fala. Acima de tudo, nunca admitiu nenhuma das atividades e decisões de que tinha sido acusado – pelo menos até ser confrontado com provas documentais que não podia ignorar. Acabou sendo condenado à prisão perpétua e ficou preso em Berlim-Spandau até julho de 1957, quando foi libertado (claramente por razões médicas).

Entre essa data e o final desse ano, meu pai – um urologista de 37 anos já com sucesso considerável (foi um dos primeiros médicos na Alemanha a obter reconhecimento oficial nessa área) – operou Walter Funk. Existia alguma ligação entre ele e Friedrich Flick, conhecido na época por ser "o homem mais rico da Alemanha" e o principal acionista da Mercedes Benz. (Meu pai havia comprado seu primeiro Mercedes precisamente um ano antes.) Flick também tinha sido julgado em Nuremberg e sentenciado a um curto período de prisão por ter se envolvido, enquanto grande economista, com o regime de Hitler. Mas não figurava entre os 22 "criminosos de guerra". Já não recordo se foi Funk quem recomendou meu pai a Flick, ou o contrário. O que lembro é que meus pais ficaram muito orgulhosos quando – mesmo antes de ser internado – Walter Funk, sua esposa e uma *entourage* de empregados (incluindo o motorista do seu Mercedes 300 preto, que vestia casaco de cabedal castanho escuro) vieram jantar em nosso apartamento. Creio que o convidado me convenceu a chamá-lo de "tio Funk", o que não me foi fácil ao ver como sua presença impressionara meus pais.

Na semana do Ano-Novo de 1957/1958, nossa família foi convidada para passar umas breves férias na linda mansão branca de Funk, em San Remo, com vista para a costa do Mediterrâneo. Meu pai aceitou. Ainda que não consiga imaginar minha mãe tendo quaisquer reservas quanto à viagem, só meu pai e eu acabamos indo, de trem. Não me lembro de como a mansão era por dentro nem retive qualquer imagem mental de Funk naquele ambiente mediterrânico (pelo menos não como recordo a visita dele ao nosso apartamento). Sei, porém, que uma noite fomos ao circo. Na época, quis que aquilo fosse "incomparavelmente sensacional" (e acabei dizendo que havia sido); mas, na realidade, foi uma desilusão, pelo menos quando comparado com outros circos que eu já tinha visto perto de casa (à parte, talvez, o elefante que, por breves segundos, se sustinha sobre quatro gigantescas esferas de aço).

Com a exceção de uma viagem à Floresta Negra, na parte suíça, que tínhamos feito quatro anos antes, esta era a segunda vez na minha vida que eu ia ao estrangeiro – e devo-o a Walter Funk, cuja presença em San Remo tão debilmente recordo. Meu pai e eu aproveitamos os dias na Itália e atravessamos ainda outra fronteira – acompanhados de uma jovem de óculos, que era, como nós, hóspede na mansão – quando fomos a Grasse, centro da indústria perfumista da França. (É possível que tenhamos ido ainda a Mônaco, mas posso estar confundindo com outras férias em família, que fizemos mais tarde.) As poucas fotos dessa semana ficaram guardadas no álbum de família. Todas parecem ser de San Remo. Foi nesse ano, cujo começo celebramos com ele, que Funk foi condenado por um tribunal de Berlim a pagar 10.900 marcos – de "compensação", como ficou oficialmente registrado – pelos danos financeiros que infligira a milhões de judeus alemães, enquanto ministro plenipotenciário da economia de guerra da Alemanha. Depois disso Funk parece não ter sido novamente importunado pelo Governo. Morreu de diabetes em Düsseldorf, onde seu amigo Flick tinha recentemente se mudado, em 31 de maio de 1960.

∞

O mais extenso e mais importante livro filosófico de Jean-Paul Sartre, *O Ser e o Nada*, foi lançado no verão de 1943. Sartre escrevera a maior parte do manuscrito no ano anterior, enquanto, ainda sob o impacto da primeira grande derrota militar da Alemanha, a situação econômica na França ocupada piorava e a vigilância política se tornava cada vez mais opressiva. Os judeus franceses iam sendo sistematicamente deportados para campos de concentração na Europa Oriental. Aqui e ali, num tom aparentemente neutro, aparecem no livro de Sartre referências à questão de ser judeu (embora ele próprio não o fosse). Curiosamente, foi nessa situação que o autor primeiro reconheceu como foi decisiva a influência da filosofia de Martin Heidegger para sua obra. Como ele mesmo observou, Heidegger clarificara no seu pensamento a importância da autenticidade – isto é, a importância da independência individual para manter e defender-se contra restrições políticas de todo tipo.

Por sua vez, Heidegger – especialmente na sua *Carta sobre o Humanismo*, de 1947, que foi escrita em resposta a *O Ser e o Nada* – não encontra terreno comum entre a posição de Sartre e a sua. Se, nos anos do pós-guerra, alguma implicação da sua obra anterior se tornava cada vez mais central – e mesmo programática – para a sua empreitada intelectual, era a certeza de que, ao contrário das tradições hegeliana e fenomenológica, não era o conceito de "consciência" que lhe dava base ou foco ao pensamento. Sartre, por outro lado, parecia claramente abraçar a autoconsciência – mesmo que, paradoxalmente, pudesse ter acreditado que, ao fazê-lo, estava seguindo as ideias de Heidegger. O modo como Sartre persegue o tópico faz parecer que as suas reflexões eram uma reação, através da afirmação forte da liberdade individual, ao ambiente repressivo em que vivia. O que mais fascinava o filósofo francês, no que toca à consciência, era o potencial que ele percebeu que esta tinha para a liberdade individual – a capacidade de negar as projeções da consciência das outras pessoas: "Constitui-se na sua própria carne como a aniquilação da possibilidade que outra realidade humana projeta como *sua* possibilidade."[1] É este o significado primário que Sartre queria dar à expressão: "A consciência é um ser cuja natureza é estar consciente do nada de seu ser."[2] Mas se um primeiro olhar para esta frase se concentra no fato de que a consciência individual consegue negar as projeções da consciência dos outros (porque possui consciência de que a consciência em geral pode ser negada), este movimento – como a formulação da frase claramente indica – também pode tomar um rumo autorreflexivo. O primeiro exemplo de negação autorreflexiva que Sartre menciona é a ironia: "Na ironia, um homem aniquila aquilo que coloca no interior de um mesmo ato, ele nos leva a

---

[1] Sartre, *Being and Nothingness*, p.86.
[2] Ibid.

acreditar para não ser acreditado."³ A partir da ironia, Sartre passa a um modo diferente de negação autorreflexiva que ocorre no âmbito da consciência, e que ele chama de "má-fé" [*mauvaise foi*]: "É melhor escolher e examinar uma determinada atitude, essencial à realidade humana, e que é tal que a consciência, em vez de dirigir sua negação externa, transforma-a em direção a si mesma. Esta atitude, a meu ver, é a má-fé."⁴ Ao contrário da ironia – cuja autorreflexividade produz um efeito direcionado para outros –, a autorreflexividade da má-fé tem um efeito sobre o eu.

A partir da "má-fé", Sartre chega a um terreno existencial que andava obcecando os intelectuais – e, em muitos casos, mesmo quem não era intelectual – durante os anos do pós-guerra, quando, depois de algumas reações isoladas que se seguiram à publicação de *O Ser e o Nada*, em 1943, o livro começou a ter maior impacto. Essa obsessão historicamente específica deve ter sido a razão pela qual o segundo capítulo, dedicado à "má-fé", veio a tornar-se a parte mais famosa da obra. Mas o que, em rigor, é má-fé? É diferente de mentir, pois aqui o sujeito acredita estar na posse da verdade e quer escondê-la dos outros. Na "má-fé", por outro lado, "é de mim mesmo que escondo a verdade. Assim, não existe aqui a dualidade do enganador e do enganado. Má-fé, pelo contrário, implica, em essência, a unidade de uma *só* consciência".⁵ Por exemplo, se, ao agir como estadista de uma nação derrotada, Hermann Göring escondeu de si mesmo que o seu estatuto oficial era o de um criminoso de guerra, então estava

---

3 Ibid., p.87.
4 Ibid., p.87.
5 Ibid., p.89.

agindo de má-fé. Talvez até mesmo os criminosos de guerra que afirmavam ter sido atingidos por todos os tipos de amnésia tivessem se convencido, de fato, que não conseguiam se lembrar de mais nada. Não há como sabê-lo, a partir de fora – talvez nem mesmo a partir de dentro.

O poder de sedução do argumento de Sartre encontra-se, acima de tudo, numa consequência que ele retira de sua descrição de má-fé – aquela que tenta mostrar que a má-fé é uma condição universal. Sartre chega a essa conclusão ao perguntar-se o que seria o oposto de má-fé. Sua resposta é "franqueza", ou seja, a condição em que um homem é o que ele é:

> Se a franqueza, ou sinceridade, é um valor universal, é evidente que a máxima "deve ser aquilo que se é" não serve apenas como princípio regulador para os juízos e conceitos através dos quais expresso aquilo que sou. Ele postula não apenas um ideal de saber, mas um ideal de ser; propõe para nós uma equivalência absoluta de ser consigo mesmo enquanto protótipo de ser. Nesse sentido, é necessário que *nos transformemos* no que somos. Mas o que *somos nós*, então, se temos a obrigação constante de nos tornarmos no que somos, se o nosso modo de ser é a obrigação de sermos o que somos?[6]

Em outras palavras: se a franqueza (ou seja, ser o que se é) parece, à primeira vista, representar o oposto da má-fé, e se a nossa única forma de escapar da má-fé se encontra na estrutura da consciência – ou seja, no inevitável efeito negativo da autor-reflexividade –, então a franqueza se transforma na obrigação permanente de tentarmos ser aquilo que "já" somos. A dupla

---

6 Ibid., p.101.

natureza desta situação não permite estabilidade. Temos de nos convencer, sem cessar, que somos quem e aquilo que acreditamos ser; ao mesmo tempo, a consciência, porque opera através da negação, nunca permite que nos convençamos totalmente. Resultado: ser nós mesmos – moldar a nossa própria existência e convencermo-nos de que isso é o que queremos ser – implica a necessidade permanente de esconder de nós mesmos o que não encaixa com o que acreditamos ser.

Ao recorrer ao exemplo de um garçom num café, para ilustrar seu ponto de vista, Sartre observa que ser a si mesmo compartilha uma característica essencial com a má-fé: a necessidade eventual de esconder algo de si mesmo. É impossível viver no perfeito estado de "autocongruência"; a franqueza total também é impossível, para não falarmos da sinceridade absoluta. Quanto mais tentamos concretizar a congruência, a franqueza e a sinceridade, mais somos forçados a ver-nos como objetos de nossa auto-observação e controle; porém, essa auto-observação suscita a "desintegração interior do nosso ser"[7] – o que significa que o ser desintegrado é também uma condição universal. Este estado de desintegração nunca terá conserto; na melhor das hipóteses, podemos minimizar o grau em que nos afeta. Chegamos à esperança de que quanto menos tentamos impor sinceridade absoluta a nós mesmos, melhores são as nossas chances de manter sob controle a desintegração do ser.

Além do já referido garçom, o exemplo mais notável que Sartre usa para ilustrar seu argumento sobre a má-fé, no segundo capítulo de *O Ser e o Nada*, é o homossexual. (Em sua discussão, Sartre utiliza frequentemente a palavra "pederasta", que, na

---

[7] Ibid., p.116.

França de meados do século XX, tinha ganhado amplo uso para designar "homossexual".)

> Tomemos um exemplo: Um homossexual tem frequentemente um insuportável sentimento de culpa, e toda a sua existência é determinada em função desse sentimento. Pode-se facilmente prever que está de má-fé. De fato, sucede muitas vezes que este homem, apesar de reconhecer sua inclinação homossexual, apesar de admitir cada particular delito que cometeu, se recusa com toda a sua força a considerar-se "um pederasta". Seu caso é sempre "diferente", peculiar, sempre participa dele alguma coisa de jogo, de acaso, de má sorte; os erros estão sempre no passado – são explicados por certa concepção do belo que as mulheres não podem satisfazer; devemos ver neles os resultados de uma busca incansável, mais do que as manifestações de uma tendência profundamente enraizada etc., etc.[8]

Além de certos aspectos dessa descrição, que já não consideramos aceitáveis (por exemplo, a referência a atos sexuais como "erros" ou a suposição de que uma das partes deve se sentir "culpada"), a escolha de Sartre da homossexualidade como paradigma da má-fé revela, dentro de seu argumento, uma contradição performativa e uma forte tensão existencial. Por um lado, o que tornou o segundo capítulo de *O Ser e o Nada* tão sedutor aos olhos dos leitores contemporâneos foi o esforço de Sartre de demonstrar que a má-fé fornece uma característica inevitável e, portanto, universal da existência humana. Por outro lado, para ilustrar a má-fé, Sartre empregou uma condição ou um papel

---

8 Ibid., p.107.

social que era fortemente marginalizado. É fácil imaginar de onde terá vindo essa tensão entre a má-fé como condição universal e a má-fé como exemplo retirado das margens sociais. Se Sartre descreveu impiedosamente a má-fé como traço inevitável da existência humana, deveremos reconhecer que a sua decisão de ilustrá-la através de uma figura socialmente à margem é um sintoma de seu próprio desejo de ser resgatado da má-fé e dos seus efeitos desintegradores. (A lógica aqui implícita é a desagradável suposição de que tudo o que é marginal tem maior chance de desaparecer.) Além disso, o livro de Sartre não dá recomendações explícitas sobre como superar a má-fé (ou, pelo menos, sobre como minimizar os danos que ela pode causar na psique do indivíduo). Na cultura de meados do século XX, existia uma obsessão com procedimentos e com instituições de interrogatório, o que pode ter se combinado com um desejo de transparência e de autotransparência. A obsessão intensificou-se à medida que o indivíduo autorreflexivo parecia perder a possibilidade de proporcionar a si mesmo a transparência que era suposto possuir.

∞

Em 5 de janeiro de 1948 foi publicada a obra *Sexual Behavior in the Human Male* [Comportamento sexual do Homem]. Ao longo de 804 páginas, o conteúdo do livro foi extraído das mais de doze mil entrevistas que Alfred Charles Kinsey (professor de zoologia na Universidade de Indiana) e seus colegas de pesquisa, Wardell B. Pomeroy e Clyde E. Martin, haviam realizado com o apoio de uma equipe de jovens especialistas. Conhecido como o *Relatório Kinsey* – e complementado cinco anos mais tarde com um volume sobre a sexualidade feminina –, nos dois meses seguintes foram vendidos mais de duzentos mil exemplares do livro. Como ponto onde se cruzam controvérsias intermináveis que envolvem desde os métodos de investigação até a moralidade pública, a obra tem sido uma das lendas intelectuais do século XX. Se entendermos o *Relatório Kinsey* no seu contexto cultural, ficaremos surpreendidos ao descobrir que as incomparavelmente pormenorizadas descrições de práticas sexuais foram produzidas – e encontraram tamanho interesse – na sociedade tradicionalmente puritana da América do Norte. No entanto, um olhar mais atento e biograficamente informado revela que no *Relatório Kinsey* se materializou uma configuração específica de interesses e paixões; essa configuração pode ter alcançado um nível único de densidade em circunstâncias tipicamente americanas.

Na época da publicação, Alfred Kinsey tinha 53 anos. Seu pai era professor universitário em Nova Jersey, e Kinsey crescera sob uma dupla pressão: a restrição financeira e as restrições éticas do metodismo ortodoxo dos pais. Esse contexto pode ter sido responsável por uma peculiar duplicidade na vida de Kinsey. Por um lado, o pesquisador parece ter colocado o rigor moralista predominante em sua família a serviço da ciência moderna: tornar-se-ia um entomologista de renome, especializado em métodos e práticas de mensuração empírica. Por outro lado (e, em termos psicológicos, isso pode significar uma reação ao modo como foi educado), Kinsey estava comprometido com a liberdade sexual do indivíduo – objetivo que rivalizava com sua pesquisa no que diz respeito à seriedade. Ligar estas duas esferas de sua vida foi uma interpretação quasi-existencialista dos princípios darwinianos da evolução. A crença nas "leis da natureza" fazia Kinsey exigir que, em suas práticas sexuais, os seres humanos recorressem ao máximo intervalo de possibilidades físicas: "Teria de se levar em conta a biologia, quando as pessoas formulassem os hábitos sexuais e os seus modos de conduta."[9] Desde 1930, Kinsey ficou conhecido na universidade como alguém que voluntariamente oferecia aconselhamento aos alunos sobre quaisquer questões sexuais. Por isso, foi natural que, em 1938, fosse escolhido para dar um "Curso sobre casamento", disciplina opcional e não creditada que preparava os participantes para a atividade sexual. A partir desse curso – uma inovação muito ousada para a época – foi um pequeno passo até o projeto de recorrer a estratégias de investigação empírica para ampliar o campo de investigação. Dez anos mais tarde, Kinsey escreveria na introdução ao *Relatório*:

> O presente estudo [...] representa uma tentativa de acumular um corpo objetivamente determinado de fatos sobre sexo, que evita a sua interpretação estritamente social e moral. Quem vier a ler este relatório quererá fazer interpretações de acordo com seu entendimento dos valores morais e dos significados sociais; mas isso não faz parte do método científico e, na verdade, os cientistas não têm capacidades especiais para fazer avaliações desse teor.[10]

O projeto logo teve amplo apoio financeiro, e Kinsey teve acesso a todos os meios de que necessitou para planejar – e ir melhorando – um questionário que, no final, viria a listar "521 itens". Em média, cada entrevista chegava a tratar de cerca de 300

---

9 Jones, *Alfred C. Kinsey*, p.308.
10 Kinsey; Pomeroy; Martin, *Sexual Behavior in the Human Male*, p.5.

desses itens, "pois o indivíduo apenas respondia a perguntas sobre experiências específicas que tivesse tido".[11] Além das entrevistas, Kinsey organizou sessões de atividade heterossexual e homossexual em sua casa, para observação científica. Sempre que não era ele mesmo o participante, Kinsey observava essas cenas com a mesma atenção que desenvolvera na sua prática de entomologista:

> Ele estava praticamente em cima do acontecimento, com a cabeça apenas a alguns centímetros distante dos genitais do casal, o suficiente para conseguir cheirar os odores corporais e ouvir os ruídos provocados pelo contato dos fluidos. Por cima dos gemidos e suspiros, ouvia-se Kinsey falando sem parar, anotando os vários sinais da excitação sexual à medida que o casal avançava nas várias fases da relação. Nenhum observador teria olhar mais preciso. Nada escapava à sua atenção – nem a sutil alteração no tom da pele do peito, que acompanhava a tumescência durante o incitamento, nem o tremor involuntário dos músculos do ânus durante o orgasmo – Kinsey via tudo.[12]

O envolvimento de Alfred Kinsey nas experiências não se limitava, de modo algum, à observação científica. Fiel ao seu próprio ideal utópico de liberdade individual sem limites no comportamento sexual, ele participava ativamente e procurava recriar suas inclinações pessoais tanto quanto possível. Principalmente com o coeditor Wardell B. Pomeroy, Kinsey envolvia-se em práticas supostamente sadomasoquistas; preferia sempre adotar o papel "inferior". Ao longo de muitos anos,

---

11 Ibid., p.63.
12 Jones, *Alfred C. Kinsey*, p.502.

também foi desenvolvendo uma técnica específica de masturbação. Por volta de 1950, "Mr. Y" – um dos participantes dos exercícios erótico científicos de Kinsey – o viu introduzir no pênis "uma escova de dentes, pelo lado da escova. Para facilitar a entrada, ele abrira totalmente a uretra, por assim dizer".[13]

Apesar dos surpreendentes avanços no território inexplorado (ou pouco explorado) da libertação sexual, apesar do impressionante questionário – "orgulho e alegria de Kinsey",[14] para o qual o pesquisador inventou todo um complexo código de abreviaturas –, apesar do número sem precedentes de entrevistas, e apesar dos verdadeiros resultados aos quais se chegou, que mudariam para sempre o modo de entender a sexualidade (sobretudo, a escala de sete patamares entre "exclusivamente heterossexual" (0) e "exclusivamente homossexual" (7), que acabaria com as ideias tradicionalmente binárias); apesar de tudo isso, um problema continuava sem solução e perturbava cada dia mais a equipe de pesquisa. Era o problema da honestidade – ou desonestidade – demonstrado pelos entrevistados. No *Relatório* referia-se a essa questão nas trinta páginas do capítulo introdutório; mas ela continuava à espera de resolução. É que, mesmo nos casos em que a honestidade dos "sujeitos" era completamente fiável, permanecia a dúvida sobre se o entrevistado estava recordando corretamente os pormenores de sua experiência. Consequentemente, ao que parece, o autoentendimento metodológico da equipe de pesquisa passava de um empiricismo estrito a um estilo mais hermenêutico. À semelhança de inúmeros humanistas que se debruçaram sobre documentos textuais

---

13 Ibid., p.609.
14 Ibid., p.361.

Depois de 1945

do passado, Kinsey insistia no valor da veracidade inerente aos momentos de certeza autorreflexiva imediata:

> Pois perguntem a um negociante de cavalos como ele sabe quando deve fechar o negócio! O entrevistador experiente saberá quando conseguiu estabelecer uma relação suficiente para obter dela um registro fiável, do mesmo modo que o sujeito sabe que pode fornecer esse registro fiável para o entrevistador. Aprender a reconhecer esses indicadores, por mais intangíveis que sejam, é o mais importante no controle do rigor da entrevista.[15]

Não obstante esse otimismo hermenêutico, o problema permanecia. Hoje sabemos muito bem – principalmente por conta de problemas que assolaram as ciências sociais empíricas nos últimos cinquenta anos – que não terá solução. As frases derradeiras dos capítulos sobre "Entrevistar" davam conta e reconheciam isso mesmo, ao incitar os pesquisadores individuais a procederem a uma validação final, através de um exame de autorreflexão: "Resta saber se as técnicas utilizadas no presente estudo seriam igualmente eficazes com outras pessoas que se debruçassem sobre outros problemas: essa questão deverá ser empiricamente respondida por cada pesquisador e relacionada com os seus problemas específicos."[16]

∞

---

15 Ibid., p.363.
16 Kinsey, *Sexual Behavior in the Human Male*, p.62.

Esses "problemas específicos" que o pesquisador deve ter em mente dizem respeito tanto ao entrevistador quanto ao entrevistado. São os mesmos (ou, no mínimo, semelhantes) das consequências da má-fé enquanto condição universal e inescapável, que Sartre descrevera cinco anos antes. Obviamente, as afirmações metodológicas do *Relatório Kinsey* não se referem – nem reagem – diretamente ao segundo capítulo de *O Ser e o Nada*. Porém, a um nível mais geral, a potencial complementaridade – e a verdadeira tensão – entre uma aguda consciência da má-fé enquanto parte integrante da condição humana e os procedimentos da interrogação empírica é uma característica fundamental do ambiente intelectual e psíquico na década do pós-guerra. A relação entre essas duas dimensões, tal como se manifestam nos problemas encontrados pela equipe de pesquisa de Kinsey, forma um círculo vicioso. Se as dúvidas metodológicas e práticas acerca da autotransparência e da transparência de outras pessoas participam da interrogação enquanto meio de pesquisa empírica, as sessões de entrevista propriamente ditas, em última análise, confirmarão a consciência inicial da má-fé enquanto limite absoluto da autotransparência; por sua vez, essa confirmação revela a necessidade de meios empíricos de pesquisa, e assim por diante. A cultura norte-americana, com a insistência de motivação religiosa na honestidade e na fiabilidade prática, no âmbito do conhecimento empiricamente adquirido, tornou particularmente visível o círculo vicioso. Hoje em dia podemos nos perguntar se o atual fascínio com a autoilusão entre os pesquisadores das ciências sociais e os filósofos da filosofia analítica nas universidades norte-americanas não será apenas a versão mais recente de uma configuração que tem pelo menos um século de existência.

Depois de 1945

Mas os Estados Unidos não eram o único lugar onde se manifestava o círculo vicioso entre a má-fé e as técnicas de interrogatório; o problema também foi experienciado um pouco por todo o mundo, por um presente que deixara de acreditar que era possível cruzar fronteiras, quer a passagem significasse um maior conhecimento, quer significasse apenas deixar o passado para trás. Nenhuma fronteira poderia ser ultrapassada – o que tornava muito estreitos o mundo e as possibilidades existenciais que ele disponibilizava. Nunca poderia se conseguir a certeza interior – o que concedia à vida uma sensação amorfa e fluída. Duas semanas antes da publicação do *Relatório Kinsey*, Carl Schmitt observava, numa nota breve, que o foco na consciência enquanto limiar histórico dentro da filosofia ocidental estava na origem genealógica do "terror contemporâneo da autoilusão":

> Quando todos os outros impostores tiverem sido desmascarados, quando nos encontrarmos numa solidão que convide ao ensimesmamento, então é quando começa a fase da maior das ilusões, a fase da autoilusão. É precisamente nesse ponto que hoje se encontra o período histórico inaugurado por Descartes. Descartes vivia no horror de acreditar numa profunda ilusão, que viesse de qualquer *spiritus malignus*; por isso queria tanto se agarrar ao *cogito*. Nada mau – mas hoje em dia vivemos aterrorizados precisamente por este ser interior do *cogito*.[17]

No parágrafo que se segue, Schmitt relaciona esse terror do ser interior com a sua consciência de que existem à sua volta ondas de rádio invisíveis:

---

17 Schmitt, *Glossarium*, p.63.

Costumo reagir tentando conquistar o meu lugar. Mas não será isso uma afirmação pretensiosa? Existe um tipo de ondas sonoras, tão invisíveis quanto reais, permeando todo o meu espaço. O fato de não as ouvir não me traz consolo. É como se estivessem sendo atiradas balas invisíveis no meu entorno mais imediato, balas que não me atingirão. Ser-me-á permitido dizer "Não me preocupo com o que desconheço"? – Mas, infelizmente, conheço.[18]

Aquilo que surpreende Schmitt é a transformação de um problema clássico da filosofia ocidental em estados de terror existencial. Deveríamos estar pelo menos tão impressionados quanto ele.

∞

Se a autoilusão produz estados de terror existencialista sempre quando não há posições externas a partir das quais se possa identificar "a verdade" ou se consiga atingir a "autotransparência" (ou mais precisamente: sempre que não se achem disponíveis posições que proporcionem estas impressões), a autoilusão pode também fazer gerar uma disposição mental e um motivo de humor ligeiro, logo que seja encenada em contextos que pareçam oferecer a possibilidade da verdade e da autotransparência. Em 1946, o jornalista Giovanni Guareschi começou a publicar – com grande sucesso – histórias justamente centradas nesse cenário; as narrativas giravam em torno de Don Camillo e Peppone, um padre católico e um comunista, presidente do município de Ponteratto, pequena povoação no norte

---

18 Ibid., p.63-4.

da Itália. Don Camillo, o padre, tem de ocultar uma série de impulsos e esquemas por detrás da sua fachada de espiritualidade: o desejo de recorrer à sua óbvia força física nos confrontos com o prefeito e seus seguidores, a vontade de tomar para si o papel predominante na política da vila, e talvez mesmo sua simpatia pelo prefeito (cuja companhia lhe é agradável, apesar de Peppone, ateísta confesso, supostamente ser seu opositor lógico e direto – ou, no mínimo, alguém que ele deveria "trazer de volta" à fé cristã). Don Camillo faz o melhor que pode para se convencer de que seus planos e ambições se limitam às questões do dever, e são até virtudes que ele deve representar, de modo a ser um padre exemplar. Seu dilema (e, de um ponto de vista católico, sua salvação) se concretiza num crucifixo de madeira, na aldeia da paróquia; esta figura acompanha cada um de seus movimentos e fala-lhe numa voz benigna, com divina onisciência. Por isso mesmo não serve de nada a Don Camillo que ele "atire seu lenço, desde o altar principal, para cima do rosto do Cristo crucificado"[19] durante o sermão de domingo, no momento em que não consegue refrear as emoções e fala – de modo agressivo, com voz retumbante – das tensões que consomem seu rebanho. Ele sabe que Jesus voltará nas conversas que se seguem, e que não permitirá a Don Camillo continuar acreditando que usar aquele tom de voz era justificado.

Peppone encontra-se muitas vezes em situações semelhantes de má-fé, apesar de Guareschi (que era monarquista) não lhe conceder nas histórias a existência de um observador transcendental (ou seja, outro Jesus). Por exemplo, Peppone e – mais ainda – sua esposa querem batizar o filho, mas querem fazê-lo

---

19 Guareschi, *Don Camillo e Peppone*, p.4.

sem que os outros membros do Partido Comunista da vila o descubram. Felizmente para Don Camillo, um dos muitos nomes propostos por Peppone para dar à criança é "Lenin" – o que permite ao padre recusar o sacramento ao filho do seu rival. Numa das conversas que mantém com Jesus, Don Camillo defende essa reação como questão de obrigação teológica e pastoral:

> – Jesus – disse Don Camillo –, você tem de compreender que o batismo não é uma simples brincadeira. Tem algo de sagrado nele. O batismo...
> – Don Camillo – interrompeu Jesus –, você pretende me ensinar o que seja o batismo? A mim, que o inventei? Digo-lhe que hoje você cometeu um ato de violência, pois já imaginou se o bebê morre neste momento? Será por culpa sua se ele não puder entrar no Paraíso.
> – Jesus, não seja tão dramático – respondeu Don Camillo –, a pele do bebê é tão viva quanto a cor de uma rosa!
> – Não diga isso – disse Cristo, corrigindo o padre. – Poderia cair um tijolo sobre a cabeça dele, ou morrer de súbito. Você tem de batizá-lo![20]

É claro que o filhinho de Peppone acaba recebendo o batismo. Em contrapartida, Don Camillo sugere que os pais não só lhe chamem de Lenin, mas também deem seu próprio nome: "Chamemos-lhe Libero Camillo Lenin. Sim, Lenin também; se estiver junto com Camillo, Lenin não lhe poderá fazer mal."[21] Jesus oferece a seu servo tais indulgências, que dão ao Filho

---

20 Ibid., p.12-3.
21 Ibid., p.17.

Crucificado de Deus presença plausível no texto bem-humorado de Guareschi. É graças a concessões e acordos desse tipo, realizados a partir de uma posição de fato transcendental, que o mundo de Ponteratto tem assegurada a sua estabilidade: o padre não pode recorrer ao seu poder espiritual para se vingar do prefeito comunista; e, por outro lado, batizar o filho não arruinará a imagem pública do prefeito enquanto ateu. A estabilidade da pequena vila é precisamente o que torna cômicos os momentos de má-fé de Don Camillo. Eles sempre acontecem de passagem, pois suas conversas "reais" com Cristo tornam impossível que ele acredite somente naquilo que quer acreditar.

A cena dessa narrativa corresponde à configuração de personagens do seriado *Father Knows Best* [Papai sabe tudo], que começou a ser transmitido na rádio norte-americana em 1949 e que, desde o começo da sua transmissão televisiva, em 1954, se tornou um daqueles programas regulares que ajudaram a definir a televisão como a mídia mais importante das sociedades ocidentais a partir da metade do século XX. Os episódios do seriado giram em torno de uma família de classe média (mais média-alta do que média-baixa, pois o pai – que é "quem sabe tudo" – é gestor de uma companhia de seguros) que vive na cidade fictícia de "Springfield". Jim, o pai, é casado com a bela Margaret, que, além de dona de casa, é a voz da razão; Betty, a filha mais velha, está no final da adolescência; há, ainda, o irmão Bud, três anos mais novo, e Kathy, que ainda frequenta a escola básica. Como o pai gosta de imaginar cenários ambiciosos para o futuro dos filhos, muitos episódios (se não mesmo a maioria) começam com ele chegando a casa, do trabalho, e tendo uma "ideia brilhante" para o futuro de Betty, de Bud e às vezes para o de Kathy. Uma dessas ideias exprime o desejo de que o seu único filho homem, Bud, venha a ser, como ele, um homem de negócios; Jim quer acreditar que Bud herdou dele o seu talento para vendedor. O pai fica entusiasmadíssimo quando Bud inventa um esquema para vender na vizinhança uma enorme caixa de molheiras de plástico barato. É claro que Bud, um moço tímido, não tem sucesso – mas para convencer o pai de que conseguiu fazer algum dinheiro com a venda das molheiras, o filho, em segredo, aceita um trabalho de lavador de pratos num restaurante perto de casa. É o típico momento em que Margaret, a esposa e mãe, aparece para salvar a situação – de fato, ela que é quem sabe tudo (o título só pode ser meio irônico, uma vez que Margaret sabe que, para a paz familiar, é melhor que seu marido acredite que ele é, inevitavelmente, "quem sabe tudo"). No mesmo tipo de palavras, e num tom semelhante ao de Jesus em *Don Camillo e Peppone*, ela faz Jim compreender que ter um filho lavador de pratos não é assim tão ruim; então, Jim decide juntar-se ao filho lavando pratos e depois o convida para um belo jantar em outro restaurante. Fica tudo como estava: nada mudou e o "pai" pode continuar acreditando que ele é "quem sabe tudo", e seu desejo passageiro de ter um filho que seja como ele acaba virando uma memória cômica – para a família televisiva e para a audiência. Mas só pela sabedoria primordial da mãe é que eles chegam lá.

 De modo semelhante, os filmes mais famosos de Marilyn Monroe começam com episódios de comédia de enganos, seguidos de momentos de disfarce e de má-fé, antes de terminarem com a re-emergência de uma situação de estabilidade. O filme que representa este padrão de forma mais evidente e com maior sucesso foi *Quanto mais quente melhor*, de 1959. (Ainda que *Como agarrar um milionário*, de 1953, e *O pecado mora ao lado*, de 1955, sejam muito parecidos.) A ação de *Quanto mais quente melhor* se passa durante a época da Lei Seca. Está para chegar um carregamento de garrafas de bebida proibida, que vem para um boteco num caixão transportado por um veículo que supostamente pertence a uma funerária. A polícia encontra um meio de "furar" o estabelecimento e todos os músicos que lá trabalham têm de procurar outro lugar para tocar – entre eles estão Joe, o saxofonista, e Jerry, o baixista. Joe e Jerry se disfarçam de mulher e assumem os nomes "Josephine" e "Daphne" para se juntar a uma banda feminina que vai de trem para tocar num hotel da moda em Miami. A viagem desde cedo proporciona vários momentos de ambiguidade humorística – especialmente os que envolvem a bela tocadora de banjo, Sugar Kane Kowalzyk (Monroe), por quem Jerry/Daphne e Joe/Josephine logo se apaixonam. Em Miami, Daphne/Jerry atrai as atenções de Osgood Fielding III, um velho milionário. Entretanto, Josephine/Joe – num esforço para ganhar os favores de Sugar Kane – finge ser um rico herdeiro da fortuna da Shell Oil: ou seja, um homem que está se fazendo passar por mulher se torna de novo homem, mas se passando por outro, com nome diferente.

O caso de Daphne/Jerry é o mais interessante dos dois. Durante breves instantes – mais precisamente, depois de receber de Fielding uma pulseira de diamantes como presente de noivado – ela/ele tenta se convencer de que conseguiria continuar "sendo" mulher para casar com Fielding. É claro que Joe, o bom amigo de Jerry – assumindo o papel de "autoridade transcendental" – lhe faz ver que, "na verdade", ele só poderá ser homem. Por essa razão, a má-fé nunca chega a confundir nem a pôr em perigo a estabilidade dos papéis da identidade social. Exceto talvez na cena final do filme. No barco a motor de Fielding,

Joe confessa a Sugar Kane que não passa de um músico. (Não há dúvida de que ela o ama ainda mais depois da notícia.) Esse é o primeiro final feliz. O segundo final feliz, no entanto, é mais ou menos ambíguo. Daphne/Jerry conta a Fielding que não poderá ter filhos. Como ele parece não se importar, "ela" insiste que nem sequer poderá se casar com ele. Fielding não se transtorna. Por fim, Daphne/Jerry grita: "Sou um homem!" E, sem pestanejar, Fielding responde: "Ninguém é perfeito." O público fica com a sugestão de um "problema de gênero" (seria Osgood Fielding III bissexual?).

Tirando alguns raros momentos – por exemplo, o final de *Quanto mais quente melhor* –, os filmes e os seriados televisivos de sucesso da década de 1950 mostravam um mundo onde a má-fé estava presente principalmente para confirmar a estabilidade das fronteiras e das identidades. Aqui não eram necessárias as interrogações. Era um mundo de leitinho com biscoitos, crianças rindo no recreio e estudantes universitários um pouco excêntricos, famílias felizes, com três filhos, indo à missa de domingo – um mundo onde os homens queriam se parecer com antigos atletas, e as mulheres usavam sutiãs pontiagudos para deixar bem claro que só poderiam ser mulheres. Se é verdade que esse mundo teve origem nos estúdios de Hollywood, é fato que a crescente classe média da maioria das sociedades do Ocidente ansiava por acolher e copiar o que este lhe oferecia (ao mesmo tempo que acrescentava toques nacionais à receita de base). Acima de tudo, esse mundo queria acreditar que nunca, mas nunca haveria espaço para a má-fé. Em outras palavras: esse mundo vivia em má-fé sobre a ausência da má-fé. Mas para uma pessoa se preservar nesse estado era necessário evocar constantemente a possibilidade de má-fé – mesmo se fosse apenas para rejeitá-la de modo explícito e, assim, mantê-la operativa enquanto meio de deixar a distância uma realidade diferente, com um *Stimmung* potencialmente diferente. Meus pais precisavam acreditar que Helgard, a *babysitter* de aspecto inofensivo por quem eu nutria simpáticos sentimentos, estava "se encontrando com existencialistas"; isso os ajudava a conhecer e a confirmar tudo o que eles não queriam ser — e aquilo que eles não queriam ter no mundo deles. A guerra já lhes parecia distante, mas a sua presença latente permanecia sempre sensível.

∞

Em contrapartida — e sem surpresa —, Jean-Paul Sartre nunca conseguiu (e provavelmente nunca quis) deixar para trás a guerra. Talvez com mais intensidade do que qualquer outro intelectual do seu tempo, Sartre confrontou de modo sistemático uma série de fenômenos do tempo da guerra e de antes dela, nos meses que se seguiram à libertação da França e à derrota da Alemanha. Seu ensaio mais famoso dessa época procurava responder à pergunta "O que é um colaborador?". Os ecos desse texto surgiram talvez devido à urgência, que se sentia na sociedade francesa, de marcar a diferença entre os "verdadeiros colaboradores" e os milhões de cidadãos que, ao verem o seu país ocupado, nem protestaram contra os alemães nem tomaram a sua defesa de modo ativo (se é que é possível estabelecer essa diferença). Também não surpreende que o modo como Sartre responde à pergunta aponte para o lado da má-fé. Seu argumento é que o colaborador é alguém que mantém relações de má-fé consigo mesmo. Mas é importante notar que, na falta de uma posição de observador, investida de autoridade absoluta e transcendental, a resposta de Sartre – porque se articula a muitos níveis diferentes – é incerta e fluída. Sartre resume assim o seu entendimento acerca da natureza do colaborador:

> Realismo, rejeição dos critérios universais e da Lei, um espírito de anarquia e o sonho de uma forte restrição, permissividade em relação à violência e às fraudes, feminilidade, ódio pela humanidade: todas estas características podem se explicar como consequências da desintegração. Quer tenha ou não possibilidade de se manifestar, o colaborador é inimigo de todas as sociedades democráticas, e estas, por sua vez, sempre o contêm no interior da sua esfera.[22]

Diferentemente de como é tratada no segundo capítulo de *O Ser e o Nada*, a desintegração é agora vista como causa, mais do que como consequência, da má-fé. Além de vagas qualidades que Sartre sublinha – e que poderiam fazer parte de uma caracterização negativa ("a permissividade em relação à violência e às fraudes", "o ódio pela humanidade") –, é interessante que ele associe ao colaborador "alguma rejeição dos critérios universais"; evidentemente, isto quer dizer que o colaborador não aceitará nenhuma regra ética que vá para além da sua situação pessoal. Por "realismo" e por "sonho de uma forte restrição", Sartre refere-se àquilo que deve ter sido a desculpa mais frequente dos partidos que pretendiam apoiar os alemães durante a Ocupação:

> Se os colaboradores concluíram, a partir da vitória da Alemanha, que era necessário submeter-se à autoridade do reich, isso

---

22 Sartre, *Situations III*, p.47.

resultava de uma decisão primária e profunda que era a base da sua personalidade: a decisão de se adaptarem ao que tinha se transformado na realidade *("se plier au fait-accompli")*, o que quer que fosse ou que significasse.[23]

Ao ceder ao "fato" da derrota, concedendo ao que havia sucedido o estatuto do inalterado e do inalterável, o colaborador erguia uma tela na consciência, atrás da qual esconderia a obrigação moral de resistir. Mas a parte mais interessante dessa complexa descrição – cujo grande interesse talvez resida no fato de estar tão distante da mentalidade de hoje – é que Sartre associa a má-fé com o que lhe surgiu com a aparência de ambiguidade de gênero. No resumo descrito acima, a palavra-chave é "feminilidade". Duas páginas antes, lê-se uma passagem ainda mais explícita:

> Na medida em que é possível compreender o estado de espírito do colaborador, pressentimos ali uma espécie de feminilidade. O colaborador fala em nome da força, mas não a detém: ele é, antes, uma fraude; a decepção intencional que depende da força; chega a ser charme e sedução, porque finge encenar a mesma atração que, segundo crê, a cultura francesa tem para os alemães. Parece-me haver aqui uma notável mescla de masoquismo com homossexualidade. De fato, os ambientes homossexuais de Paris eram chão fértil onde se recrutavam membros da Ocupação.[24]

---

23 Ibid., p.41.
24 Ibid., p.46.

Não apenas nas obras de Sartre, mas, como já vimos, também nos filmes de Hollywood, o tabu que isola qualquer forma de sexualidade que não seja reconhecidamente "ortodoxa" desaparece, quando a má-fé, vista de uma perspectiva do cotidiano, está em questão. Apesar disso, talvez seja somente nos escritos de Sartre que esta configuração atinge densidade suficiente para ser considerada uma obsessão. Percebe-se, portanto, que não é por acaso que, em *Entre quatro paredes*, Inês – a lésbica – revela uma força pouco comum, assim como a capacidade de negar (muito no sentido da filosofia existencialista da liberdade, segundo Sartre) a fantasia heroica de Garcin:

GARCIN: Não inventei este heroísmo. Escolhi-o. Somos aquilo que queremos ser.
INÊS: Então, mostre-me. Prove-me que é mais do que um sonho. Só as suas ações determinam aquilo que você pode ter desejado.
GARCIN: Morri muito cedo. Não tive oportunidade de realizar as minhas próprias ações.
INÊS: Todo mundo morre cedo demais – ou tarde demais. E depois a vida termina, desenha-se a linha, tem de se fazer o balanço. Não somos senão a nossa vida.
GARCIN: Você é uma víbora, tem resposta para tudo!
INÊS: Vamos! Não desista. Deve ser fácil convencer-me. Dê-me suas razões, faça um esforço. [*Garcin encolhe os ombros.*] O que foi, o que foi? Não lhe disse que você é vulnerável? Este será um momento da verdade. Você é um fracote, Garcin, um fracote – só porque eu quero que o seja. Eu quero, entenda, eu quero![25]

---

25 Sartre, *Huis Clos, suivi de Les Mouches*, p.90-1.

Depois de 1945

Quando a diferença entre aquilo que se imagina e aquilo que é verdade se transforma numa questão de projeção psíquica, a relação entre o sonho e a realidade revela também pontos de permeabilidade. Em setembro de 1948, a revista mensal alemã *Die Wandlung* [A Conversão] publicava um poema intitulado *"Manchmal im Traum"* [Por vezes em sonhos], escrito por Stefan Anders durante os últimos meses da guerra. De um modo que, imagino, fosse muito preciso na época, todas as imagens da Alemanha e das cidades alemãs revelam ser nada mais do que sonho. Por sua vez, a realidade é percebida como a desolação de um deserto:

Nas catedrais – oh, Deus! – de muitas cidades alemãs
Meu coração conjurou com paixão a pátria.
As sibilas olharam-nos com gravidade –
"É vossa a culpa!" ouço, desde o túmulo do Imperador.
O terror chega devagar, rastejando; mas o sonho,
quando quero despertar, ainda ma agarra com suas tenazes
E, no entanto, sei que, quando acordar, nada restará
Daquilo que, oh Alemanha, em meu sonho vi da tua figura.[26]

O poema exprime o desejo de que a ideia desolada da realidade seja apenas o sonho do qual se desperta; os últimos versos fecham-no com: "E quero acordar desta realidade, oh Alemanha,/ regressar a ti, regressar como em meu sonho te vi." Em toda a complexidade da consciência – como se torna evidente pela má-fé e pela reflexão acerca da má-fé – não pode existir verdade final nem redenção do terror ou dos pesadelos. O

---

26 Andres, *Hiroshima ist überall*, p.402.

personagem de James Dean em *Vidas amargas*, de 1955, acreditava que era ele, não seu irmão, o "mau da fita", depois que sua mãe abandonara a família. No seu leito de morte – após anos e anos de tensão e de desconfiança mútua – o pai se reconcilia com o filho e revela a verdade sobre o passado obscuro da família. Mas que significado tem receber a bênção de um pai que toda a vida foi um fanático religioso de vistas curtas?

∞

Os sentimentos movem-se constantemente dentro da esfera da consciência; quando não é possível atravessar fronteiras, nada – nenhuma preocupação, nenhum problema – pode ser resolvido. De um modo absolutamente obsessivo, os romances do pós-guerra circulam através dos tópicos práticos do tempo, principalmente da questão de saber se as interrogações alguma vez chegarão a permitir ao mundo, congestionado porém fluído, atingir definição e clareza. Uma vez que estejamos cientes disso, o motivo da tensão entre formas instáveis de autopercepção e diferentes modos de interrogação torna-se praticamente ubíquo. Tal como vimos antes, o protagonista e narrador de primeira pessoa de *O homem invisível* tem de estar constantemente fazendo perguntas em contextos hierárquica e institucionalmente rígidos. Num evento de lazer, organizado para brancos, o protagonista é levado a participar de uma competição de boxe com outro jovem negro, que lhe dá uma valente sova; após a sua derrota, ele é convidado a fazer um discurso de formatura. A sugestão bem-intencionada (e modesta) de melhoria política faz rir a audiência:

Sempre que pronunciava uma palavra com três ou mais sílabas, havia um grupo de vozes que gritava para que eu a repetisse. Disse "responsabilidade social" e eles gritaram:
— Que expressão é essa, meu filho?
— Responsabilidade social — disse.
— Quê?
— Responsabilidade...
— Mais alto.
— ... social.
— Mais!
— Respon-
— Repita!
— (-)sabilidade.
A sala se enchia com o alarido de risadas até que, certamente distraído por ter de engolir meu próprio sangue, eu caí no erro de gritar a expressão que tantas vezes vira denunciada em editoriais dos jornais, ou escutara discutida em ambiente privado.
— Igualdade...
— O quê? — gritavam.
— ... social.
A gargalhada ficou suspensa, como fumo, num sossego súbito. Eu abri os olhos, confuso. A sala se enchia de sons de desagrado. O mestre de cerimônias avançava, rápido.[27]

Aquilo que à primeira vista parece com uma série de perguntas e respostas é, de fato, um jogo sádico jogado por brancos racistas — o que põe em grave risco o jovem afro-americano — e que termina em humilhação, sob a forma de "chuva de aplausos"

---

27 Ellison, *Invisible Man*, p.30-1.

e com o prêmio de "uma bolsa de estudo para o colégio federal dos negros".[28] A pergunta seguinte aparece quando o líder dessa instituição de ensino superior rebaixa o protagonista por causa de todos os erros que este cometeu durante uma visita do patrocinador (branco) à escola. Todas as perguntas implicam respostas predeterminadas, que prejudicam o protagonista: "— Pelo que sei, você não apenas levou o sr. Norton até o edifício, mas também acabou naquela pocilga, naquele Dia Dourado./ Era uma afirmação, não uma pergunta — não disse nada e ele me olhou com aquele olhar brando."[29] Mais tarde, em Nova York, continuaram as perguntas — só que agora vinham principalmente de dentro de pequenas comunidades afro-americanas. Esses interrogatórios são igualmente longos e inúteis. A certa altura, um homem branco bêbado — com modos grotescos de "amizade" e condescendência — desafia a autenticidade e a identidade cultural do herói:

— E que tal agora um espiritual, mano? Ou uma daquelas belíssimas canções de negros? [...]
— O mano não sabe cantar! — rugiu o irmão Jack, em *staccato*.
— Que absurdo, *todo* negro sabe cantar.
— Isto é um exemplo ultrajante de chauvinismo racial inconsciente — disse Jack.[30]

Claramente nenhuma dessas "conversas" permite ao protagonista entendimento algum, nenhuma certeza maior sobre quem ele é.

---

28 Ibid., p.32.
29 Ibid., p.137.
30 Ibid., p.312.

Depois de 1945

Quanto mais as instituições lhe exigem que exiba uma identidade afro-americana estável, menos ele consegue saber quem deve ser. Isso está bem "escondido da sua própria consciência":

> Dei-me conta de que a maioria do público do centro da cidade parecia esperar não sei o quê, sempre que eu aparecia. Eu sentia isso no momento em que ficava na frente deles. E não tem nada a ver com algo que eu pudesse dizer [...]. Parecia que sucedia alguma coisa que estava escondida da minha própria consciência. Minha pantomima seria mais eloquente do que as mais expressivas de minhas palavras.[31]

Pedro, o jovem médico de *Tiempo de Silencio*, é sujeito a uma série de interrogatórios da polícia, demorados, formais e esgotantes, sobre o aborto (que viria a se provar letal) em que ele tinha estado presente. A descrição da primeira sessão – em vez de um relatório minucioso – apenas alude ao tipo de coisas que um policial e um suspeito normalmente dizem nesse tipo de situação, assumindo que o leitor está familiarizado com o ritual:

> – Então, você... (suspeita forte e surpreendente).
> – Não. Eu não... (negação indignada e surpreendida).
> – Mas você não quer que eu acredite que... (hipótese improvável e até mesmo absurda).
> – Não, mas eu... (reconhecimento, consternado).
> – Você sabe perfeitamente... (lógico, lógico, lógico).
> – Mas eu não... (negação simples, sempre insuficiente).[32]

---

31 Ibid., p.420.
32 Martín-Santos, *Time of Silence*, p.151.

Nada de surpreendente acontece. Umas trinta páginas adiante, Pedro fica em silêncio e está pronto para assinar um documento em que admite a culpa. Ainda assim, seria incorreto dizer que ele cedeu por cansaço e esgotamento. O que aconteceu foi que – sob a pressão continuada do interrogatório policial – Pedro se convenceu de fato que tinha responsabilidade na morte da moça: "Foi assim mesmo que aconteceu. Não fazia sentido dizer não, não, não, como se ele fosse um menino querendo evitar a punição. Os adultos têm de enfrentar as consequências de seus atos. A punição é o melhor consolo numa situação de culpa, a única redenção possível."[33] A reação previsível, por parte do leitor, nesse momento, é assumir que desta vez um interrogatório levou à má-fé – ou seja, que aconteceu um caso de autopersuasão contra a verdade. No entanto – e contra todas as previsões –, a mãe da moça morta aparece na delegacia. É ela a testemunha perfeita para defender Pedro. Bastou ela falar algumas palavras (que vai repetindo): "Não foi ele." Como ela é bastante simplória para se desconfiar que pudesse dizer outra coisa além da verdade, as palavras da mãe são suficientes para salvar Pedro da prisão. No entender do inspetor policial, o caso de Pedro é típico. Só os réus com alguma educação cedem assim facilmente à pressão do interrogatório:

> As pessoas inteligentes como o senhor são sempre os que se comportam de maneira mais estranha. Nunca hei de compreender por que é que, de todo o mundo, precisamente vocês, que têm cultura e educação, são os que mais fácil cedem às pressões. Qualquer criminoso de carteirinha, qualquer pobre diabo, qualquer idiota se

---

33 Ibid., p.181.

defende muito melhor. Ouça bem, se não fosse por aquela mulher, teria sido muito mais complicado para você.[34]

Mas será que a inocência de Pedro é mesmo a verdade? Claro que é mais agradável ver as coisas assim, para quem quer ler o romance de Martín-Santos só procurando saber como a intriga se desenvolve (e, portanto, de certo modo, se identificando com o protagonista). Mas no final, porém, o texto não dá resposta definitiva para a questão médica sobre o papel de Pedro na morte da moça. O texto se limita a apresentar um campo de forças envolvendo três dinâmicas diferentes: a pressão institucional do interrogatório, a urgência da mãe da vítima de contar a sua própria versão para a polícia, e os diversos estados de consciência de Pedro.

Tudo parece um pouco diferente no interrogatório informal que predomina em *Réquiem por uma freira*, de William Faulkner. Gavin Stevens é o advogado de defesa de Nancy, a babá afro-americana. Ele sabe que, em qualquer circunstância jurídica – e por todos os registros dos fatos –, Nancy é responsável pelo assassinato da filhinha de Temple e Gowan Steven. No entanto, ela matou a menina porque acreditava – e acabaria sendo revelado que estava certa – que sua morte evitaria a fuga de Temple com o seu amante clandestino, Alabama Red – o que certamente viria a destruir toda a família (incluindo o outro filho de Temple). Ao matar a criança, então, Nancy almejava salvar a família da menina. O romance não deixa espaço para dúvida: é Temple, e não Nancy, quem carrega o peso da responsabilidade moral. Ao mesmo tempo, a revelação da verdade não teria consequências

---

34 Ibid., p.186.

jurídicas. Esta é uma interpretação potencial que o texto de Faulkner permite. Depois de Gavin Stevens ter obrigado Temple a admitir que ela tinha mentido sobre o seu papel em todo aquele caso – ou seja, uma vez que retirou a sua má-fé –, eles fazem uma visita noturna à residência do governador do Mississipi para pedir-lhe perdão para Nancy. Ao longo da demorada conversa que os três entabulam, fica claro que o governador não quer saber da verdade (a qual, do seu ponto de vista, é até meio disfuncional). Não só não haverá moratória para Nancy como o governador nem sequer presta atenção ao que Temple realmente quer:

> Não viemos aqui às duas da manhã para salvar Nancy Mannigoe. Nancy Mannigoe nem sequer está preocupada com isso porque o advogado de Nancy Mannigoe me disse, antes de sairmos de Jefferson, que você não salvaria Nancy Mannigoe. A razão que nos fez vir aqui e acordá-lo às duas da manhã foi para dar a Temple Drake uma bela e boa chance de sofrer: angústia só pela angústia, nada mais.[35]

O governador deixa o gabinete em silêncio – desaparece, literalmente – e a confissão de Nancy se transforma em mais uma discussão com Gavin Stevens. É a segunda interpretação que o romance sugere: o Estado – isto é, as instituições políticas que o governador encarna – não só não tem como reagir à verdade moral, como também não tem qualquer interesse na verdade. Temple não terá a "bela e boa chance de sofrer" que tanto deseja. Quebrou-se a mentira dela, assim como a sua má-fé, mas essa mudança não tem qualquer repercussão no resto do mundo.

---

35 Faulkner, *Novels 1942-54*, p.562.

Depois de 1945

Nesse contexto, voltemos a considerar a obra de Guimarães Rosa, *Grande sertão: veredas*. Todo o romance está estruturado como uma confissão de Riobaldo, o personagem-narrador de primeira pessoa, a um leitor avisado, cujas reações, assim o personagem espera, lhe permitirão alguma clareza acerca da única questão que o atormenta no final da vida: terá ele feito um pacto com o demônio, terá ele entregado sua alma ao diabo? No fim, Riobaldo conclui que o diabo não existe – que não há nenhuma encarnação do mal que possa atingir os seres humanos de fora. Em vez disso, o diabo é a tentação de escolher o mal que jaz dentro de toda consciência humana. À medida que vai percorrendo o caminho desta visão autorreflexiva, Riobaldo descreve os vários interrogatórios pelos quais passou, todos eles combates ferozes com a energia psíquica, mais do que demandas pela verdade:

> Vai e acontece, que, perto mesmo de mim, defronte, tomou assento, voltando deste brabo Norte, um moço Jazevedão, delegado profissional. Vinha com um capanga dele, um secreta, e eu bem sabia os dois, de que tanto um era ruim, como o outro ruim era. [...]. Nunca vi cara de homem fornecida de bruteza e maldade mais do que nesse. Como que era urco, trouxo de atarracado, reluzia um cru nos olhos pequenos, e armava um queixo de pedra, sobrancelhonas; não demedia nem testa. Não ria, não se riu nem uma vez [...]. Jazevedão – um assim, devia de ter, precisava? Ah, precisa. Couro ruim é que chama ferrão de ponta. Haja que, depois – negócio particular dele – nesta vida ou na outra, cada Jazevedão, cumprido o que tinha, descamba em seu tempo de penar, também, até pagar o que deveu.[36]

---

36 Guimarães Rosa, *The Devil to Pay in the Backlands* [*Grande sertão: veredas*], p.12-3.

O romance dá também espaço a histórias familiares sobre ambiguidades dentro do sacramento católico da confissão; por exemplo, quando a viúva Maria Mutema usa o confessionário para se aproximar do padre Ponte (um padre pecador mas convencional que não é mais do que um "bom-homem, de meia-idade, meio gordo, muito descansado nos modos e de todos bem estimado").[37] Mais tarde, depois da morte do padre Ponte, Maria Mutema se confessa com dois missionários estrangeiros – "p'ra fortes e de caras coradas, bradando sermão forte, com forte voz, com fé braba".[38] Estes acabam por fazê-la contar que, nas confissões com o padre Ponte, ela estava mentindo ao dizer que tinha matado o marido porque estava perdida de amores pelo padre; "Tudo era mentira, ela não queria nem gostava. Mas, com ver o padre em justa zanga, ela disso tomou gosto".[39] A elaborada e complicada confissão, assim como a aparente "arrependida humildade", leva algumas das outras personagens a afirmar que ela "estava ficando santa".[40] Dessa maneira, a história de Maria Mutema se transforma numa outra – ainda que menos aguerrida e mais hipócrita – versão do interrogatório como luta de forças.

Apesar da preocupação do narrador em atingir a autotransparência e a verdade, não existe caminho fácil – nenhum "método" – para consegui-las: "Um está sempre no escuro, só no último derradeiro é que clareiam a sala. Digo: o real não está na saída nem na chegada: ele se dispõe para a gente é no meio da travessia."[41] A verdade não é atingível de modo simples nem

---
37 Ibid., p.187.
38 Ibid.
39 Ibid., p.189.
40 Ibid., p.190.
41 Ibid., p.52.

conquistável pela força. Deve, em vez disso, mostrar-se – manifestar-se. A intrigante história de amor de Riobaldo e do jovem Diadorim torna esse fato evidente. A afeição do mais velho pelo moço, conforme Riobaldo vai percebendo, é "aquele amor, e a amizade desde agora estava amarga falseada".[42] É amor para lá da razão, "com meu coração nos pés, por pisável".[43] Já para o final do livro – à medida que sua confissão vai se completando e Riobaldo descreve o combate iminente, ele experiencia certa liberdade e permite que seu corpo deseje Diadorim.[44] Diadorim rejeita os avanços de Riobaldo e morre durante a luta. Enquanto uma mulher "rezava rezas da Bahia" e lavava seu corpo para o enterro, o narrador descobre que "Diadorim era o corpo de uma mulher, moça perfeita".[45] Riobaldo, sem "competência de querer viver", recorda o seu amor, quer como homem ("às vezes conheci que a saudade dele não me desse repouso; nem o nele imaginar"), quer como mulher ("e a pessoa dela, mesma, ela tinha me negado").[46] As diferentes camadas de verdade nesse amor vão sendo reveladas, quase contra a vontade do amante. Uma vez mais, encontramos motivos de desejo homossexual e de instabilidade de gênero. Uma vez mais, eles estão relacionados com esforços para esconder de si mesmo alguma coisa; possuem a estrutura da má-fé. Porém, o movimento da autorreflexão é mais complicado aqui do que em qualquer outro caso que tenhamos visto até agora: assim que Riobaldo se permite "estar presente" para as suas vontades homossexuais, estas se transformam, em

---

42 Ibid., p.241.
43 Ibid., p.199.
44 Ibid.
45 Ibid., p.485.
46 Ibid.

termos "objetivos", em desejo heterossexual. Nenhuma interrogação, nenhuma instituição, nenhuma pressão poderia ter conseguido isso. Guimarães Rosa pretendia que o verdadeiro, o real Ser aparecesse, se revelasse às suas personagens, no final do romance.

∞

Apesar de tudo, ao mesmo tempo em que se aproximavam do pico de sua trajetória histórica enquanto única esperança de quebrar a má-fé e desnudar as mais sólidas verdades, os interrogatórios iam sendo desvalorizados. No dia 22 de julho de 1948 – sete meses depois de publicado o primeiro *Relatório Kinsey* –, numa nota para o seu *Glossarium*, Carl Schmitt denunciava os interrogatórios, dizendo que eram poderosos instrumentos brandidos pelas autoproclamadas elites: "As elites são aqueles que conseguem impor aos outros o dever de preencher questionários."[47] No ponto oposto do espectro político – isto é, no mundo da esquerda socialista e comunista –, a esperança de encontrar meios de se chegar à verdade, fundados no sujeito ou na comunidade, abafou a sua vinda. Foi já em 1970 que Hans Magnus Enzensberger publicou *Das Verhör von Habana* [O julgamento de La Habana], uma recriação literária – e celebração – de julgamentos espetaculares que aconteciam em Cuba, onde os cubanos exilados eram testemunhas, logo após a malograda invasão militar na Baía dos Porcos. Ao passo que Enzensberger se valia, para fundamentar suas pretensões de verdade, daquilo que descrevia como a justeza implícita que subjaz a todos os interrogatórios,

---

47 Schmitt, *Glossarium*, p.181.

ele não se preocupava com o fato de que uma hierarquia poderosa tinha ativado esse mesmo procedimento – tanto na realidade política quanto na peça onde escreveu exatamente isto: "Só como contrarrevolução derrotada poderá a classe dominante ser obrigada a falar."[48]

No romance *Estudantes*, de Yuri Trifonov, ser membro do Exército Vermelho é garantia de que os personagens poderão ver terras estrangeiras de um modo "verdadeiro":

> O Exército Soviético concretizou sua grandiosa e vitoriosa marcha [...]. Ele aprendera muito na guerra, muito que lhe era útil não apenas na guerra, mas na vida de todos os dias. Na frente de batalha tinha conhecido outras pessoas, suas lutas e verdadeiro caráter, e reconhecera-os como seus. Vira países estrangeiros e achou que não eram nada como aparecia descrito nos livros, nos selos, ou nos postais ilustrados. Vira-os como eles realmente eram, sentira a sua qualidade, respirara seu ar. E muitas vezes os considerara asfixiantes e impuros, nada parecido com o que seus pulmões estavam habituados.[49]

Se o método hollywoodiano de criar efeitos de estabilidade e transparência, num mundo de percepções fluidas, depende simultaneamente da evocação e negação da má-fé, então os modos socialistas e comunistas de produzir o mesmo efeito dependiam de uma atitude de autoridade quer moral, quer epistemológica, que os discursos superficiais e os procedimentos já batidos mal conseguiam ocultar. Os partidos

---

48 Enzensberger, *Das Verhör von Habana*, p.22.
49 Trifonov, *Students*, p.35.

que abraçavam as ideologias da esquerda foram libertados de qualquer luta autorreflexiva, por conta da certeza moral de uma consciência tranquila.

No entanto, sempre que tinham de ser feitas afirmações sobre a verdade, ou mantidas essas afirmações em circunstâncias mais honestas (e muitas vezes mais urgentes), tornava-se evidente a sua precariedade e a sua fragilidade. Vinte dias após a detonação da bomba atômica – em 20 de agosto de 1945 –, o doutor Michihiko Hachiya, diretor do Hospital de Comunicações de Hiroshima, assinou uma "Nota relacionada com a doença radioativa", que se destinava a diminuir o pânico entre a população. O fraseado do documento revela um cuidado extremo e restrições quanto a afirmações de verdade empírica: "Parece não existir nenhuma relação entre a gravidade das queimaduras e a diminuição de leucócitos", "A perda de cabelo não implica um prognóstico desfavorável", "De acordo com os relatórios das autoridades da Universidade de Tóquio, parece não existir nenhuma radiação residual provinda do urânio".[50] Seis ou sete anos mais tarde, o romanista Erich Auerbach – que, enquanto judeu, fora exilado pelo governo nacional-socialista e passou mais de uma década dando aulas em Istambul – formou-se como professor em Yale. Ali, ele escreveu um ensaio intitulado "A filologia da literatura mundial" para o livro de homenagem a um estimado colega alemão. Se a afirmação de verdade constante da Nota de Hiroshima em 1945 tinha um tom hesitante, por envolver novos e inquietantes fenômenos, Auerbach descreveu suas observações sobre a verdade da experiência histórica com semelhante reserva. Auerbach acreditava estar no final do único

---

50 Hachiya, *Hiroshima Diary*, p.125.

período da cultura ocidental em que se justificava ter esperança de que a verdade fosse assim discernida:

> A concepção apresentada neste ensaio sobre a literatura mundial, enquanto cenário multifacetado do nosso destino comum, deixou de tentar evitar que acontecesse algo que iria de qualquer maneira acontecer, ainda que de modo diferente daquele que esperaríamos; entende que não se pode deixar de nivelar as diferenças entre diferentes culturas nacionais. Por isso pretende dar a essas nações, na fase final da sua frutífera variedade, um sentido de como o novo movimento convergente está destinado a acontecer – e quer que esse sentido seja a sua possessão mitológica, para que, assim, talvez consiga lutar contra o empobrecimento progressivo de nossos igualmente ricos e profundos movimentos do espírito.[51]

Qualquer pessoa que não vivesse em negação e má-fé acerca da precariedade da verdade e da transparência – tanto em sentido empírico quanto em filosófico – estaria ciente de que todas as decisões implicavam um risco existencial elevado. No filme de Rossellini, *Alemanha Ano Zero* (1948), Edmund, o menino de 11 anos, acredita que está tomando a decisão certa quando envenena o pai, que está para morrer; dessa maneira – por essa mesma convicção – cai na armadilha dos discursos pseudonietzscheanos que ainda circulavam na Alemanha do pós-guerra. Edmund ouve primeiro as palavras e ideias da "sobrevivência do mais forte" proferidas por um professor do mesmo mundo social onde ele, Edmund, é objeto de desejo e de cobiça homoerótica.

---

51 Auerbach, Philologie der Weitliteratur. In: _____, *Gesammelte Aufsätze zur romanischen Phililogie*, p.304.

Enquanto emblema central, a figura do homossexual reunia receios diferentes, meio conscientes – receios sobre o que poderia dar errado se a má-fé e a autoridade não ocultassem o lado obscuro da existência.

Lembro que, durante os meus dois primeiros anos da escola elementar, muitas vezes meu pai foi hospitalizado por causa de alguma doença que os médicos (e seus colegas) nunca conseguiram identificar, apesar de o terem operado diversas vezes, com cirurgias que a família entendia como muito graves, e que, de fato, lhe deixariam profundas cicatrizes no corpo. Durante algumas semanas, na primavera, tornara-se habitual para nós passar as tardes no terraço do hospital. Eu ia frequentemente falar com os outros pacientes enquanto meu pai dormia um pouco (ou fingia dormir). Um desses pacientes – de rosto redondo e que estava totalmente careca – era particularmente amigável comigo, creio. Era o único com quem meu pai nunca conversava (ainda que eu nunca tenha percebido tensão alguma entre eles). A certa altura, porém, o homem careca de rosto redondo deve ter passado o braço dele sobre o meu pequeno ombro. Nesse momento meu pai – que sempre fazia questão de mostrar como estava débil – se levantou de um salto e gritou: "Tire essas mãos sujas de cima do meu menino, já!" Ainda lembro como fiquei envergonhado, vendo que todo mundo, de repente, olhava para mim – e como estava orgulhoso por ver meu pai, doente, agir que nem um leão naquele instante. Ficava claro que nunca mais eu falaria com o homem careca. Anos mais tarde, ganhei coragem para perguntar a minha mãe se ela sabia o porquê daquela cena. Ela me respondeu com prontidão incomum (era óbvio que ela e meu pai tinham conversado sobre o incidente). "Esse homem", ela me disse, "foi pretendente de sua avó, quando ela já era viúva, e tentou abusar de seu pai". Como acontece quase sempre com as histórias do meu pai, nunca saberei se o que minha mãe contou era verdade. Ela parecia acreditar no que dizia, isso é certo. As poucas fotografias de meu pai quando jovem mostram um adolescente de muito boa aparência – o que, claro, tornava a história mais crível. Mas hoje só posso ter certeza de que, durante os anos da minha infância, era geralmente aceito – era simplesmente normal – abusar verbalmente de alguém, acusando essa pessoa de alimentar desejos homoeróticos. Nessa altura, seria impensável que alguém que presenciasse a cena saísse em defesa do homem que teria colocado seu braço sobre meu ombro.

∞

O interrogatório, enquanto forma de interação e de discurso, teve seu mais profundo – e, pelo menos de início, nada ambíguo – impacto num contexto que, muito literalmente, era "de brincadeira". A partir da década de 1950 os programas de concursos – junto com os seriados de família, como *Father Knows Best* – ajudaram a definir a televisão como o principal meio de comunicação da segunda metade do século XX. Esses programas (também chamados de "*quiz*") eram frequentemente organizados como rituais de interrogatório; aquilo que os distinguia dos interrogatórios policiais era que apenas o saber dos "concorrentes" estava em jogo, e não uma "verdade última e por conhecer". O concurso mais popular na América do Norte era *The $ 64,000 Question* [A pergunta dos 64 mil]. O mais famoso concorrente foi Herb Stempel, um professor de escola elementar, de 30 anos de idade. No final de 1956, Stempel – que não era nem particularmente carismático nem atraente, mas que sabia muito – atingira a quantia de 69.500 dólares. Então, ele teve de defender o seu título contra um concorrente claramente elegante – e que viria a ser muito mais popular –, Charles Van Doren, professor na Universidade de Columbia, em Nova York. O combate estava agendado para o dia 5 de dezembro. Os dois homens estavam sentados numa cabine de Plexiglas, que os isolava do público que estava no estúdio – como se para sublinhar a clara objetividade e a verdade do programa. Nessa noite, Stempel errou na resposta a uma pergunta sobre cinema contemporâneo: foi eliminado do programa e sofreu graves perdas financeiras.

Para muitos dos espectadores, a pergunta era bastante fácil para que Stempel a tivesse errado. As suspeitas se confirmaram quando, meses depois, Stempel – agora sem um centavo – se denunciou e revelou que o programa tinha sido preparado. Tinham-lhe prometido uma grande compensação monetária para que ele desse a resposta errada; claramente, o objetivo era aumentar a audiência, trazendo um concorrente mais atraente. Hoje, como pequeno incidente no mundo da mídia, a história não nos choca. Na época, porém, provocou uma enorme reação por todo o país. Seu significado histórico, claro, está precisamente nesta diferença. Para nós, é surpreendente saber dos debates que aconteceram no Congresso sobre o escândalo do concurso; aliás, houve audiências no Comitê de Supervisão Legislativa e foram propostas novas leis. A perda de confiança nos programas de jogos mostrou de que maneira os rituais de interrogatório – é o que deveremos concluir, portanto – representavam um evento ameaçador e inquietante para a sociedade americana dos anos 1950. Essa confiança nunca mais foi retomada. Poderíamos até mesmo dizer que, desde essa época – sempre que as situações políticas, jurídicas ou criminais não são transparentes –, as investigações que se seguiram sempre comprovaram que eram ainda mais contraditórias, complexas e enigmáticas.

Marilyn Monroe morreu na noite de 4 para 5 de agosto de 1962. Só existe um fato consensual sobre o fim de sua vida: a causa física imediata da morte deve ter sido a quantidade de dois medicamentos encontrados no seu corpo e, provavelmente, a interferência entre esses químicos. No entanto, não ficou claro, apesar das inúmeras investigações e da especulação interminável, se ela teria tomado os medicamentos de propósito, ou se teria sido obrigada a tomá-los; se a morte de Marilyn foi acidental, se resultou de erro médico, de suicídio, ou assassinato; se a situação existencial dela, nas semanas anteriores, estaria melhorando ou piorando. Além disso, parece haver alguma probabilidade – ainda que sem grandes certezas – de que ela, no último ano de vida, tenha tido um caso (ou, pelo menos, um encontro erótico) com o presidente John F. Kennedy; outras fontes sugerem que era o irmão dele, Robert F. Kennedy, o amante – ou até que ela teria se envolvido com os dois. Daí surgiu a suspeita – que ainda não desapareceu por completo – de que, dada a visibilidade pública de Marilyn Monroe, os Kennedy teriam tido interesse em eliminá-la. Cinquenta anos mais tarde, a discussão continua, e ficou difícil imaginar alguma descoberta que encerre o assunto.

Quinze meses e meio depois da morte de Marilyn Monroe – em 22 de novembro de 1963 –, John F. Kennedy foi assassinado em Dallas. Tal como outros homens e mulheres, da minha geração ou mais velhos, lembro exatamente como soube da morte dele. Tinha quinze anos. Nessa tarde eu tinha ido a um bar na minha cidade natal, com alguns amigos da escola, tomar uma cerveja. Era um ato de coragem, porque naquela época o limite de idade para beber cerveja em público era 16 anos. Quando saímos de lá – era próximo da redação do jornal local – vimos os exemplares de um boletim extra, que já estavam à venda. Anunciavam o assassinato de John F. Kennedy. Aquele homem tinha inspirado muita esperança num futuro mais aberto, novo – talvez até mais na Alemanha do que em qualquer outro lugar do mundo –, por isso foi difícil, de início, imaginar o que tinha sucedido. Lembro que não conseguimos deixar de associar a nossa saída "fora da lei" com a dor que sentimos pelo assassinato do carismático presidente. Parecia um castigo. No dia seguinte, Lee Harvey Oswald – que tinha sido logo identificado como o autor do assassinato – foi morto a tiro por Jack Ruby, que fazia parte da cena criminosa de Dallas. Desde então, nenhuma das inúmeras investigações, privadas e oficiais, nos colocou mais perto de compreender por que Kennedy foi assassinado. Pelo contrário, as investigações e os interrogatórios deram origem a uma série de suspeitos, hipóteses e teorias da conspiração: que o governo cubano de Fidel Castro teria estado por trás do assassinato; ou então que teriam sido cubanos anticastristas emigrados nos Estados Unidos, ou a União Soviética, o FBI, a CIA, a Máfia, ou outro grupo criminoso organizado – talvez até o vice-presidente e sucessor de Kennedy, Lyndon B. Johnson. O país aceitou (talvez com demasiada rapidez) que o crime tinha sido cometido apenas por Lee Harvey Oswald. O impacto desta incapacidade – impossibilidade? – de encontrar respostas convincentes para aquela urgente pergunta, combinado com o fato de que cada nova tentativa ainda tornava tudo mais turvo, não afetou apenas o sistema político dos Estados Unidos. Irreversivelmente, também transformou a nossa relação com aquilo que ainda chamamos, na falta de outra palavra melhor, de "realidade" e "verdade."

∞

Em diversas áreas de experiência, o mundo do pós-guerra ia ganhando forma enquanto espaço que não permitia nem posições externas nem pontos de vista interiores para atingir o entendimento profundo, ou definitivo, acerca da realidade. Dentro desse mundo – das perspectivas individuais e das coletivas –, os esforços infindáveis para chegar à transparência na identidade e na interação humana acabaram se desintegrando. Em meados da década de 1950, os métodos de pesquisa e de interrogatório que antes haviam oferecido alguma esperança estavam literalmente em decadência. Porém, não vejo nenhuma posição, no presente daquele tempo, que possa explicar toda a complexidade do escopo total da dinâmica e dos desenvolvimentos que se interceptavam. O que se encontra, no entanto, são comentários dispersos, impressões relacionadas com uma mudança, impossível de fixar, que fez que certos modos de sentir, de agir e de reagir deixassem de parecer possíveis. Tipicamente, esses comentários eram feitos "de passagem", como se a pessoa que os enunciava estivesse com vergonha da sensação de impotência que neles se revelava. Em 28 de fevereiro de 1951, Carl Schmitt notou que sentia muitas vezes "uma paralisia que o tomava e que o impedia de escrever".[52] Já três anos antes ele descrevera a impressão de um "destapamento e nivelamento" do mundo – uma superficialidade de vida que, segundo ele,

---

52 Schmitt, *Glossarium*, p.313.

resultava do existencialismo: "O nosso tempo é de existencialismo. O espírito encontra oficiais e executantes que cumprem a tarefa de destapar e de nivelar tudo, sem espiritualidade alguma, e eles aceleram, contra sua vontade, os movimentos que nunca pretenderam iniciar."[53]

Bertolt Brecht — que, depois da guerra, queria acreditar que mais uma vez a história se encontrava no trilho do progresso marxista — apenas achou sintomas de estolidez e de paralisia, até mesmo no seu discurso ao Congresso de Paz de Viena, em 1952:

> É esta estolidez que devemos combater. O seu grau mais extremo é a morte. Existem hoje muitas pessoas que parecem já estar mortas; têm o aspecto de quem tem atrás de si aquilo que ainda está na frente delas — de tão pouco que estão fazendo contra isso. E, ainda assim, nada me convencerá de que não faz sentido apoiar a razão contra os seus inimigos.[54]

Frustrado e com amarga ironia, o soldado Beckmann — protagonista da peça de Wolfgang Borchert, *Draussen vor der Tür* — descobria que neste mundo só existem "fatos". Mas a verdade estava oculta:

> Sim, eu compreendo, e lhe agradeço. Começo a entender. São os fatos, os fatos [...] que nunca nos é permitido esquecer. Com a verdade não se vai a lugar algum. Com a verdade, perdemos os amigos. Quem quer saber da verdade, hoje? [...]. — Sim, começo a entender, são esses os fatos.[55]

---

53 Ibid., p.147.
54 Brecht, *Gesammelte Werke 20*, p.323.
55 Borchert, *Draussen von der Tür und ausgewühlte Erzählungen*, p.36.

Carl Schmitt sentia, há muito, que a ironia era para si tentação permanente – e que era incompatível com a ação e a verdade. Assim, ficou "profundamente chocado com a verdadeira ironia de ter sobre a escrivaninha um livro volumoso sobre o conceito de ironia. A ironia é um poder de destruição tão eficaz que só mencioná-la já determina a atmosfera".[56] "A presença", acreditava Schmitt – independente do que quisesse dizer com a palavra (talvez alguma coisa próxima da "substância"?) –, era o único antídoto imaginável contra a ironia, a destruição e a desorientação: "A presença até à apresentação, e daí até à representação. E por que não existe a re-presença, por que só há representação? Em vez disso temos re-educação."[57] É duplamente irônico (por assim dizer) ver como, nessa tentativa de defender a substância do mundo contra a atitude de ironia, Schmitt foi incapaz de restringir a sua própria ironia no instante em que falou de "re-educação" – ou seja, uma posição intelectual imposta à Alemanha pelos aliados ocidentais.

∞

Como era possível viver num mundo onde a identidade e a agência haviam se tornado tão fluídas, onde a substância e a forma pareciam estar fora de alcance? A leitura de *Doutor Jivago*, de Boris Pasternak, deu-me a impressão de que, sempre que o narrador se refere ou faz alusão a conceitos da filosofia marxista da história, alguma coisa de muito individual e existencialista está estranhamente presente, à prontidão para abandonar a volição individual:

---

56 Schmitt, *Glossarium*, p.27.
57 Ibid.

Todas estas pessoas estavam reunidas num só lugar. Mas algumas nunca tinham se conhecido, e outras tinham dificuldade, agora, em se reconhecer. E havia coisas sobre todas elas que nunca se saberia com certeza, ao passo que outras não seriam reveladas senão num tempo futuro, numa reunião mais tarde.[58]

"Nada mais era sagrado" nesse mundo; "nenhuma fé no futuro",[59] não restava nenhuma fé fundada sobre as leis da história. Ao mesmo tempo, havia uma vontade de deixar as coisas acontecerem, e deixar as coisas acontecerem poderia levar a um final feliz. Por vezes, os protagonistas de Pasternak sentem-se como se estivessem sendo levados por uma força que não são capazes de identificar, que os recorda a todos de "todo aquele despertar"[60] que ocorreu nos primeiros dias da revolução. A sensação é como a de "um pigmeu perante a monstruosa máquina do futuro":[61] sem garantias, sem entendimento, só esperança, por mais vaga que seja.

Ao alcance, nada mais do que afirmações e possibilidades mínimas. Acostumados a afirmações bem mais fortes – afirmações de peso ideológico, de polos opostos do espectro político –, tanto Bertolt Brecht quanto Carl Schmitt atacaram Gottfried Benn, que, nos seus poemas do pós-guerra, evocava e se concentrava sobre os breves momentos de contato com o mundo material – instantes de satisfação momentânea, no sentido em que escapavam do vazio e da desorientação universais. Vistos quer da perspectiva comunista, quer do viés fascista, os versos de

---

58 Pasternak, *Doctor Zhivago*, p.118.
59 Ibid., p.127; 435.
60 Ibid., p.147.
61 Ibid., p.184.

Benn pareciam não fazer sentido nem ter profundidade. Schmitt descrevia o autor como alguém que "tatuava os horrores niilistas na sua pele boa e beata. Assim é que ele se faz irreconhecível. Seu método de produzir este efeito é a enumeração caótica de pinceladas de palavras altamente modernas, históricas, científicas, mundanas e da medicina".[62] Na avaliação de Brecht, Benn era "viciado na morte". Num poema seu, Brecht imaginava como os proletários reagiriam com ironia aos versos de Benn: "Com uma expressão/ mais preciosa que o sorriso de Mona Lisa."[63] Num certo sentido, a caracterização (de algum modo estranhamente ambígua) que Schmitt faz da obra lírica de Benn está correta. O que essa obra conjura consiste, realmente, de "pinceladas" – pinceladas cujo único valor inclui serem tocadas pelo mundo material e físico:

> o que resta é fugaz,
> neuralgia da manhã.
> alucinação no fim do dia
> ambas inclinadas contra a bebida e os cigarros
> genes encerrados,
> cromossomos congelados
> restos de uma anca suada
> do Boogie-woogie,
> e quando chegas a casa estendes as calças.[64]

Benn escreveu estes versos em 1955, quando tinha 69 anos e estava a poucos meses de morrer. O melhor que extraímos da

---

62 Schmitt, *Glossarium*, p.317.
63 Brecht, *Gesammlete Werke 10*, p.1018.
64 Benn, *Gedichte*, p.465.

vida será sempre fugaz, transitório, superficial. Por ser superficial, porém, ao menos afetará nosso corpo e captará nossa atenção. Esse caráter efêmero não é de modo algum exclusivo de situações meio exóticas (para um homem de idade), como dançar o *boogie-woogie*. Pelo contrário, Benn conjura ainda a qualidade e a promessa dos modos de vida tradicionalmente associados à classe média-baixa, cujo confinamento claustrofóbico lhe permite certo fervor:

> Ouça, esta é a última noite
> que você ainda pode sair: fuma um "Juno",
> bebe três cervejas "würzburger Hofbräu", e lê sobre a ONU
> o modo como o "Spiegel" a vê, senta-se sozinho
> a uma mesa pequena, em confinado círculo,
> próximo do aquecedor, porque você adora o calor.
> Ao seu redor a humanidade tem seus modos,
> o casal e aquele cão que você odeia.
> nada há ao seu redor além disso,
> nenhuma casa, nenhuma colina familiar,
> nenhum sonho de um cenário sob o sol,
> lindas paredes estreitas sempre o rodearam
> desde o nascimento até esta noite.[65]

A existência consiste de pinceladas fugazes de um mundo físico, que ocorrem dentro de um espaço de confinamento. (Agora, poderia acrescentar que isto é como a dor revigorante nos pulmões, quando se inala a primeira tragada do cigarro

---

65 Ibid., p.442.

matinal.) Não há dúvida das visões mais profundas, mais certas ou científicas na escrita de Benn, que era poeta e dermatologista ativo:

> – "a ciência como tal" –
> sempre que ouço essa coisa na rádio
> apetece-me gritar bem alto.
> alguma ciência existiria que não fosse "como tal"?
> [...]
> e depois todas aquelas expressões pedagógicas,
> todas produzidas por prolongada posição de sentado,
> aquilo que o Ocidente chama de seus Valores Superiores,
> como já disse, sou muito a favor de escapadelas.[66]

O tom de Benn – que nos seus poemas tardios me impressiona mais do que o seu conteúdo explícito – capta uma serenidade distante e uma calma persistente – uma paixão que está lá, embora se mantenha distante, saturada de ironia que não é nunca inimiga, mas sempre impaciente.

Aquilo que ressoa com paixão distante – os instantes fugazes, as pinceladas do mundo, tudo aquilo que causa e mantém uma sensação de imediatez, ou talvez a urgência da paixão – nestes poemas pode ser ouvido na voz de Edith Piaf. A infância e a juventude da cantora são como uma alegoria, em antevisão, da precariedade da existência após a guerra. Piaf nasceu em 1915, com o nome Edith Giovanna Gassion (seu nome artístico, "Piaf", era a palavra coloquial para "pardal"). Sua mãe, que viera de Itália e trabalhava como cantora num café, teve um bordel na Normandia, durante a Primeira Guerra Mundial; a filha passou

---

66 Ibid., p.435.

parte da infância naquele ambiente. O pai de Piaf era um acrobata de rua, do Norte de África, com quem a mãe se juntara aos catorze anos. Diz-se que a cantora ficou cega, entre os três e os sete anos de idade. Aos dezessete, teve a única filha – que morreria de meningite dois anos depois. Naturalmente, Edith Piaf viveu uma série de episódios de crime, e pode até ter colaborado com os alemães durante a ocupação. O amor da sua vida – parte da sua lenda biográfica – era o lutador de boxe Marcel Cerdan, casado, campeão do mundo de pesos médios, e que morreu em 1949, num acidente no avião em que viajava, entre Paris e Nova York, onde ia encontrar-se com ela.

A letra e o *pathos* musical das melhores canções de Piaf celebram a intensidade dos instantes fugazes de satisfação – instantes que, a cada vez, igualam toda uma vida. *La vie en rose*, a primeira das suas canções a tornar-se famosa mundialmente, foi composta em 1945. Um olhar intenso, um abraço, uma batida do coração fica infinita. É "alguma coisa" a qual se "agarrar", mas não infinita nem permanente:

> Olhos que fazem baixar meus olhos,
> Risada perdida nos lábios dele.
> Eis, sem retoques, o retrato,
> Daquele a quem pertenço.
>
> Quando ele me tem nos braços
> E me fala, a voz tão baixa,
> Vejo a vida em cor-de-rosa.
>
> Diz-me palavras de amor,
> Palavras de ontem e de hoje,
> E aquilo mexe comigo.

Adentrou meu coração
Uma parte de alegria
De causa bem conhecida.

Ele é para mim,
Eu para ele na vida,
Ele me disse, fez juras para a vida.

E desde que isso eu entendo
Sinto desde então em mim
O meu coração batendo.

Ver o mundo em "cor-de-rosa" – agarrar-se a promessas "para a vida" – não é ilusão alguma aqui, pois não é necessário lembrar que, em termos existenciais, esses instantes de certeza são ilusórios. No entanto, tais ilusões são reais enquanto durarem. E uma ilusão que é voluntariamente aceita não pode nunca transformar-se em autoilusão. As causas da alegria, que ela "conhece", são apenas a superficialidade e a realidade das palavras cotidianas do seu amante, sua voz suave e o bater do seu próprio coração.

Milord, outra canção bem famosa de Piaf, exprime de forma hiperbólica a precária realidade da ilusão, pois exalta os momentos de afago e de amor entre uma prostituta ("moça das docas, sombra das ruas") e um cavalheiro elegante, que usa seu "lenço de seda sobre o ombro" e parece mesmo "um rei". "O amor faz chorar/ Como a existência/ Dá-nos todas as chances." Quando o cavalheiro se vira, para olhá-la, seus olhos estão úmidos. Ela o reconforta e faz que ele ria e cante: "Eh, bem, vejamos, Milord!/ Sorria para mim, Milord!/ ...Melhor do que isso!/ Um esforço só.../ Vamos, é isso!/ Vamos, ria, Milord!/ Vamos, cante, Milord!" Nunca há o que lamentar numa vida vivida assim – conforme Piaf canta na última de suas grandes canções, *Non, je ne regrette rien* – porque esses momentos de intensidade não são investimento para o futuro. Só o presente interessa. Quando há tão poucos instantes que nos dão a chance de prender a vida em nossas mãos, eles devem ser agarrados, incondicionalmente.

∞

A premissa do existencialismo de Piaf implica deixar que as coisas aconteçam, seja o que for, e abrir os braços ao que vier – e logo quando acontece. Este pressuposto está muito próximo de um entendimento específico do que significaria pensar – um entendimento particular que obsessivamente preocupava Martin Heidegger, em especial durante os anos do pós-guerra. Num documento de 1955, o filósofo lastima a tendência contemporânea de "fugir ao pensamento";[67] mais especificamente, aquilo que Heidegger acreditava que os seus contemporâneos estavam tentando evitar era o pensamento como processo, o pensamento enquanto movimento. Mas como poderia o pensamento ser começado, como é que poderia ter início? Acima de tudo, afirma Heidegger, não querendo que ele aconteça. O pensamento não ocorrerá através de algum esforço, ou assumindo um papel ativo. Temos de permitir que o pensamento aconteça. Assim, esse conceito se relaciona de perto com o de *"Gelassenheit"* (isto é, a "atitude de deixar-acontecer"): "A essência da verdade é deixar

---

67 Heidegger, *Gesamtausgabe 16*, p.519.

ser como é."⁶⁸ Outro texto de Heidegger, de 1945, relaciona explicitamente essa atitude de "deixar-acontecer" com "pensar": "Desconfiamos que a essência de pensamento que estamos tentando achar é deixar acontecer o que quer que encontremos. [...] Quando permitirmos que ocorra o deixar acontecer desses encontros, também passaremos a desejar o sem-querer."⁶⁹

Deixar o pensamento acontecer parece uma reação plausível, num mundo em que não se pode atravessar fronteiras, e onde a consciência, a subjetividade e a agência foram transformadas em figuras estáticas. Por outro lado – será que "deixar acontecer o pensamento" implica alguma coisa sobre a qualidade, a relevância ou o impacto potencial do que acabará por emergir dali? Imagino que Heidegger tivesse respondido a pergunta com um rotundo "não" – isto é, que não haja garantia da qualidade filosófica do pensamento se (conforme deveríamos fazer) deixarmos que ele aconteça. Temos de deixar o pensamento ocorrer, parece sugerir Heidegger, porque não temos alternativa (o verdadeiro pensamento nunca é resultado da iniciativa humana); ao mesmo tempo, seria errado assumir que o deixar-o--pensamento-acontecer deve produzir resultados substantivos. Há uma convergência inquietante entre a insistência do Heidegger do pós-guerra no deixar o pensamento acontecer e uma famosa cena do Godot de Beckett (a qual me referi no primeiro capítulo). É a cena em que Pozzo faz Lucky pensar.⁷⁰

Num dado momento, Pozzo pretende que Lucky entretenha Estragon e Vladimir; então, Lucky põe-se a dançar. Estragon

---

68 Ibid., p.728.
69 Heidegger, *Gesamtausgabe 13*, p.57.
70 Beckett, *Waiting for Godot*, p.44.

e Vladimir não se mostram impressionados: "ESTRAGON: Pooh! Até eu faria isso [*E, imitando Lucky, quase cai.*], com um pouco de prática."[71] Depois, começam a inventar nomes para a dança de Lucky: "ESTRAGON: A agonia do bode expiatório. VLADIMIR: Fezes duras. POZZO: A rede. Ele pensa que está emaranhado numa rede."[72] (Este comentário, aliás, recorda-me os muitos espaços de saída ou entrada que já discuti aqui.) Em seguida, Vladimir diz a Pozzo: "Diz-lhe que pense."[73] Pozzo sabe que Lucky só consegue pensar se estiver usando chapéu. Põe um chapéu na sua cabeça, e Pozzo grita "Pense, porco!".[74] Após alguns instantes de hesitação – enquanto Vladimir, Estragon e Pozzo ouvem, alternando entre atenção enlevada e reprovação violenta –, Lucky começa sua tirada de pensamento, que se estende por mais de três páginas, sem pontos nem vírgulas. O "pensamento" de Lucky consiste de palavras desnudadas, largadas à solta sem nenhum sentido consistente – palavras a que também faltam um mecanismo interno de contenção:

> Dada a existência conforme enunciado na obra pública de Puncher e Wattmann de um Deus pessoal quaquaquaqua de barba branca quaquaquaqua fora do tempo sem extensão que desde as alturas da apatia divina indiferença divina afazia divina carinhosamente nos ama com algumas exceções por desconhecidas razões mas o tempo dirá e sofre como a divina Miranda com os que por desconhecidas razões mas o tempo dirá são atirados ao tormento pelo fogo cujas

---

71 Ibid., p.41.
72 Ibid., p.42.
73 Ibid., p.43.
74 Ibid., p.44.

labaredas se isso continuar e quem poderá duvidar que continue incendiarão o firmamento ou seja explodirão o inferno até o céu tão azul quieto e calmo tão calmo com uma calma que apesar de intermitente é melhor do que nada porém mais devagar e tendo em conta o resto que como resultado dos trabalhos deixados por terminar coroados pela Acacacacademia de Antropopopometria de Essy-em-Possy de Testew e Cubard...[75]

E assim vai, por mais duas páginas, até que *"Vladimir agarra o chapéu de Lucky. Silêncio de Lucky. Ele cai. Silêncio"*.[76]
Em 1947, a rádio nacional francesa soltou um processo semelhante de pensamento, ao encomendar um texto a Antonin Artaud, que até pouco tempo antes estivera internado em instituições psiquiátricas. O que Artaud entregou deveria ter ido para o ar em 2 de fevereiro de 1948, com o título *Pour en finir avec le jugement de dieu* [Para acabar de vez com o juízo de Deus]. Porém, o programa foi cancelado no último minuto, e nunca seria transmitido — para grande frustração de Artaud (que protestou, durante os meses que ainda viveu). O texto de Artaud foi censurado pela obscenidade e pelo gritante antiamericanismo. Essas considerações eram certamente plausíveis. Mas, apesar de tudo, apelidar a obra de "antiamericana" é atribuir-lhe um caráter que provavelmente não possui. Tal como a tirada de Lucky, o texto de Artaud consiste de palavras-enquanto-pensamento, pensamento libertado e encenado como dança — na coreografia de uma antiga religião mexicana —, intermináveis palavras e imagens que envolvem "esperma":

---

75 Ibid.
76 Ibid., p.47.

Soube ontem de
uma das mais sensacionais práticas oficiais das escolas públicas na América, e que deve ser a razão por que esse país acredita que é o porta-estandarte do progresso.
Parece que, entre os muitos testes que as crianças têm de realizar antes de entrarem na escola, há o chamado teste seminal, ou de esperma,
e consiste em pedir a cada menino um pouco de seu esperma, e introduzi-lo num recipiente
e tê-lo ao dispor para experiências com inseminação artificial que possam acontecer.
É que os americanos estão cada dia mais convencidos de que lhes faltam armamento e crianças
[...]
são necessários soldados, exércitos, aviões, armamento,
daí o esperma
em que pareceria que o governo americano
ter o rabo a pensar.
Porque nós temos mais do que um inimigo, meu filho,
nós, os capitalistas natos,
e entre esses inimigos
a Rússia de Stálin,
a quem não faltam braços armados.
Isso está tudo bem,
mas eu não via o povo americano como povo guerreiro [...][77]

---

77 Artaud, To Have Done with the Judgment of God. In: Sontag (Org.), *Selected Writings*.

Depois de 1945

Assim como Heidegger, que argumentava a favor do pensamento como deixar-o-pensamento-acontecer, Lucky e Artaud praticavam o pensamento simplesmente como deixar as palavras seguirem (ou chegarem). Os três viviam situações de confinamento. Depois de 1945, passou um tempo considerável até que Heidegger voltasse a ter autorização para dar aulas na Universidade de Friburgo; Lucky está sob o comando de Pozzo, seu mestre sadista e viciado; Artaud definhara, trancado atrás das portas das instituições psiquiátricas. É como se, para libertar o pensamento do controle da consciência, fosse necessário passar pela privação da liberdade – como se, a partir do confinamento, o pensamento conseguisse sobressair das frequentes quedas no silêncio, que foram encarnadas por Walter Funk no Tribunal de Nuremberg.

O problema óbvio quando se liberta o pensamento é que, sem uma entidade de controle (um "agente"), o fluir dos pensamentos e das palavras pode não atingir uma definição. Era precisamente isto – creio – que consistia, para Hannah Arendt, em *A condição humana*, uma preocupação latente. A autora propunha, como solução, o conceito de *"vita activa"*:

> Por fim, o pensamento – que nós, na senda da tradição pré-moderna, tal como da moderna, omitimos de nossa reconsideração da *vita activa* – é ainda possível, e sem dúvida é concreto, desde que os homens vivam em condições de liberdade política [...] porque se não houver outro teste além do estar ativo, se mais nenhuma medida da pura atividade for aplicada às várias atividades dentro da *vita activa*, pode ser que o pensamento como tal os ultrapasse a todos. Quem quer que tenha alguma experiência nesta matéria, saberá como estava certo Catão, quando escreveu: *Numquam se plus agere quam nihil cum ageret, numquam minus solum esse quam cum solus*

esset – "Não está ninguém mais ativo do que aquele que nada faz, nunca está menos sozinho aquele que está só consigo mesmo".[78]

Estas são as frases derradeiras do livro que Arendt publicou em 1957. O pensamento sobre o qual ela escreveu estava – uma vez mais – ligado a, e definido por, um Sujeito autotransparente. Era um ideal que Arendt afirmava – e não uma realidade empírica do seu tempo.

---

78 Arendt, *The Human Condition*, p.324-5.

5
Descarrilamento e contentores

Em 24 de junho de 1948 – em retaliação contra a introdução, quatro dias antes, da nova moeda nas três zonas ocupadas pelas forças ocidentais –, Josef Stálin impediu o trânsito e o transporte, por qualquer meio (estrada ou ferrovia), para Berlim. Vista de hoje, esta decisão parece ter marcado o início da separação do país, que haveria de durar até 1989. No entanto, não era essa a razão de Stálin para esta medida drástica. Provavelmente, ao contrário do que ele e outras pessoas envolvidas tinham em mente, a ação fez descarrilar a estratégia comunista.

Se no começo desse ano os Aliados e outras nações europeias tinham pensado na possibilidade de uma Alemanha Ocidental como Estado separado, parece que a União Soviética se agarrava firme à assunção ideológica de que a revolução do proletariado haveria de continuar; isso significa que a Alemanha como um todo deveria se tornar uma nação socialista (processo que se tinha como certo desde o tempo de Lenin). Só em 15 de agosto de 1948 o governo soviético se propôs a suspender o bloqueio a Berlim caso fosse lançada uma moeda comum – e assim foram abandonados todos os planos que envolvessem um Estado da Alemanha Ocidental. Ao mesmo tempo que os Estados Unidos, a Grã-Bretanha e a França estavam abertos a negociações de uma economia partilhada, estes países acreditavam agora que não havia alternativa aos estados separados. Após alguma hesitação inicial, da parte dos Estados Unidos, foram realizadas três pontes aéreas entre a Alemanha Ocidental e Berlim, com mais de duzentos voos por dia. A operação, que foi engendrada pelo general Lucius D. Clay e executada por forças aéreas americanas e britânicas, foi tão eficaz que os sovietes perderam o poder de fazer jogo político anexando os setores da Berlim Ocidental. Em vez de manter a opção de um Estado alemão unificado, sob o governo socialista, a experiência de poder dos Aliados do Ocidente levou-os a eliminar de vez essa possibilidade. Era esse resultado, precisamente, que Stálin tinha tentado evitar.

Nas antigas colônias britânicas da Palestina e da Índia, a estratégia política contrária sofreu um descarrilamento parecido. Ali, o poder colonial, em retirada, pretendera evitar as tensões políticas de motivação religiosa — que poderiam levar à guerra civil —, através da separação. Antes de ser garantida a independência nacional, criariam um Estado Indiano e um Estado Paquistanês, um Estado Judeu Israelita e um Estado Muçulmano da Palestina. No entanto, essas separações profiláticas geraram mais intolerância — e mais agressões — em relação aos grupos minoritários que ficaram onde não "pertenciam" do que já havia antes. Ao mesmo tempo, parece que as minorias muçulmanas, na Índia e em Israel, se revelaram mais sensíveis do que antes (isto é, antes de estarem em cena as condições de "diáspora") a novas pressões vindas da maioria. Em ambos os casos, a estratégia inicial, que pretendia promover a paz, criava potenciais teatros de guerra, que se mantiveram até os nossos dias e que são hoje zonas nevrálgicas da política mundial.

A esquerda, em particular, descobriu que a adesão excessiva a objetivos e planos políticos específicos ocasionava esse tipo de descarrilamento. A experiência fornece o *leitmotiv* da narrativa de *Don Camillo e Peppone*, que conta as lutas (e a amizade secreta) entre o prefeito comunista e o padre católico de uma aldeia do norte da Itália no pós-guerra. A um dado ponto, Peppone dá instruções aos seus camaradas e apoiadores do partido para não participarem da procissão anual até o rio, em que o padre carrega um pesado crucifixo desde a igreja local, para pedir a Deus que proteja das cheias as casas e os campos. A razão pela qual o prefeito se opõe à participação dos membros do partido é que Don Camillo não permite que os comunistas usem, na ocasião, seus lenços vermelhos. Peppone deixou também muito claro para a população religiosa que puniria com severidade quem quer que se atrevesse a entrar na procissão com Don Camillo. Para piorar ainda mais a situação, os comunistas realizam um bloqueio à solitária procissão do padre. "Na falta de um tanque de guerra",[1] Don Camillo se recusa a deter sua marcha e ameaça os inimigos, erguendo o crucifixo como um bastão. "Estou cedendo a Ele", diz Peppone, referindo-se a Cristo crucificado "– e não a você". Reunida atrás do prefeito, toda a força da resistência comunista segue então padre e crucifixo até o rio. Ao chegar ali, Peppone pronuncia "Amém" e ele mesmo faz o sinal da cruz, depois de Don Camillo ter dirigido a Deus estas (previsivelmente) equívocas palavras:

---

[1] Guareschi, *Don Camillo und Peppone*, p.93-4.

Jesus, se nesta maldita aldeia as casas das poucas pessoas justas pudessem flutuar feito a Arca de Noé, rogar-Te-ia que submergisses tudo o mais sob a água. Mas, como as casas dos honestos são feitas dos mesmos materiais que as dos muitos pecadores, e porque não seria certo os bons sofrerem o castigo dirigido contra os malfeitores, como o prefeito Peppone e seus ímpios camaradas, rogo-Te que protejas a aldeia de todas as cheias e que lhe concedas prosperidade.[2]

Uns episódios adiante, o velho bispo da diocese de Don Camillo faz uma visita à aldeia, para benzer o "Centro Recreativo Popular" do padre – uma estrutura que foi construída para competir com a "Casa do Povo" de Peppone (claro que os dois edifícios ficam prontos no mesmo dia). Novamente, o prefeito reúne seus acólitos para fazerem um bloqueio na rua. Desta vez, os comunistas marcham em grupos pequenos pela rua, fingindo estar embrenhados em intensas discussões. O líder deles lhes pede que mostrem "sublime desinteresse" e uma "indiferença digna" perante o bispo, que Peppone tinha já conhecido (quando ele tentara fazê-lo adotar uma atitude mais indulgente em relação ao zelo político de Don Camillo). Quando o bispo chega, de conversível, aos limites da aldeia, vê-se forçado a parar o automóvel. O bispo nem sequer tem tempo de abrir a porta, e logo um dos homens de Peppone – cedendo aos seus "instintos" católicos que mal tinha reprimido – sai em seu auxílio. Começa, então, outro descarrilamento, desta vez com consequências mais complexas.

---

2 Ibid., p.94.

Depois de 1945

Em vez de regressar ao automóvel, o bispo decide fazer o resto do caminho a pé. Assim, caminha rodeado pelo prefeito e seus amigos, que todo o tempo tentam arduamente (mas em vão) manter o ar de "indiferença digna" que tinham assumido. Desnecessário dizer que os comunistas logo cruzam com Don Camillo e com o comitê de recepção – o ajuntamento que tinham querido evitar. O padre, efusivamente, pede desculpa ao bispo. A resposta – de ingenuidade e honestidade sublimes – apenas consegue que a procissão prossiga: "Não se preocupe, foi tudo culpa minha, porque decidi sair do carro e caminhar até a aldeia. Sabe, nós, bispos, vamos ficando um pouco tolos à medida que envelhecemos."[3] Peppone usa sua magra vantagem, inadvertidamente obtida, para levar o bispo direto para a "Casa do Povo". Claro que o senil prelado admira intensamente o edifício. A mesma confusão faz com que Don Camillo se veja obrigado a visitar o novo centro comunitário de Peppone, "numa situação psicológica muito peculiar".[4] Mais tarde, o bispo chega finalmente ao Centro Recreativo de Don Camillo e consagra-o, com as devidas orações. Por último, chega ao destino que estava à sua espera. Mas isto só ocorre ao fim de muitas complicações. O descarrilamento renova a estranha simpatia mútua que uniu o bispo e Peppone desde o seu primeiro encontro. Também dará a Don Camillo – e, mais tarde, a Peppone – ampla oportunidade de contar ao bispo dos "centros de munições" secretos que ambos instalaram nos dois edifícios, para o caso de estourar uma guerra civil:

---

3 Ibid., p.126.
4 Ibid., p.127.

— Pena, monsenhor — disse Don Camillo, em voz suficientemente alta para Peppone não deixar de escutar. — Muita pena o sr. Peppone não ter deixado o senhor ver o centro de munições dele. Parece que é o mais bem munido de toda a província.
Peppone teria respondido, se o bispo lhe tivesse permitido.
— Mas penso que não esteja tão bem provido quanto o seu — respondeu com um sorriso.[5]

Mas a Guerra Fria — tal como foi, aos poucos, ganhando forma depois de 1945 — não chegou a ver a centelha que culminaria em uma guerra mundial de cujo final sairia, de forma definitiva, a vitória do comunismo ou do capitalismo. Em vez disso, a Guerra Fria se transformou num labirinto de desvios que acabaria levando a resultados que ninguém previra, onde as aparências de paz tantas vezes ocultavam um potencial explosivo.

∞

Não me lembro de um único Natal, na infância, que não tenha sido passado na casa dos meus avós — uma antiga cabana de caça, isolada mas bem confortável, a pouco mais de 300 quilômetros a nordeste da cidade onde vivia. No inverno, as árvores altas ao redor da casa davam o ambiente de cartão-postal perfeito para a estação. Surpreendentemente, meu avô conseguira comprar um automóvel para meus pais: um Opel Olympia cor bege, novinho em folha, e que, por uma complexa razão administrativa que me escapava, tinha a placa de identificação da "zona de ocupação

---

5 Ibid., p.128.

britânica", onde meus avós moravam. Como eu vivia com meus pais na zona de ocupação norte-americana, aquelas palavras tinham quase uma aura exótica de coisa estrangeira. A jornada até a cabana passava pelos montes da Spessart, a oeste de Frankfurt, região que na época era quase sempre usada para treinos do exército americano, como se vê documentado no filme de Elvis Presley *G.I. Blues*, de 1960. Fora sobretudo para aquela parte da viagem, que o gelo e a neve tornavam mais perigosa, que meus pais haviam comprado o aquecimento para o automóvel. E eu sentia orgulho de ter a tarefa de manter pelo menos uma porção do vidro de trás aquecido e transparente para o condutor.

Certo ano, durante a viagem de Natal, seguíamos lentamente, logo atrás de um Fusca, um tanque americano. De súbito, o tanque começou a guinar à esquerda, devagar, e a girar em círculos, como se entrasse em uma dança selvagem, irresistível e em aceleração cada vez maior. Mais tarde, meu pai me explicou que aquilo deveria ter acontecido por conta de alguma correia quebrada no tanque. Eu vi quando a parte mais elevada do tanque, por baixo do longo canhão, caçou o Fusca e de súbito lhe alisou a parte da frente, onde seguiam os dois passageiros; vi depois como arrastou o carro, às voltas, até transformar aquele corpo numa sucata que já não se parecia em nada com um automóvel. Meus pais tinham parado, à espera que terminasse a dança do tanque. Durante alguns minutos discutiram se seria seu dever, sendo ambos médicos, dar assistência aos passageiros do Volkswagen. Mas quando o tanque finalmente parou, concluíram que qualquer ajuda teria chegado tarde demais, e dirigimos devagar para seguir viagem até a casa dos meus avós, na floresta. (Fiquei numa obsessão só, durante vários dias, imaginando dois corpos humanos fundidos naquela bola de metal que havia sido automóvel.)

Não quisemos fazer meu avô esperar, ele que era sempre tão meticuloso em calcular a margem mais próxima e a mais atrasada da nossa chegada na cabana, e que só descansava quando lhe parecia que meu pai não tinha nem dirigido tão depressa nem ficado preso por nenhuma circunstância que lhe escapasse ao controle.

Meu avô nascera na pequena aldeia que ficava a meia hora da cabana. Fizera fortuna, durante os anos do nacional-socialismo, numa cidade industrial próxima dali, com uns poucos bares que era autorizado a gerir, no bairro da luz vermelha, e com uma pequena fábrica de bebidas de elevado teor alcoólico. Até onde sei, meu avô, que dera o nome à família, havia se mudado para o campo nas semanas finais da guerra, provavelmente mais preocupado em proteger-se a si mesmo contra o que veio a se chamar de processo de "desnazificação" do que com os militares americanos, acerca dos quais falava com grande condescendência. (Ao contrário de verdadeiros heróis de guerra, os soldados americanos insistiram em vasculhar cada quartinho da cabana como se ali houvesse algum perigo.) Até a sua morte, em 1958, meu avô e a sua esposa nunca mais regressaram a Dortmund. Ele manteve os rendimentos dos negócios através de deslocações semanais à cidade e com a ajuda de um secretário de ar demoníaco, chamado "Herr Molgedei", que não parava de discorrer sobre a "matéria" e sobre a ilusão da vida eterna (como se anunciasse o seu suicídio, que veio a ocorrer muito antes da morte do meu avô.) Os negócios iam bem de tal modo que meu avô pôde dar-se ao luxo de comprar um enorme Opel Kapitän preto, com rodas brancas cromadas, e de contratar um motorista de nome polonês, que usava um boné como o de um policial (e que deveria ser sua ideia do que era um uniforme profissional.)

Todos os anos celebrávamos a véspera de Natal no aconchego da cabana, rodeados da sua paisagem romântica sob a neve, cantando as canções tradicionais e – era esta a minha parte preferida – ouvindo as memórias do passado, que parecia ora mais distante e glorioso, ora mais próximo e real. Nessas histórias, as autoridades norte-americanas e britânicas sempre eram "os maus" que tínhamos de suportar para sermos realistas na situação. Havia uma história em particular que me fascinava e que eu nunca conseguira entender por completo. Havia grandes recipientes com álcool, escondidos em algum lugar na floresta. A certa altura, pouco depois da guerra, meu avô teve de destruir esses recipientes – o que muito lamentou, mas que reconhecia ter sido por algum imperativo de necessidade –, apesar do receio de causar algum incêndio.

A memória desses recipientes de vidro, potencialmente perigosos, me voltou pela primeira vez décadas depois, quando vi a cena final do filme *O casamento de Maria Braun*, de Rainer Werner Fassbinder. Maria Braun – como tantas outras mulheres alemãs – aguardava que seu marido voltasse da guerra. Abandonou o soldado norte-americano negro que fora seu amante durante a ausência do marido – e depois ajudaria este a matar o amante. Durante anos, trabalhou – bastante e com eficácia – em favor da reemergente economia alemã; com isso pôde finalmente comprar uma luxuosa mansão para viver com o marido, quando ele saiu da prisão. Acontece que Herr Braun sai da prisão no dia 4 de julho de 1954 – dia da Copa do Mundo, quando a Alemanha jogou contra a Hungria. Herr Braun insiste em escutar a transmissão da partida, no rádio, antes de se deitar com a mulher.

Nervoso, nos momentos finais da partida, ele tenta acender um cigarro no fogão a gás, na cozinha, o que provoca uma explosão que destrói a casa e cobre ele e Maria de ruínas.

∞

Naturalmente, o calor e a segurança de uma casa eram essenciais para a imaginação do pós-guerra. Pelo menos na Alemanha, esse desejo era sempre atravessado por um sentido de precariedade, de impossibilidade ou de perigo. Na peça de Wolfgang Borchert, o soldado Beckmann só consegue se referir sarcasticamente ao chá com rum, ao fogão, às poltronas de braços e às persianas na sua antiga casa de coronel: "Sem sangue. Estamos já olhando em frente, para os lençóis lavados que nos esperam no quarto, macios, brancos e quentinhos."[6] Mais adiante, o soldado sente que poderia ser feliz deitado, com seus pais, numa vala comum.[7] Em 1949, Gottfried Benn escreveu um poema sobre uma casa que parece recordar do passado – uma casa que talvez já nem fosse habitada, com o "silêncio" e a "noite" separando-a do presente:

> Uma larga trincheira de silêncio,
> um muro alto de noite
> ao redor dos quartos, das escadas,
> onde viveste e estiveste desperto.
> Tombando em direção ao futuro,
> e ecoando o passado,

---

[6] Borchert, *Draussen von der Tür und ausgewühlte Erzählungen*, p.23.
[7] Ibid., p.41.

Depois de 1945

ainda a estrofe se sustenta:
"Sobre estas cadeiras negras,
os fados te foram tecendo,
dos jarros que estavam cheios
te emanavas e te dispersavas,
por uma teia de sonhos idos,
sobre teus traços emagrecidos".
Até cerrarem as rimas
Inventadas pelos versos,
e flutuarem as pedras e as trincheiras
até à larga terra cinzenta.[8]

Tudo aquilo que oferecia segurança e proteção está no passado (onde um dia "enchia os jarros"); no presente, decai e se desintegra em "traços emagrecidos".

Ao mesmo tempo, telhado algum poderia ser construído que pudesse abrigar as crianças do presente e do futuro. É o mesmo receio, a mesma preocupação, que são veiculados num poema da crítica literária Lili Sertorius, publicado em *Die Wandlung* em março de 1947:

Mas uma coisa quero construir: de tijolos e de restos,
uma cabana onde as crianças perdidas
que precisam ainda dormir podem se agachar e achar abrigo
quando a noite vem com suas estrelas solitárias.

Ser sem abrigo é a colheita amarga do novo trigo:
devagar, o lavrador pega o novo milho e atira

---

8 Benn, *Gedichte*, p.356.

para o campo vazio o que pegou.
O lar, pelo contrário, é como a erva que se semeia a si mesma, sempre a mesma [...]

Vazios e como o céu claro do entardecer,
assim ficaram os campos. Sem esforço,
um dia embalarão estrelas, sorrindo e piscando
no veludo azul da noite.[9]

Alguma coisa se interrompeu. "O lar [...] é como a erva que se semeia a si mesma", e não existe telhado que dê segurança se ainda não foi construído – ou seja, enquanto estiver por semear, como o trigo nos campos, todos os anos. Quanto mais se intensifica a necessidade de abrigo, maior é a desolada consciência da impossibilidade da sua construção. Muitas vezes, esse desejo de abrigo e de proteção se relaciona com a vontade de ter absorvido a substância do nosso ambiente material – e assim estar "unido" a ele, como se através do metabolismo de uma cosmologia arcaica:

Existem duas dádivas diferentes, no respirar:
a dádiva da inalação e a do deixar ir.
A primeira te pressiona, a outra refresca;
desse modo maravilhoso a vida se alterna. (Schaefer, 214)

∞

---

[9] Sertorious, Die vorletzten Dinge, *Die Wandlung: Eine Monatsschrift* 2, n.3, 1947, p.223.

Depois de 1945

"Fuga da Morte" foi o poema que deu fama a Paul Celan. Ainda hoje é a sua obra mais conhecida. Sobrevivente de guerra, oriundo de uma família romena-alemã de judeus – a maioria assassinada em campos de concentração nazistas –, Celan publicou o poema originalmente em *Der Sand aus den Urnen* [Areia das urnas], um volume de versos editado em Viena em 1948. Integrava também *Mohn und Gedächtnis* [Ópio e memória], o primeiro de seus livros de poesia a ser publicado na Alemanha (em 1952). Os versos iniciais descrevem um absorver do ambiente em torno do locutor:

> Leite negro da aurora bebemos ao anoitecer
> Bebemos ao meio-dia de manhã bebemos à noite
> Bebemos e bebemos e bebemos.[10]

A estes versos segue-se uma imagem que, a esta altura, já nos é familiar: a sepultura, o espaço que rodeia e sustenta os corpos – os cadáveres. No entanto, esta sepultura, em particular, é uma "sepultura no vento" – uma sepultura no ar e no céu, ainda que tenha sido feita por nós: "Escavamos uma sepultura no vento aí estamos sem estar encerrados." Talvez a "sepultura no vento" sirva também para conjurar a ideia de *Luftmenschen* ["gente do ar"] – designação metafórica que a cultura alemã dava aos judeus (que supostamente levavam uma existência "errante").

O sonho de jazer protegido, mas "sem estar encerrado", responde aos movimentos perigosos que acontecem instigados por um homem que "escreve quando cai o crepúsculo sobre a Alemanha". O movimento, que se torna incontrolável, também

---

10 Celan, *Gesammelte Werke 1*, p.41.

põe os judeus em ação, pois eles devem escavar suas próprias sepulturas, ao mesmo tempo que – no mesmo respirar – são chamados "a iniciar uma dança":

> Um homem habita na casa brinca com as serpentes e escreve
> e escreve quando cai o crepúsculo sobre a Alemanha teu cabelo de ouro Margaret
> ele escreve e sai pela porta e as estrelas cintilam
> assobiando ele invoca a matilha
> ele invoca os seus judeus na terra e os faz escavar uma sepultura
> ele nos manda começar uma dança[11]

Celan transforma a fuga, forma musical fundada na repetição com variação, num princípio de composição textual. A frase "uma sepultura no vento aí estamos sem estar encerrados", que combina a morte e o desejo de proteção, reaparece duas vezes – como as serpentes com que o alemão brinca. "Leite negro da aurora" repete-se três vezes. No final, a matilha de cães reúne-se com as cobras: o homem "solta os cães sobre nós" enquanto "nos garante uma sepultura no vento/ brinca com as serpentes e sonha acordado que a morte é um patrão que veio da Alemanha".[12]

O poema de Celan possui uma gravidade singular porque emprega – e transforma – dois motivos que muitas vezes cumpriram uma função consolatória nos anos do pós-guerra: o motivo de uma conexão metabólica com nosso entorno físico, e o motivo de um espaço confinado que ofereça proteção. Estes

---
11 Ibid.
12 Ibid.

se transformam em motivos de morte enquanto preservam um sentido inicial positivo. O "leite da aurora" é "negro" e o espaço protetor é uma sepultura que "nós" — como os judeus nos campos de concentração alemães — temos de escavar nós mesmos. Desconheço outro texto em que a relação entre um movimento que ameaça fugir do controle e o desejo de uma clausura defensiva seja mais inseparável — ou mais circular e, por isso, mais desesperada. Nenhuma solução — nem perspectiva positiva — se achará em lugar algum, a não ser na morte. Paradoxalmente, só a morte oferece redenção do — e proteção contra — assassínio. É por isso que o cabelo de ouro de Margaret não pode aparecer sem o "cabelo de cinza" de Shulamith. Será a morte, aqui, uma saída, a saída de um mundo em que nada pode ficar para trás — mas uma morte para além da qual não existe vida alguma esperando?

A obra poética inicial de Paul Celan apresenta variações quase infinitas do motivo do "contentor", registradas com outras tantas nuances diferentes de emoção. Uma densa teia de associações e de tensões — e a subjacente relação entre o desejo de contentores e de situações de descarrilamento (ou de movimentos que fogem ao controle) — está sempre à vista. Vidros, xícaras e cálices — ou seja, contentores de líquidos que convidam a beber — aparecem em grande parte da sua obra desde o final da década de 1940 e o início da de 1950:

> a mesa move-se por ondas, subindo e descendo as horas,
> o vento enche as xícaras,
> o mar aproxima o alimento:
> o olho errante, o ouvido trovejante,
> o peixe e a serpente —

a mesa move-se por ondas, saindo e regressando da noite,
e sobre mim drapejam bandeiras das nações,
e a meu lado, tem gente remando caixões até a costa,
e por baixo de mim brilham os céus e as estrelas, como em casa no São João![13]

Vidros, xícaras e cálices reúnem os elementos do mundo natural que nos rodeia. Eles contêm o mar e o céu, a água e as tempestades. Quase sempre conjuram – dentro do espaço textual aberto pelos versos e pelas estrofes – imagens de diferentes vasos, de formatos diferentes – tais como os "caixões" que a "gente rema até a costa". Porém, todos esses contentores podem se romper e derramar aquilo que neles se reuniu:

Quem usa o sangue por moeda e a morte por vinho, como tu e todos os cravos usam,
sopra o vidro para formar por minhas mãos o cálice,
dá-lhe a cor vermelha com a palavra que não pronunciei,
quebra-o em cacos com a pedra de uma lágrima distante.[14]

O jarro de barro talvez seja a imagem favorita de Celan. Ao contrário dos vidros, os jarros têm barrigas que seguram e pescoços que protegem o líquido dentro de si, em vez de oferecerem ao céu uma superfície fluída. Então, porque são antropomórficos, os jarros também fazem parte do grupo dos humanos e dos deuses. Por vezes, são objetos. Outras vezes, são companheiros:

---

13 Ibid., p.76.
14 Ibid.

Depois de 1945

Às mesas compridas do tempo
os jarros de Deus festejam.
Bebem e esvaziam os olhos dos que veem e dos cegos,
os corações das sombras que perduram.
São os mais potentes festeiros.
Trazem o vazio até a boca e a plenitude
e nunca deixam transbordar, como tu e eu.[15]

Os jarros bebem os olhos. Ao mesmo tempo, porque são contentores, os jarros também são pesados e podem se quebrar.[16] Juntam-se os jarros, protegem e oferecem às bocas humanas os elementos do mundo material; mas parecem ter vida própria. Enquanto "coisas vivas", receberam muitas vezes a bênção divina ou humana, e os olhos humanos podem contemplá-los.[17]

Se os jarros tantas vezes ganham vida nos poemas de Paul Celan, os mexilhões e as conchas pertencem ao mundo material – o mundo do coral,[18] das pérolas, dos seixos e da lua. Jamais deixam escapar a matéria dura que contêm. Mas até os vasos cheios de líquido e tecido – como uvas, nozes e pústulas – raramente deixam escapar seja o que for. Mantêm-se inertes, por resgatar – sem a bênção divina. "Corona", um dos poemas iniciais mais conhecidos de Celan, revela uma exceção. Aí, o tempo é "descascado das nozes" – durante um momento –, mas depois regressa ao lugar de onde viera:

---

15 Ibid., p.56.
16 Celan, *Gesammelte Werke 3*, p.14.
17 Id., *Gesammelte Werke 1*, p.78.
18 Id., *Gesammelte Werke 3*, p.128.

Da minha mão come o outono a sua folha: somos amigos.
Descascamos o tempo das nozes e ensinamo-lo a caminhar:
O tempo regressa ao emparelhamento.[19]

Ainda que os contentores se reúnam e condensem o mundo natural, não disponibilizam logo aos seres humanos aquilo que agregam. Os contentores vazios, em particular – como as tendas que conhecemos das sequências narrativas na *Torá* (e como as sepulturas, os caixões, os fortes ou as cadeias, também) –, oferecem proteção, mesmo quando negam a liberdade de sair. Na medida em que negam essa liberdade, eles significam a proximidade da morte:

Ponha seu pé na vala, arme a tenda:
a irmã lhe seguirá ali,
e a morte, emergindo da pálpebra,
dividirá o pão de boas-vindas
e tomará a taça, como você toma.

Há de temperar o vinho para a morte.[20]

Nestes textos em que os contentores não barram a saída nem deixam transbordar sua substância interna, muitas vezes eles se ligam com outros vasos, que formam parte dos organismos vivos: acima de tudo, ligam-se com as bocas, mas por vezes também com as mãos; as mãos e as bocas transformar-se-ão em botões e flores – em ventres, desejo e um coração batendo:

---

19 Celan, *Gesammelte Werke 1*, p.37.
20 Ibid., p.73.

Depois de 1945

Bebemos com ávidas bocas:
sabia a fel, mas borbulhava como vinho –
Segui o radiante de teus olhos,
e a língua nos prometeu doçura.
(cuspia, ainda cospe.)

Silêncio! O espinho vai mais fundo no seu coração:
É o aliado da rosa.[21]

Nada – nem sequer a ligação metabólica entre o mundo e a vida – estará livre da precariedade e do risco no mundo de palavras e de imagens de Celan. Assim como os jarros podem quebrar, também as bocas podem endurecer, virar gelo e pedra.[22] Em raras ocasiões, os contentores podem transformar-se em palavras ou em nomes, e invocar aquilo que representam.

O que deveremos extrair deste mundo poético e da intensidade de sua imagética? Seus múltiplos e sobretudo sobrepostos elementos não cedem a uma doutrina coerente nem a nada que pudéssemos chamar de "sistema". Em vez disso, quando lemos os primeiros textos de Celan, sentimos que estamos dentro de um campo de forças. A presença central do motivo do contentor promete proteção – a totalidade da vida material a qual a existência humana pode se agarrar, enquanto as forças e os movimentos que estão para além do controle ameaçam constantemente fazê-la descarrilar. No melhor dos casos – mas é raro acontecer – os vasos representam o lado nutriente dos metabolismos que vivificam. Por outro lado, podem frustrar-nos,

---

21 Ibid.
22 Ibid., p.114.

quebrando ou rejeitando nosso desejo de substância; quando isso acontece, somos aprisionados pela amargura, pela petrificação, pela morte. No final, a morte poderá nos dar a única saída que nos redime do perigo, da dor, da tortura. Nesse campo de tensão, nada existe sem ambiguidade. Sobreviverá aquele que arrancar do peito o coração; não há alegria sem dor ou sem medo; nenhum coração bate sem a ameaça da morte, num universo feito de desejo, de substância e de tensão entre as coisas que se juntam e que seguram o mundo material:

> Quem arrancar o coração do peito, à noite, alcança a rosa,
> Dele é sua pétala e seu espinho,
> por ele a rosa acenderá o prato,
> por ele encherá taças com seu sopro,
> por ele as sombras do amor rugirão.
>
> Quem arrancar o coração do peito, à noite, e o lançar alto,
> do alvo não desviará,
> endurecerá a pedra,
> por ele o sangue fará soar o relógio,
> por ele baterá a hora o tempo de seu braço:
> ele poderá brincar com lindas esferas
> e falar sobre ti e sobre mim.[23]

∞

Existe uma notável afinidade entre a obra inicial de Celan e os poemas escritos em meados do século XX por João Cabral de

---

23 Ibid., p.51.

Melo Neto, que, na época, era considerado o mais importante autor lírico do Brasil. Quando lemos sinopticamente os textos destes escritores, temos a impressão de que Cabral e Celan estão jogando jogos diferentes (mas relacionados, de algum modo) com as mesmas cartas. Também nos textos de Cabral surge frequentemente a imagem das conchas como contentores. Aí, elas evocam sobretudo cadáveres e palavras:

> Saio de meu poema
> como quem lava as mãos.
>
> Algumas conchas tornaram-se,
> que o sol da atenção
> cristalizou; alguma palavra
> que desabrochei, como a um pássaro.
>
> Talvez alguma concha
> dessas (ou pássaro) lembre,
> côncava, o corpo do gesto
> extinto, que o ar já preencheu:
>
> talvez, como a camisa
> vazia, que despi.

As conchas do mar, "perdida[s] nos frouxos areais", são "como cabelos" para Cabral, e distinguem-se da "forma obtida" num poema "como a ponta do novelo/ que a atenção, lenta,/ desenrola". Os poemas que são contentores podem explodir; podem romper o novelo branco – e até mesmo o cimento – que os compõe:

O poema, com seus cavalos,
quer explodir
teu tempo claro; romper
seu branco fio, seu cimento
mudo e fresco.

Conchas, cadáveres, novelo e cabelo são as cartas que Cabral joga nos seus poemas – a cristalização e a explosão, o próprio jogo.
   Outro jogo que o poeta joga envolve cadáveres que se ajustam ou não às suas sepulturas. O jogo ocorre em dois poemas sobre cemitérios em Pernambuco, estado do nordeste do Brasil, terra natal de João Cabral. O chão das sepulturas das pessoas que trabalhavam nas fazendas de cana é instável – ondulado, como a superfície de um sepultamento no mar; as pedras tumulares "são menos cruzes que mastros/ quando a meio naufragar".[24] Os que dormiam nas redes, em vida, não descansam nos caixões. Repousam no chão:

Nenhum dos mortos daqui
vem vestido de caixão.
Portanto, eles não se enterram,
são derramados no chão.

Vêm em redes de varandas
abertas ao sol e à chuva.
Trazem suas próprias moscas.
O chão lhes vai como luva.

---

24 Cabral de Melo Neto, *Seleted Poetry*, p.71.

> Mortos ao ar-livre, que eram,
> hoje à terra-livre estão.
> São tão da terra que a terra
> nem sente sua intrusão.[25]

De um ponto de vista social – ou mesmo "político" –, podemos ler este texto como um lamento – ou até como uma acusação – relacionado com o destino dos pobres. Porém, os poemas de Cabral são mais sobre o desafio existencial de encontrar um espaço no mundo material do que sobre justiça social. Não achar uma sepultura – habitando "a terra-livre" que "lhes vai como luva" – pode ser mesmo um privilégio.

Como o chão e a paisagem a que pertence servem de lar aos corpos vivos e mortos, a terra ganha vida; é um vaso prenhe de corpos:

> Liso como o ventre de uma cadela fecunda,
> o rio cresce
> sem nunca explodir.
> Tem, o rio,
> um parto fluente e invertebrado
> como o de uma cadela.
>
> E jamais o vi ferver
> (como ferve
> o pão que fermenta).
> Em silêncio,
> o rio carrega sua fecundidade pobre,
> grávido de terra negra.

---

25 Ibid., p.69.

A paisagem oferece silêncio:

em capas de terra negra, em botinas ou luvas de terra negra
para o pé ou a mão
que mergulha.[26]

Se as plantas crescem em relação metabólica com a terra, então as palavras e os textos são minerais – matéria não orgânica, retirada de estruturas profundas que juntam elementos no espaço: "É mineral/ a linha do horizonte,/ nossos nomes, essas coisas/ feitas de palavras.// É mineral, por fim,/ qualquer livro:/ que é mineral a palavra/ escrita, a fria natureza / da palavra escrita."[27] Essa coisa seca, que dá chão às palavras e aos textos do jogo de Cabral, ameaça a vida orgânica quando se transforma em deserto. Nesse ponto, põe em perigo a vida de um modo equivalente à ameaça do incontrolável movimento no mundo de Paul Celan:

(A árvore destila
a terra, gota a gota;
a terra completa
cai, fruta!

Enquanto na ordem
de outro pomar
a atenção destila
palavras maduras.)

---
26 Ibid., p.57.
27 Ibid., p.49.

Depois de 1945

Cultivar o deserto
como um pomar às avessas:
então, nada mais
destila; evapora;
onde foi maçã
resta uma fome;

onde foi palavra
(potros ou touros
contidos) resta a severa
forma do vazio.[28]

Acima de tudo, a plenitude suscitava desejo no jogo poético de Celan. Para Cabral, pelo contrário, era o vazio que fornecia a dimensão mais central – o vazio sem palavras, um deserto que deixa a vida sedenta e faminta. No entanto, esse vazio é uma forma severa e exigente, e, como tal, produtiva – não é, afinal, o nada.

∞

Ernst Robert Curtius – o mais importante romanista alemão do seu tempo, professor na Universidade de Bonn – publicou em 1948 seu monumental trabalho, *Literatura Europeia e Idade Média Latina*. A obra, que descreve uma abrangente paisagem intelectual cuja importância durante longo tempo fora subestimada, se não mesmo ignorada por completo – um repertório de motivos literários e formas retóricas que ligam a antiguidade clássica e a modernidade europeia –, pretendia fornecer um

---

28 Ibid., p.51.

antídoto para a latente ameaça da descontinuidade cultural e histórica. *Literatura Europeia e Idade Média Latina* foi precedida por outra obra, mais abertamente polêmica, intitulada *Deutscher Geist in Gefahr* [Espírito alemão em perigo], publicada por Curtius em 1932 – ano anterior à ascensão do nacional-socialismo ao poder. Curtius foi um dos poucos intelectuais que conseguiu passar os anos entre 1933 e 1945 praticamente sem ser incomodado (e com razoável distância do regime nazista). Daí que os leitores nunca duvidaram que *Literatura Europeia e Idade Média Latina* tenha sido escrita sobretudo como resposta aos anos nazistas. No entanto, seja como for, esse período fatídico não é sequer referido nem no extenso e filosoficamente sofisticado primeiro capítulo. A descontinuidade enquanto horizonte de referência está presente em todas as frases do livro, apesar de a própria palavra nunca aparecer. Em vez disso, Curtius discute uma série de obras teóricas que tentam identificar uma nova relação entre o passado e o presente. A maioria delas foi publicada nos anos que se seguiram à Primeira Guerra Mundial e tem em comum o pressuposto de que o curso da história precisa ser reiniciado: "A Primeira Guerra Mundial tornara óbvia a crise da cultura europeia. Como é que as culturas, os corpos históricos que as geram emergem, se desenvolvem e entram em decadência? Só uma morfologia das culturas, de preocupação sistemática, pode almejar responder a essa pergunta."[29] É esta tarefa que Curtius empreende no seu livro – uma obra que exige nossa atenção, quer como registro do clima intelectual da Alemanha do pós-guerra, quer como monumento acadêmico. O livro de

---

29 Curtius, *Europäische Literatur und Lateinisches Mittelalter*, p.14.

Depois de 1945

Curtius respira o ar do seu tempo, mas o autor não apresenta nenhum argumento sobre o trilho a ser seguido no futuro.

No ponto oposto, Pier Paolo Pasolini, poeta italiano e mais tarde diretor de cinema, vivia obcecado em manter — se não de maneira ortodoxa — os princípios e as promessas da filosofia marxista contra as realidades políticas, sociais e econômicas de seu país, e até de sua própria vida. Por volta de 1950, quando Pasolini estava no final da terceira década de vida, a tensão entre aquilo em que ele acreditava ter sido prometido e uma sensação interna de desassossego — que parecia implicar quer o risco, quer a esperança de descarrilamento existencial — se tornou o tópico predominante em seus poemas. As descrições dessa situação existencial que os poemas fornecem ecoam sempre, alegoricamente, com as condições históricas na Itália:

Estou feliz: um menino louvado
repousa, dorme atrás das violetas,
esqueceu toda a festa e todo o risco,
com uma ferida que sangra sem dor,

o amor de carinhosos amigos,
estou feliz, um belo lavrador
que morra queimado atrás de jardins em chamas,
rosa torturada pela geada matinal,

pluma entre os lábios de um inebriado vento,
como estou feliz, sinto no coração
o voo louco de uma abelha-rainha,

sou um miserável jardim branco...
Deus perdido em infelicidade,
será este doce delírio um pouco de ti?[30]

Se lermos por um viés biográfico, temos todas as razões para relacionar estrofes como estas com o claro desejo de Pasolini por homens jovens – de preferência, adolescentes à margem da sociedade, com tendência para o crime e para a violência. Justifica-se, pois, a relação que fizermos entre os versos de Pasolini e algum traço de caráter provocador que terá incomodado até mesmo alguns dos amigos mais próximos do autor – até a sua sangrenta morte, em novembro de 1975. Porém, no contexto do pós-guerra, talvez seja mais importante verificar de que modo o "feliz ... menino louvado" é incapaz de encontrar um lugar confortável no ambiente bucólico da natureza, enquanto a abelha-rainha que zumbe sobre seu corpo agir com tamanha força que seu "doce delírio" o faça detectar "um pouco" de "Deus". A presença física do jovem moço é ligeira – ele é apenas uma "pluma nos lábios de um inebriado vento" –, e nada no mundo ao redor é suficientemente estável para servir de segurança.

Alguns anos mais tarde – num longo poema que faz parte de uma antologia de textos dedicados ao filósofo marxista e ativo resistente Antonio Gramsci –, Pasolini descreve de modo semelhante a situação do povo italiano. Sempre que escreve "povo", Pasolini quer dizer "proletariado". Os proletários sabem que o mundo em que vivem não é aquele que a "modernidade" lhes prometeu. A este respeito, não poderão ficar desiludidos. Mas, apesar disso, se os poemas autobiográficos de Pasolini não dão

---

30 Pasolini, *Tutte le poesie*, v.I, p.696.

conforto algum, não será por que o proletariado ainda não terá encontrado um caminho próprio para "ser" – isto é, para participar – na história? Pasolini responde, surpreendentemente, ao evitar qualquer posição intelectual predeterminada:

> Súbito, o ano mil novecentos
> e cinquenta e dois sobrevém a Itália:
> só o povo tem disso uma sensação
> verdadeira; nunca isento do tempo, não o deslumbra
> a modernidade, ainda que o mais
> moderno seja isso, o povo, espalhado
> pelas cidades, pelos bairros, com juventude
> sempre nova – nova ao velho canto –
> repetindo ingênuo aquilo que já foi.[31]

A modernidade que não satisfaz nem tem interesse pelas necessidades das pessoas – é isso que os versos parecem sugerir – não tem o direito de afirmar que levará a um futuro melhor. A modernidade que foi assim descarrilada faz com que o proletariado pareça estagnado "ainda que", por si só, não esteja "nunca isento do tempo": só o povo pode realmente ser "moderno". Nem reflexões nem programas abstratos merecem ser chamados de "história". Só a imediatez e a vida-no-presente têm esse direito:

> Ah, nós que vivemos numa só
> geração cada geração
> vivida que, nestas terras agora
> humilhadas, não temos noção

---

31 Ibid., p.871.

verdadeira de quem participa da história,
só por oral, mágica experiência;
mas a vida é só daqueles na
presença da vida, fora da memória,
na sua peremptória vida.[32]

Para Pasolini, não há modo filosófico de contornar o fato de que a verdadeira vida é a vida em presença incorporada, no presente; "estar na história" significa dar atenção a – e manter--se ao serviço – (d)essa vida. A única coisa que importa é a concretude inescapável e presente da vida. Essa experiência de brutal frontalidade – que é a própria história – regressa num poema autobiográfico de 1960. De novo, o texto parece aludir a desejos sexuais. O poeta já não se sente protegido pelo ventre da mãe nem pelas pétalas da rosa; está exposto, a descoberto; apesar de dura, a sensação é de que a experiência está certa:

No passado, nada parecia derrotar-me.
Estava encerrado na vida, como no materno
ventre, nesse morno
perfume da humilde rosa sob o orvalho da manhã.
Mas lutava por sair.
[...]
a luta terminou,
venci. Minha vida privada não está mais
fechada, coberta pelas pétalas de uma rosa,
por uma casa, uma mãe, uma tímida paixão.
É pública. Mas a vida que eu desconhecia

---

32 Ibid., p.878.

tornou-se também próxima, familiar,
deu-se ao entendimento e, pouco a pouco,
foi-se impondo, necessária, brutal.[33]

Pasolini pertencia a uma geração de notáveis intelectuais que (sobretudo na Europa) haviam abraçado a filosofia marxista e a política do comunismo, sob a opressão fascista, no período imediatamente após a guerra. Tinham-no feito na esperança de um novo começo, mas sentiam-se cada dia mais desiludidos pela inflexibilidade com que a maioria dos partidos de esquerda interpretava – e muitas vezes "corrigia" – o "curso da história", se esse não confirmasse as previsões oficiais. Entre os numerosos intelectuais de esquerda desiludidos, eram poucos os que – como Pasolini – recusavam ceder à inflexibilidade do Partido ou romper com o comunismo. (Aliás, Pasolini não o fez nem sequer quando o próprio Partido Comunista italiano o expulsou dos seus quadros.) Quando confrontado com sua inflexibilidade doutrinária, outros se mostraram mais oportunistas – e flexíveis. Um dos mais maleáveis intelectuais foi Bertolt Brecht. Ao responder a um protesto político, nas ruas da Berlim Oriental em 17 de junho de 1953, compôs um poema sarcástico, no qual citava uma declaração do Partido Comunista alemão, que afirmava que "o povo pusera em perigo e havia perdido a confiança do Governo". Brecht acrescentava a isso uma pergunta irônica – se não seria melhor, então, num caso como esse, que o Governo dissolvesse e elegesse um povo novo. Porém, outro texto de Brecht – que acabou sendo publicado pelo Governo – soava em outro tom, muito diferente: "Assim

---

33 Ibid., p.1053.

que se tornou claro, durante a manhã de 17 de junho, que as manifestações dos operários descarrilaram por causa dos objetivos da Guerra Fria, expressei minha solidariedade para com o Partido da União Socialista da Alemanha. Agora, espero que os instigadores sejam identificados e isolados, que suas redes sejam destruídas, para que os operários que se manifestaram, por justificada frustração, não sejam confundidos com tais instigadores."[34] Mais deslumbrado ainda estava o escritor soviético Yuri Trifonov, que, no prefácio de seu romance premiado, *Estudantes*, datado de 20 de outubro de 1952, chegou inclusive a desculpar-se pelas caracterizações negativas de sua ficção. Não querendo reconhecer que o curso da história poderia ser diferente do que se previra, Trifonov relega as personagens para um passado que está no processo de render-se a um novo presente:

> Compreendi que não deverei escrever apenas sobre [...] personagens "positivas" do nosso tempo, mas sobre pessoas [...] cujas atitudes são ressaca nociva de um período anterior. Felizmente, essas pessoas raramente se encontram entre nossos estudantes, mas deveremos fazê-las notar, para que as refaçamos e as levemos conosco em direção a um futuro brilhante, onde o comunismo terá vingado.[35]

Ao ler este pensamento positivo meio forçado – uma espécie de "politicamente correto" antes do tempo –, sempre recordo meus dias de membro da Associação de Estudantes Socialistas da Alemanha (SDS), no final dos anos 1960. Também nós desejávamos nunca duvidar de que conhecíamos bem a direção

---

34 Brecht, *Gesammelte Werke 10*, p.327.
35 Trifonov, *Students*, p.10.

que a história tinha de tomar. Mas será que algum de nós acreditava, verdadeiramente, no que dizia? No meu caso, aquilo que lembro é um exemplo perfeito (e, por isso, profundamente banal) de má-fé. Sentia-me sempre cético em relação às minhas próprias palavras de certeza. No entanto, ao mesmo tempo aquela era uma experiência revigorante, confrontar as certezas da geração anterior – ou o seu silêncio – com aquilo que tanto queríamos estar certos de acreditar. Foi nessa perspectiva – e na admiração pelos gestos de superioridade provocadora que havíamos tido – que muitos de nós escolhemos Bertolt Brecht como escritor preferido e herói privado.

∞

Em *Tiempo de Silencio*, de Luis Martín-Santos, Pedro vive uma existência complexa, na Madri dos anos 1940. Na primeira de muitas caminhadas que faz pela capital espanhola, a cidade lhe parece ser literalmente um contentor perfeito:

> A crer nas mais fiáveis estatísticas, ninguém nunca se perde aqui. Esta é, aliás, a razão por que esta cidade existe – para que as pessoas nunca se percam. Podem sofrer ou morrer, mas nunca se perdem em Madri, porque cada uma de suas esquinas tem um espaço bem desenhado para pessoas perdidas; não podemos nos perder porque há mil, dez mil, cem mil olhos que nos classificam e nos atribuem um lugar, que nos reconhecem e nos abraçam, nos identificam e nos salvam, e nos permitem descobrir a onde pertencemos, sempre que nos sintamos completamente perdidos.[36]

---

36 Martín-Santos, *Time of Silence*, p.15.

Como já vimos, a vida de Pedro descarrila da mesma forma. Depois da tentativa fracassada de aborto, a polícia prende o jovem médico e o tranca numa cela. Então, ele é sujeito a uma série de interrogatórios que, no final, levam-no a convencer-se de que ele é culpado. Sua "salvação" acontece contra um cenário de dimensões singularmente mitológicas. Mesmo antes da prisão de Pedro, uma sequência narrativa "taylorista" descreve como o cadáver de Florita – a vítima do aborto malfadado – é colocado dentro de um caixão e baixado para uma vala comum. Só uns dias depois – ou não mais do que algumas horas? – a mãe de Florita conta aos policiais que seu marido tem responsabilidade na morte da filha, e que Pedro é inocente. O caixão, "como num filme passado de trás para a frente",[37] é trazido de novo à superfície, para o corpo ser autopsiado. Ainda que o romance não dê pormenores sobre a sequência precisa dos acontecimentos, a exumação conduz à libertação de Pedro. Apesar dessa curva feliz do destino, sua carreira profissional descarrila. Seu orientador acadêmico o condena, em termos muito explícitos, a uma vida como médico de província. Madri, o "contentor" perfeito para a existência, deixou de ter espaço para ele; o círculo interno do "místico castelo" (referência a uma obra famosa, do século XVII, de Teresa de Ávila) estará, para sempre, inacessível. Mesmo a possibilidade de um futuro num posto do interior está ligada a uma condição específica: o vazio interior que Pedro sente: "Não sinto qualquer ataque de desespero porque estou vazio, porque me lavaram as entranhas desde dentro, depois me secaram muito bem, e me

---

37 Ibid., p.176.

penduraram numa corda, numa espécie de museu anatômico para espécimes vivos."[38]

Esta lógica do vazio existencial como condição para (poderíamos até dizer: como concessão para) encontrar um espaço protegido, dentro da realidade física e social, está indisponível no universo lírico de Paul Celan, onde os mortos encontram redenção apenas quando eles mesmos escavam sua "sepultura no vento". A vida n'*O homem invisível*, de Ralph Ellison, porém, segue uma lógica semelhante à de Pedro. Desde cedo, o protagonista recebe uma "maleta brilhante de couro de vitelo",[39] prêmio que lhe é entregue num evento social organizado por brancos. Contém "um documento com aspecto de oficial": "Uma bolsa de estudo para o Colégio Estadual dos Negros." A maleta acompanhará o narrador durante toda sua adolescência e pelo curso ziguezagueante de sua vida nas comunidades negras de Nova York. No final do romance, o herói se vê preso entre facções inimigas, numa luta entre gangues em Harlem, e foge para um buraco negro, abaixo do nível da rua; a partir daí, sua existência está confinada. Até o momento, ele se agarrava à maleta; por alguma razão estranha, os documentos que esta contém tornam-se objeto de desejo das facções que o perseguem:

Alguém gritou para dentro do buraco.
— Hei, moço negro. Venha aqui para fora. Queremos saber o que você carrega nessa maleta.
— Venham aqui e me peguem – respondi.
— O que tem na maleta?

---

38 Ibid., p.218.
39 Ellison, *Invisible Man*, p.32.

— Você — disse, rompendo em gargalhada. — Que tal?
— Eu?
— Você inteirinho — afirmei.
— Você endoidou — disse ele.
— Mas ainda tenho você na maleta!
— O que foi que você roubou?
— Não dá para ver? — disse. — Acenda um fósforo.[40]

Após uma longa noite de sono — na tentativa de improvisar uma tocha para sair do buraco —, o herói começa a queimar, um por um, os documentos que estão dentro da maleta: "Bem, só havia uma coisa a fazer se pretendia ter uma tocha. Teria de abrir a maleta. Ali estavam os únicos papéis que eu tinha."[41] Ao queimar os papéis, o narrador perde sua identidade. Nesse processo, ele se torna verdadeiramente um "homem invisível" e, tal como Pedro, cumpre a condição de vazio que a cidade havia lhe atribuído. Esse vazio é também necessário para habitar um espaço protegido:

> Indo para o subterrâneo, chicoteei tudo exceto o pensamento, o pensamento. E o pensamento havia concebido um plano de vida que não perdia de vista o caos contra o qual esse padrão tinha sido concebido. Isso vale para as sociedades tanto quanto para os indivíduos. Assim, tendo tentado atribuir um padrão ao caos que vive no padrão das nossas certezas, terei de sair, terei de emergir [...]. E suponho que já é tempo. Se pensarmos bem, até a hibernação pode ser em excesso. Talvez esse seja meu mais grave

---

40 Ibid., p.565-6.
41 Ibid., p.567.

crime social, ter prolongado em excesso minha hibernação, pois há a possibilidade de que até um homem invisível tenha um papel socialmente responsável a cumprir.

"Ah", ouço-vos dizer, "então, tudo não passou de uma artimanha para nos aborrecer com suas cantilenas infestadas. Ele só queria que escutássemos sua raiva!". Mas só em parte é verdade: Ser invisível e sem substância, uma voz sem corpo, por assim dizer, que mais poderia eu fazer?[42]

Assim termina o romance. O protagonista está vazio – é pouco mais do que "pensamento" – e sem substância; abrigado e hibernando, ele está confinado pelo buraco que habita.

Um equilíbrio assim, em que o preço da sobrevivência exige que se renuncie a substância do próprio corpo, não está ao dispor das personagens de *Grande sertão: veredas*, de Guimarães Rosa. O "diabo que dorme" nos animais e nas coisas atravessa todo o mundo do romance. "Se sabe? E o demo – que é só assim o significado dum azougue maligno – tem ordem de seguir o caminho dele, tem licença para campear?! Arre, ele está misturado em tudo. Que o que gasta, vai gastando o diabo de dentro da gente, aos pouquinhos, é o razoável sofrer."[43] Contra o pano de fundo das várias cenas e dos dramas que o romance apresenta, a frase sobre "gastando o diabo" representa nada mais do que um desejo. A energia do diabo nunca é domesticada; na verdade, ele habita cada objeto do mundo material e do mundo humano, como princípio de desassossego. Por isso nenhum outro *leitmotiv*

---

42 Ibid., p.581.
43 Guimarães Rosa, *The Devil to Pay in the Backlands* [Grande sertão: veredas], p.7.

do romance é tão predominante quanto o do "mundo fora de controle". Por exemplo: quando Zé Bebelo, velho cavaleiro, é atirado para a prisão, ele declara, orgulhoso: "Isso. Certo. Se estou preso... é outra coisa... [...] ... É, é o mundo à revelia!..." O narrador comenta: "Toleimas todas? Não por não. Também o que eu não entendia possível era Zé Bebelo preso. Ele não era criatura que se prende, pessoa coisa de se haver às mãos. Azougue vapor..."[44] Obedecendo a certa necessidade, a cena final (que também descreve uma batalha entre gangues) – a cena em que Diadorim, o amado hermafrodita do narrador, morre – tem como personagem o *"Diabo na rua, no meio do redemunho"*.[45]

Nada que esteja vivo – nada que tenha substância real – poderá algum dia achar repouso e proteção em algum dos vasos que comandam esse fascínio no mundo do pós-guerra. Essa é a lei, numa esfera definida pelo infindável desejo de repouso e de proteção. Os capítulos da prosa densamente descritiva que enquadram os diálogos centrais de *Réquiem por uma freira*, de William Faulkner, são assombrados por uma obsessão que segue a mesma regra. Mais particularmente a sequência de abertura de "O tribunal (um nome para a cidade)"[46] tem abundância de armários, cofres e regras antigas que procuram preservar, salvaguardar e ordenar documentos e procedimentos jurídicos. Apesar de tudo aquilo, nunca a justiça é bem servida no mundo do Sul; há documentos que desaparecem e procedimentos formais que servem de álibi para os verdadeiros criminosos. Em termos mais alegóricos: os contentores transbordam; armários

---

44 Ibid., p.213.
45 Ibid., p.482.
46 Faulkner, *Novels 1942-54*.

e cofres não ajudam em nada. Não conseguem guardar — nem refrear — a energia desgovernada da vida do Sul. As personagens há muito que o compreenderam: "'A ética', disse ele. Parecia quase surpreendido. Acrescentou rapidamente: 'Isso não é bom. Como corromper um homem de ética?'"[47]

∞

Günter Anders — autor literário e conhecido intelectual, nascido em 1902 — estudou filosofia com Edmund Husserl na Universidade de Friburgo. Emigrou para a França e depois para os Estados Unidos, quando os nacional-socialistas subiram ao poder. Anders regressaria à Europa no final da guerra e atrairia a atenção internacional por ter começado, após uma visita a Hiroshima em 1958, a corresponder-se com Claude Eatherly, o piloto do avião que lançou a primeira bomba atómica, em 6 de agosto de 1945. Treze anos mais tarde, Eatherly estava internado no Hospital dos Veteranos, no Texas, submetido a tratamento psiquiátrico. Aquilo que dominava o diário de Anders em Hiroshima, assim como as cartas para o piloto, era o receio de uma Terceira Guerra Mundial. Ele a via como uma deflagração nuclear — o que, no quadro existencial da época, pareceria natural. Desde então, substituímos essa imagem pela (por vezes dogmática) crença de que as armas nucleares são potentes dissuasoras — mesmo se a Humanidade nunca chegar, por razões óbvias, a ultrapassar o seu perigo concreto. Visto da perspectiva de hoje, o modo como Anders tentou avaliar o significado histórico de Hiroshima é mais interessante do que

---

47 Ibid., p.491.

os avisos que ele exprime. Neste contexto, é relevante que o conceito de "acaso" ocupe posição predominante no começo da sua correspondência com Eatherly. Na primeira carta, datada de 3 de junho de 1959, Anders escreve que compreende perfeitamente se o destinatário se opuser a uma invasão de sua vida privada; mas, ao mesmo tempo, sublinha que o destino de Eatherly se transformou num tópico que concerne toda a Humanidade, e por isso não poderá continuar na esfera do privado:

> Asseguramos-lhe que abominamos a indiscrição provavelmente tanto quanto o senhor, e por isso começamos por pedir-lhe desculpa. Mas neste caso [...] a indiscrição, infelizmente, é inevitável – apesar de não necessária: a sua vida se transformou em assunto de todos os seres humanos. No momento que o acaso (ou o que quiser chamar ao fato inegável) escolheu transformar sua vida privada, a vida de Claude Eatherly, em um símbolo do futuro, o senhor perdeu o direito de resistir a nossa invasão. Não é culpa nossa – e é certamente horrível – que o senhor, entre bilhões de seres humanos dos nossos dias, tenha sido condenado a cumprir esse simbólico papel. Mas as coisas são o que são.[48]

Se esse elemento de acaso nunca foi, até hoje, usado para desculpar os Estados Unidos, a verdade é que a questão da responsabilidade nacional também nunca surgiu nas reações a Hiroshima. Em vez disso, a memória do primeiro uso de armas nucleares veio a representar a sensação onipresente de que a Humanidade deixou de controlar (ou nunca controlou) seu próprio destino – ícone do que tenho chamado de

---

48 Anders, *Hiroshima ist überall*, p.208.

"descarrilamento da história". Como tal, Hiroshima deu início a diferentes debates de caráter antropológico e cosmológico acerca do lugar do homem na evolução e no universo – debates que, ao longo do tempo, só parecem ter adquirido mais importância. O ponto mais antigo em que se sobrepuseram ocorreu quando foi revertida a premissa otimista do pensamento do Iluminismo, segundo a qual o pensamento humano – com sua capacidade de raciocínio complexo – sempre será capaz de resolver os desafios que enfrenta e, por isso, de guiar nossas ações. Por exemplo, Günter Anders – nos seus *Mandamentos para uma era nuclear*, publicados pela primeira vez no jornal *Frankfurter Allgemeine Zeitung*, em 13 de julho de 1957 – concluía que, "no decurso da era técnica, a relação clássica entre a imaginação e a ação se inverteu":

> Se nossos antepassados tinham como certo que a imaginação humana era "excessiva", no sentido em que sempre e necessariamente iria além da realidade, hoje a capacidade de nossa imaginação (de nossos sentimentos e de nossa responsabilidade) sai derrotada pelas possibilidades contidas em nossas ações; aliás, temos de aceitar que a imaginação não é capaz de acompanhar o ritmo daquilo que conseguimos produzir. Não apenas nossa razão tem seus "limites" (kantianos), mas também não é a única a ser finita: o mesmo é verdade, também, para nossa imaginação e, sobretudo, para nossa capacidade de sentir.[49]

O conceito do "inimaginável" assumiu aqui um novo sentido. Deixou de referir-se apenas à capacidade que a fantasia humana

---

49 Ibid., p.219.

tem de projetar realidades (ainda não) existentes; agora, tornou-se um símbolo da incapacidade humana de controlar ou de assumir responsabilidade de seu próprio destino. No prólogo de *A condição humana* (que saiu no mesmo ano do manifesto de Anders), Hannah Arendt apresentou um argumento de estrutura análoga para aquilo que identificava como a nova relação entre a ciência (incluindo suas aplicações técnicas) e as capacidades de "nosso cérebro":

> É como se nosso cérebro, que constitui a condição física, material de nossos pensamentos, fosse incapaz de seguir aquilo que fazemos, de tal maneira que de hoje em diante precisássemos, de fato, de máquinas artificiais para nosso pensar e nosso falar. Se se revelasse verdadeiro que o conhecimento (no sentido moderno de "saber como") e o pensamento tivessem se separado de vez, então de fato nos tornaríamos escravos desesperados, não tanto de nossas máquinas, mas de nosso "saber como", seríamos criaturas sem pensamento, à mercê de todos os aparelhos tecnicamente possíveis, por mais assassinos que fossem.[50]

É difícil imaginar um sentido mais dramático da insegurança existencial do que aquele que exprimem Anders e Arendt. Apesar de termos nos acostumado com a sensação que articulam, mais de meio século depois, é importante lembrar que houve um tempo em que, literalmente, a experiência que causou o desconforto deles não só era "difícil de imaginar", mas estava "além do que poderia se acreditar". No entanto, depois de Hiroshima, as ameaças colocadas à Humanidade começaram a exceder a

---

50 Arendt, *The Human Condition*, p.3.

Depois de 1945

fantasia humana – a ponto de tornar a própria palavra "descarrilamento" uma palavra otimista, na medida que nos permitia esperar que o curso da história pudesse "voltar a encarrilar". Hoje, a possibilidade de autodestruição coletiva do homem se tornou condição permanente da nossa existência.

∞

Então, Martin Heidegger não estava sozinho ao acreditar que a era nuclear [*Atomzeitalter*] havia provocado o desafio existencial mais transversal e complexo de seu tempo. Muito na linha de Arendt e de Anders, Heidegger via a bomba nuclear como a condensação "mais urgente" – mas certamente não a única – da nova condição humana.[51] No entanto, ele identificou na ciência moderna, com maior clareza do que a maioria dos pensadores de sua época – em particular sua relação altamente abstrata (matemática) com as coisas-do-mundo –, a razão mais solidamente instalada das novas, desconfortáveis e sempre precárias atitudes para com o mundo natural. O caráter sem-abrigo de muitos alemães (no sentido étnico e no sentido político da expressão), resultante da perda de território após a guerra, assim como o fato de que, antes ainda (no final do século XIX e começo do XX), milhões de pessoas terem tido de abandonar sua existência rural e mudar-se para a "terra sem vida da industrialização", eram fenômenos de particular valor emblemático para Heidegger.[52] Aos seus olhos, eles convergiam na perda de "ligação com a terra" [*Bodenständigkeit*] – palavra que, a propósito, deve ter

---

51 Heidegger, *Gesamtausgabe 16*, p.522.
52 Id., *Gesamtausgabe 16*, p.521.

adquirido conotações indesejadas depois de 1945. É possível que esta equação da situação existencial contemporânea com uma ausência de *"Bodenständigkeit"* subjazesse no fascínio de Heidegger, nos anos do pós-guerra, com o conceito e o potencial de "habita" [*wohnen*]. A descrição que ele faz de uma fazenda na Floresta Negra permite mais do que valores normativos para uma estética da construção. Heidegger se refere à fazenda, sobretudo, como alternativa à ameaça do caráter existencial de ser "sem-abrigo":

> Procure imaginar, durante um momento, uma casa rural na Floresta Negra, tal como deve ter sido construída pelos camponeses muitos séculos atrás. Aqui, a intensa capacidade de unir terra e céu, mortais e imortais, na monodimensionalidade das coisas, definia a forma da casa. Colocava a casa junto de uma montanha, para protegê-la contra o vento, e próximo a uma nascente, que alimentasse as suas pastagens. Dera a casa o largo telhado de placas de xisto, com o ângulo correto para aguentar a neve e manter as divisões quentes, contra os ventos gélidos nas longas noites de inverno. Não esqueceu o nicho para o crucifixo, atrás da mesa onde se fazem as refeições em comum, tem lugares sagrados para o berço e para a madeira dos mortos (é essa a palavra para "caixão"); assim, deu a muitas gerações, debaixo do mesmo teto, a forma de sua viagem através dos tempos.[53]

Descrições como essa correspondiam à necessidade coeva de sentir-se confinado num espaço de conforto; elas possuem um *pathos* que pode ter se tornado insuportável — e até

---

53 Heidegger, *Gesamtausgabe* 7, p.172.

mesmo sugerir o inautêntico – para muitos de nós. Ainda assim, é importante compreender que a filosofia de Heidegger transcende o desejo de mera proteção. Heidegger prossegue, desenvolvendo a ideia do "quádruplo" [*Geviert*] – a junção de terra e céu, mortais e imortais –, que lhe dá a estrutura conceitual da descrição da fazenda da Floresta Negra. O quádruplo permite ao filósofo colocar os temas sob o foco ontológico; a nós, ajudará também a modificar nossa relação com os objetos no nosso entorno material.

Neste contexto – imagino – o conceito central de Heidegger é o vazio, ou o vácuo [*Leere*]. Significativamente, ele não se concentra no vazio como contentor que ofereça proteção e abrigo, mas no vazio com uma função ontológica – ou seja, um vazio que reúna as dimensões e as coisas. Centrando-se neste aspecto do vácuo – e, curiosamente, numa conversa com um zen-budista (em 1958) –, Heidegger encontrou um modo compacto de descrever o seu interesse: "O vazio a que estou referindo não é o nada negativo. Se entendermos o vazio como conceito espacial, teremos de dizer que é precisamente esse vazio do espaço que permite juntar as coisas, que reúne as coisas."[54] O ensaio de Heidegger sobre "A Coisa" desenvolve mais completamente essa ideia. Ali, não podemos deixar de ser surpreendidos com o objeto que ele escolhe para ilustrar o que é uma "coisa". Mais uma vez no mundo intelectual do pós-1945, o exemplo é um jarro [*Krug*]. Tal como Heidegger sublinha desde o começo, aquilo que dá ao jarro a qualidade de coisa é o seu estatuto de contentor [*Gefäss*]: "Enquanto contentor, o jarro é uma coisa."[55]

---

54 Heidegger, Gesamtausgabe 16, p.555.
55 Id., Gesamtausgabe 7, p.169.

No entanto, aquilo que importa, no jarro-enquanto-contentor, é o seu vazio. Esse aspecto é mais importante do que o material de que ele é feito, ou o seu valor de uso prático: "O caráter de coisa do contentor não reside no material de que é feito, mas no seu vazio, que é receptor" [*Das Dinghafte des Gefässes beruht keineswegs im Stoff, daraus es besteht, sondern in der Leere, die fasst*].[56] De modo característico, Heidegger "reflete sobre intuições" em vez de "desenvolver argumentos", e procura mostrar de que modo o jarro, enquanto contentor, é capaz de juntar as várias dimensões do quádruplo:

> A dádiva do derramar é uma dádiva na medida que gera a *stasis* entre a terra e o céu, mortais e imortais. Mas a *stasis* não é a mera perseverança de alguma coisa presente-à-mão. A *stasis* é o evento de atribuir a cada coisa aquilo que lhe é próprio [*Verweilen ereignet*]. Ela dá a cada uma das quatro dimensões aquilo que lhes é próprio.[57]

Novamente, o que interessa no caráter de coisa do jarro enquanto vaso receptor não é o potencial de proteção e de abrigo. Em vez disso, o que interessa é a sua capacidade de trazer para o foco as qualidades ontológicas dos objetos que estão ao nosso redor. Por exemplo, é a materialidade terrena do jarro – mas também a sua relação da água que ele contém com o céu, a conexão que pressupõe com o Dasein humano, assim como a (diferente) presença dos imortais. Um "simples" jarro traz para o foco central todas essas dimensões.

---

56 Ibid., p.171.
57 Ibid., p.175.

Depois de 1945

Na *Carta sobre o Humanismo*, que Heidegger escreveu imediatamente após a guerra, o filósofo deixou claro que recuperar a dimensão ontológica do Ser era, no seu entender, o único modo de ultrapassar o caráter de sem-abrigo: "Dado o essencial caráter de sem-abrigo da Humanidade, seu destino revela-se no achamento do Ser."[58] Na mesma linha de pensamento, e referindo-se a Friedrich Hölderlin, Heidegger sublinha que a dimensão decisiva para o desvelamento do Ser é a linguagem ("a linguagem como o lar do Ser"). Num movimento semelhante (que parece ter ocorrido sem referência a Heidegger), numa entrada do seu diário, datada de 24 de dezembro de 1947, Carl Schmitt afirmava que os aspectos formais da poesia lírica oferecem uma dimensão privilegiada, na qual se pode conjurar o numenal. Neste contexto, Schmitt afirma que é necessário um vazio – um vácuo; o vazio só pode existir como efeito da forma lírica:

> A métrica é uma prática de magia. Mas deve existir um intervalo entre a métrica e o que se quer dizer, no sentido dos pensamentos e dos temas de referência. Traduzindo em forma banal: há um espaço vazio entre a forma e o conteúdo. Nesse intervalo, que permanece vazio, o numenal põe-se em marcha [...]. A dimensão numenal do poema não está no seu som, mas começa a movimentar-se através desse vazio; não que o numenal seja esse vazio, mas é ali que começa a mover-se; o vazio é a condição desse movimento, para que uma relação específica exista entre o numenal e o vazio; quanto mais vazio estiver, mais puro é o contentor [*Gefäss*]. A métrica é o contentor vazio, não do conteúdo, mas desse movimento mágico.[59]

---

58 Heidegger, *Gesamtausgabe* 9, p.341.
59 Schmitt, *Glossarium*, p.68-9.

Nas últimas semanas de 1947 e nas primeiras de 1948, Carl Schmitt terá vivido particularmente fascinado com a relação entre o vazio e o numenal — relação essa que, como vimos, era fulcral para o pensamento de Heidegger naquela época. O numenal, para Schmitt, parecia oferecer-lhe muito literalmente um modo de se agarrar ao mundo. Se aquilo a que alguém se agarra estiver enfraquecido ou arruinado, a pessoa-que-se-agarra perecerá, junto com o numenal:

> Concentro-me, com candura de menino [...] na magia do espaço. Não que queira agarrá-lo — e muito menos produzi-lo; mas pretendo conhecê-lo e assim preservá-lo, para outros que venham, simples recipiente. Vejo o espaço último, minha sepultura; vejo como se dissolve; meu lar, o rio, todas essas coisas estão sendo destruídas e, ainda assim, me agarro a elas. Perecerei junto com elas e elas perecerão comigo.[60]

Na literatura francesa de meados do século XX, a obra de Francis Ponge se sobrepunha, no foco que operava, com a obra de Schmitt e a de Heidegger, em suas preocupações sobre o numenal. Através da prosa em textos curtos e intricadamente descritivos, Ponge tentava conjurar objetos da natureza e do cotidiano na sua "coisidade". Um desses textos, escrito em 1948, é sobre uma jarra [*La Cruche*]. Tal como no ensaio de Heidegger sobre "A Coisa", o ponto central sobre o qual Ponge desenvolve o pensamento é o caráter vazio da jarra, enquanto vaso:

---

60 Ibid., p.88.

Jarra primeiro está vazia e, o mais depressa possível, vazia de novo.
Jarra vazia e sonora.
Jarra primeiro está vazia e se enche cantando.
De tão pouca altura que a água se precipita dali, jarra primeiro está vazia e se enche cantando.
Jarra primeiro está vazia e, o mais depressa possível, vazia de novo.
É um objeto medíocre, um simples intermediário.
Para muitos vasos (por exemplo).[61]

Aquilo que Ponge evoca como a função de "intermediário" da jarra se parece com o que Heidegger extrai do conceito de "quádruplo": a jarra reúne dimensões ontológicas diferentes e faz com que estas se comuniquem entre si. Tal como nas reflexões de Schmitt sobre o vazio e a linguagem poética, o poema de Ponge associa a jarra com as palavras: "Pois tudo o que acabo de dizer da jarra, não poderia dizer-se das palavras?"[62]

Assim como Celan, Ponge fica sobretudo impressionado com a fragilidade da jarra. Ela é quebrável: "Tantas vezes vai a jarra à água, que acaba por se quebrar. Fina-se pelo uso prolongado./ Não pelo desgaste: antes por acidente. Quer dizer, se se preferir, por desgaste das chances de sobrevivência."[63] É certo que o jogo de Ponge na prosa poética se desdobra dentro da mesma teia histórica de preocupações e de associações ontológicas que identificamos nos textos de Celan, Heidegger e Schmitt. Mas, por causa das preocupações específicas do autor com a fragilidade, a jarra de Ponge também revela uma afinidade com

---

61 Ponge, *Oeuvres complètes*, v.I, p.751.
62 Ibid., p.752.
63 Ibid.

as tigelas e as xícaras que Michihiko Hachiya contempla em 27 de agosto de 1945, numa entrada do seu *Diário de Hiroshima*:

> Sozinho, penso em muitas coisas. Aqui estavam os tetos negros, queimados, as paredes sem tinta, as janelas sem vidros. O *konro*, nosso pequeno braseiro de carvão, estava debaixo da pia, sustentando uma chaleira enegrecida, coberta com um prato, em vez da tampa. Tigelas de arroz do exército e xícaras da cerimônia do chá amontoavam-se indiscriminadamente numa cesta de bambu. Todas essas coisas evocava o lamento da guerra.[64]

∞

Esperando Godot começa com "Estragon, sentando-se num pequeno monte, tenta descalçar a bota. Puxa-a com as duas mãos, ofegante. Desiste, exausto, descansa, tenta outra vez".[65] Estragon dormira "numa vala", mas a vala não lhe dera proteção:

> VLADIMIR: [*Magoado, frio.*]: Pode se saber onde foi que Vossa Alteza passou a noite?
> ESTRAGON: Numa vala.
> VLADIMIR: [*Surpreendido.*]: Uma vala! Onde?
> ESTRAGON: [*Sem gestos.*]: Ali.
> VLADIMIR: E não te atacaram?
> ESTRAGON: Claro que me atacaram.
> VLADIMIR: Os mesmos de sempre?
> ESTRAGON: Os mesmos? Não sei.

---

64 Hachiya, *Hiroshima Diary*, p.126.
65 Beckett, *Waiting for Godot*, p.2.

VLADIMIR: Quando penso nisso... Todos esses anos – mas para mim... Onde estarias... [*Decidido.*] Não serias mais do que um pequeno monte de ossos no minuto presente, não duvido.[66]

Vladimir e Estragon vivem numa paisagem que não lhes permite esconder-se. Embora estejam quase sempre sozinhos – juntos –, a privacidade não lhes é possível. Estão sozinhos e expostos, aliás – expostos ao nada, que nunca chega. A certa altura, em meio ao tédio, Vladimir se lembra de que poderiam "brincar de Pozzo e Lucky".[67] A sugestão incita Vladimir a alucinar – como sucede muitas vezes – que Godot está "finalmente" chegando; mais do que isso, ele imagina que estão ambos "cercados". "A única esperança que te resta é desaparecer."[68] Mas até isso – que não é nada –, até desaparecer da imaginada presença dos outros se revela impossível:

ESTRAGON: Onde?
VLADIMIR: Atrás da árvore. [*Estragon hesita.*] Rápido! Atrás da árvore. [*Estragon vai e se agacha atrás da árvore, apercebe-se de que não está escondido, sai de detrás da árvore.*] Decididamente, esta árvore não terá tido o menor uso para nós.[69]

Se a árvore é bastante estreita – e a vala, bastante rasa – para proteger sua existência, as botas de Estragon estão muito apertadas para os seus pés. O chão sobre o qual ele e Vladimir caminham é seco demais para os pés descalços, mas as botas são

---

66 Ibid., p.2-3.
67 Ibid., p.82.
68 Ibid.
69 Ibid., p.83-4.

para eles uma tortura. É por isso que Estragon quer descalçá-las, logo na primeira cena. Quando, por fim, consegue, quer deixá--las "ali":

> VLADIMIR: Finalmente! [*Estragon levanta-se e vai na direção de Vladimir, com uma bota em cada mão. Pousa-as na beira do palco, endireita-se e contempla a lua.*] O que estás tu a fazer?
> ESTRAGON: Palidez de cansaço.
> VLADIMIR: Hein?
> ESTRAGON: De subir no céu e ficar olhando para gente como nós.
> VLADIMIR: Tuas botas, o que estás fazendo com as tuas botas?
> ESTRAGON: [*Virando-se, para olhar para as botas.*]: Vou deixá-las aí. [*Pausa.*] Outro virá, como... como... como eu, mas de pés menores, e elas o farão feliz.
> VLADIMIR: Mas não podes andar descalço!
> ESTRAGON: Cristo andou.
> VLADIMIR: Cristo! O que tem Cristo com o assunto? Não te quererás comparar a Cristo!
> ESTRAGON: Toda a vida me comparei a ele.[70]

Mais tarde, Estragon mostra ao companheiro os pés descalços ("em triunfo"). Vladimir exclama: "Ali está a ferida! Começando a supurar!"[71] Isso ocorre onde Estragon tinha deixado as botas antes; agora, ele descobre que foram substituídas por outro par. Uma vez que Estragon não entende o que está acontecendo, Vladimir tem de lhe explicar: alguém que tinha botas muito apertadas deve ter levado as botas de Estragon,

---

70 Ibid., p.57.
71 Ibid., p.74.

porque estas lhe serviam, e deixado as suas, em troca. Porém, como os pés da outra pessoa tinham necessariamente de ser menores do que os de Estragon, as botas novas ser-lhe-iam ainda mais apertadas; isto é, dificilmente serviriam a Estragon.

Num poema de 1954, três anos antes de morrer, Bertolt Brecht inclui "sapatos confortáveis" numa lista de prazeres [*Vergnügungen*] que melhoram a vida do dia a dia; além desse prazer, inclui outros como "redescobrir um livro antigo", o "jornal", a "neve", "a mudança das estações", "nadar", ou "tomar uma ducha".[72] São todos modestos prazeres — são prazeres que só um mundo como o de Estragon e de Vladimir recusaria — e nem sequer se aproximam da produção da sensação de um lar estável. O valor desses prazeres parece residir precisamente no fato de que são possíveis até em situações de sem-abrigo. E Brecht sente-se um sem-abrigo. Parece-lhe tão impossível a ele fazer da nova cidade o seu lar como seria para um caracol usar uma casa diferente:

> As casas aqui têm alguma coisa de casas de caracol. Não conseguimos pensar nelas em separado, como casas de um caracol em particular. Para mim, o problema não é a falta de cidades sem pessoas lá dentro; o problema são as pessoas sem cidade [...]. Lugares das memórias de infância, fazendas onde os rapazes construíam cabanas com folhas das árvores, o cais de betão junto ao rio, bom para tomar banhos de sol.[73]

Com o nacional-socialismo, para Brecht todos esses espaços desapareceram; ele não mais voltaria a desfrutar do domínio

---

72 Brecht, *Gesammelte Werke* 10, p.1022.
73 Id., *Gesammelte Werke* 20, p.311.

estável e protegido do lar. Numa das últimas peças de Brecht, *Herr Puntila*, a Finlândia rural parece apresentar a imagem especular desta experiência. Sempre que Puntila se embebeda, a sua casa se transforma num lar confortável para todos os seus criados e amigos. Quando está sóbrio, pelo contrário, Puntila passa a ser um agressivo monstro capitalista, que explora o trabalho deles.

Desnecessário será dizer que continuou sem ser cumprido o sonho ubíquo de contentores estáveis para a existência, que assegurassem um ambiente para a felicidade individual. Foram pouquíssimos os momentos, na precariedade do mundo do pós-guerra — e eram sempre fugazes —, que faziam a vida parecer como se estivesse envolvida em calor e afeto. O desejo manifestado por tal momento improvável e fugaz é o que faz a famosa canção de Edith Piaf, *Milord*, ser um emblema do seu tempo:

> Venha comigo, Milord,
> sentar-se à minha mesa.
> Lá fora faz frio,
> aqui estamos confortáveis.
> Pode relaxar, Milord,
> pode ficar à vontade,
> alivie suas penas em meu coração
> e descanse os pés na minha cadeira.
> Sei quem você é, Milord,
> você nunca me viu,
> sou apenas uma moça das docas,
> uma sombra das ruas.

∞

Depois de 1945

 O trem que leva a família do Doutor Jivago para o Oriente nunca descarrila no seu caminho pelas paisagens vazias dos montes Urais, onde os contornos são mais esbatidos e as expectativas mais baixas (de longe) do que na Moscou pós--revolução. Porém, sempre que o novo Estado impõe sua presença, o tempo parece "apocalíptico" — como se seguisse em direção ao "Juízo Final". "Este é um tempo de anjos, com espadas flamejantes, e monstros alados vindos das profundezas", diz Strelnikov, condenado a impor a ordem do Partido longe do centro político. Falando para Iuri Jivago, ele continua: "Não para os simpatizantes nem para os leais doutores. No entanto, eu lhe disse que você estaria livre, e não volto atrás com a palavra. Mas lembre-se, é só desta vez. Tenho a sensação de que voltaremos a nos encontrar, e aí nossa conversa será bem diferente."[74] Com o desvanecimento do poder do Partido, regressa a certeza de que "o homem nasce para viver, não para se preparar para a vida. A própria vida, o fenômeno da vida, a dádiva da vida, é tão arrebatadoramente séria".[75] Chega a ser possível uma brecha de esperança: "Em algum lugar, a vida continua ainda; há pessoas que são felizes. Nem todo o mundo é ruim. Isso justifica tudo."[76] Aqui, a perspectiva (relativa aos anos que se seguiram à Revolução de Outubro) volta a ressurgir na cena final do romance — isto é, numa cena que decorre num mundo histórico diferente. De cima de um prédio alto, dois dos descendentes do Doutor Jivago olham para a capital da União Soviética, no pós-1945 — a capital do Estado que contribuiu

---

74 Pasternak, *Doctor Zhivago*, p.252.
75 Ibid., p.297.
76 Ibid., p.223.

de maneira decisiva para a vitória sobre Hitler, ainda que por meio de uma perda de vidas humanas sem precedente. Os dois protagonistas sentem que os eventos da década anterior não cumpriram totalmente as promessas da filosofia marxista da história. Por outro lado, apercebem-se de que os destinos do mundo e do seu país melhoraram substancialmente:

> Mesmo que a vitória não tenha trazido o alívio e a liberdade aguardados no final da guerra, os portentos de liberdade dominaram o ar durante todo o período do pós-guerra, e só por si definiram a sua importância histórica. Para os dois velhos amigos sentados à janela, parecia que esta liberdade da alma já estava ali, como se nessa mesma noite o futuro tivesse tangivelmente se movido para as ruas por baixo deles, como se eles mesmos tivessem entrado nela e fizessem agora parte dessa liberdade. Pensando nessa cidade sagrada e em toda a terra, nos protagonistas ainda vivos desta história, nos filhos deles, se sentiam plenos de ternura e paz, rodeados da inaudita música da felicidade, que fluía ao seu redor e à distância.[77]

Conforme é sabido pela biografia de Pasternak, tal visão da história (e das implicações políticas que dela se extraem) não se aproximava o suficiente da linha oficial do Partido – o que muito surpreende, dado que o romance parece fazer uma avaliação da situação do pós-guerra tão realista e até positiva. A diferença entre a filosofia marxista da história e as frases de Pasternak não está tanto no conteúdo, mas mais no seu tom. Palavras como "ternura", "felicidade" e "cidade sagrada" – no

---

[77] Ibid., p.519.

Depois de 1945

lugar de "progresso" ou "ciência" – poderiam ter parecido "burguesas" às autoridades.

Se tomarmos a última sequência do romance como a expressão da reação do autor à experiência da guerra, Pasternak parece ocupar uma posição próxima da que Albert Camus foi desenvolvendo a partir de 1950. Camus foi de uma crítica apenas ao fascismo para um argumento mais complexo, que acusava qualquer ideologia suficientemente abstrata para justificar mortes humanas para os fins idealistas ou a promessa de atingir remotas visões de futuro. Deste ponto de vista, um discurso como o do Strelnikov de Pasternak – que pretendia medir o presente e moldar suas ações a partir de um lugar de vantagem que era um "juízo final" da história – torna-se tão inaceitável quanto o êxtase apocalíptico de Adolf Hitler nos dias que precederam o seu suicídio, e segundo o qual o povo alemão merecia a morte coletiva. Nas palavras de Camus:

> Esta lógica culmina no suicídio coletivo. A sua mais impressionante manifestação ocorreu no apocalipse hitleriano, em 1945. A autodestruição era uma ninharia para os loucos nos seus abrigos, que se preparavam para uma morte de aparato e pompa. Aquilo que lhes interessava não era tanto destruir-se a si mesmo, mas arrastar consigo todo um mundo.[78]

Segundo Camus, a dissolução de todos os valores estáveis foi responsável pelas ideologias assassinas do século XX: "Se não se acreditar em nada, se nada fizer sentido e nenhuma posição tiver valor, então qualquer coisa é possível e nada importa. Então,

---

[78] Camus, *L'Homme révolté*, p.19.

não existe nem 'a favor' nem 'contra'. Você pode idealizar crematórios ou dedicar-se a cuidar dos leprosos. A diferença entre a malícia e a virtude é fruto de acaso, escolha arbitrária."[79] A firmeza da crítica de Camus é uma coisa; mas outra, totalmente diferente, é encontrar valores e uma posição estável a partir da qual se possa agir. Afinal, a atitude de acordo com a qual "nada faz sentido" corresponde exatamente à definição de "absurdo" que ele abraçara – com grande sucesso mundial – no existencialismo do pós-guerra. A "revolta" contra o "poder e a História" que Camus acabaria por subscrever sugere que nos concentremos naquilo que estiver disponível e em causa a cada momento determinado. A História não pode descarrilar de todo, quando o juízo e a ação abandonam os amplos horizontes do passado e do futuro que, desde o início do século XIX, têm usado e abusado para legitimar o assassínio em massa:

> Cada um de nós diz ao outro que não é Deus; aqui termina o Romantismo. Neste ponto do tempo em que cada um de nós deve armar-se do seu arco e procurar, de novo, as evidências, teremos uma vez mais de conquistar, dentro da e contra a História, aquilo que já possuímos: a pobre colheita de nossos campos, o tênue amor por esta terra; neste momento em que o homem, finalmente, nascerá, teremos de deixar para trás nosso século e sua raiva de adolescente. O arco está distendido, a madeira prestes a quebrar. Dessa máxima tensão surgirá a energia de uma nova e direita flecha, de uma incitação cujo rigor e cuja liberdade são inultrapassáveis.[80]

---

79 Ibid., p.17.
80 Ibid., p.382.

Aqui, Camus luta visivelmente para descrever sua nova posição, a qual falta tanto a circularidade conceitual quanto a abstração filosófica omniabrangente. A insistência dele na incomparável relevância de cada momento, no seu caráter único e concreto, me lembra, em certa medida, o novo tom adotado por Pasternak quando avalia o movimento da História e, mais ainda, do voto de Pasolini a favor de uma modernidade diferente – a modernidade da experiência do Povo. Mas a impressão que Camus, Pasternak e Pasolini compartilham – da História descarrilada – não encontrou particular ressonância nos anos da década de 1950, e acabaria praticamente desaparecendo dos horizontes intelectuais e políticos das gerações que se seguiram. Pode ser esta uma das razões por que a filosofia de Camus vive atualmente uma espécie de ressurgimento.

∞

Como nunca se conseguiu o equilíbrio entre a experiência de (múltiplos) descarrilamento(s) e o desejo de estruturas que proporcionassem abrigo existencial, o mundo de meados da década de 1950 parecia cheio de eventos e fenômenos isolados e de restos que apresentavam o tantas vezes irônico – e algumas vezes trágico – resultado de situações anteriores de esperança e de desespero. Em 3 de novembro de 1957 – quatro dias antes do quadragésimo aniversário da Revolução de Outubro e apenas poucos meses depois do Sputnik I –, a União Soviética lançou em órbita ao redor da Terra um satélite com a cadela Laika, uma vira-lata encontrada nas ruas de Moscou. Laika morreu umas horas depois, provavelmente de sobreaquecimento e de estresse. Seu cadáver continuou a desenhar círculos em volta do planeta, até que, em 14 de abril de 1958, o Sputnik II se desintegrou ao reentrar na atmosfera, sobre o Caribe.

O lançamento do satélite ocorreu um dia antes de completar um ano da invasão da Hungria pelo Exército Vermelho. A operação – que, apesar de ter tido sucesso, teria custos elevados em termos políticos e ideológicos – incluiu quebrar um movimento nacional de independência que, em sua fase inicial, forçara o governo pró-soviético a renunciar. Ainda mais do que na crise dos mísseis cubanos, alguns anos depois, parecia certa uma reação militar por parte dos aliados ocidentais; esta perspectiva despertou em todo o mundo – talvez com mais intensidade do que antes ou do que viria a acontecer depois – o temor de uma Terceira Guerra Mundial com armas nucleares. Àquela altura, a minha única irmã tinha quatro meses de idade. Recordo que minha mãe dizia, enquanto a ninava (e num tom ligeiramente forçando a seriedade), que nunca deveria ter trazido outra criança ao mundo, um mundo tão incapaz de manter a paz.

No que diz respeito a outros modos de interpretar o passado, a abordagem hegeliana e marxista parece ter atingido seu ponto mais baixo de popularidade durante a década de 1950 – entre o existencialismo do período do pós-guerra e a chamada "Revolução Estudantil" do final dos anos 1960. O latinista Werner Krauss – antigo aluno de Erich Auerbach, que fora condenado à morte no Terceiro Reich mas viria a sobreviver à guerra – decidiu, no final dos anos 1940, morar na Alemanha Oriental Socialista. Mais tarde, como autor de manuais acadêmicos (sobretudo acerca do Iluminismo da França) e de dois notáveis romances, viria a receber inúmeros prêmios nacionais. E, no entanto, até Krauss – numa entrada do seu diário, a propósito de um potencial projeto literário – se sentiu à vontade para tratar a filosofia marxista da história com tom irônico – chegando mesmo a subvertê-la:

> Tópico para um romance: depois do fim do mundo, as pessoas reparam que, ao invés de continuarem a movimentar-se para frente, o tempo move-se irreversivelmente para trás. Enquanto a terceira idade é considerada o período privilegiado da vida, a juventude implica a aproximação da imediatez da morte. Um lento desaparecimento da civilização. Mas quem guardará a memória dos objetivos "passados"? Tudo parece caótico.[81]

Claro que essa era uma ideia para uma obra de ficção – mas parece transmitir a maneira como as previsões "científicas" do progresso necessário haviam perdido muita da autoevidência e da autoridade que algum dia teriam tido.

Já em 1950, Gottfried Benn escreveu um poema, "Natureza morta", que tratava de motivos anteriormente populares do afeto existencial com a calma ironia da *stasis* e da distância:

> o tempo ganhou uma quietude,
> a hora respira
> sobre uma jarra,
> é tarde, já recolheram as bebidas,
> só resta um pouco de corpo a corpo e de abraço,
> há o final do round – ofereço o mundo
> de presente para quem achar que é suficiente para entreter.[82]

---

81 Krauss, *Vor gefallenem Vorhang*, p.174.
82 Benn, *Gedichte*, p.387.

"O tempo ganhou uma quietude" – a quietude do tipo de pintura que chamamos de "natureza morta", que apresenta os objetos ("uma jarra", por exemplo) em pormenor e sem função alguma, nem tensão de fundo. São coisas para serem usufruídas se assim se quiser. Deixou de ser importante qualquer possível relação com o curso da história, qualquer prognóstico sobre o futuro. Só continua havendo alguma luta "corpo a corpo" – e alguns "abraços". Alguma coisa chegou ao fim.

Kann keine Trauer sein [Sem luto possível] é uma das últimas obras de Benn. O autor enviou-a para a *Merkur*, publicação cujos editores haviam sido suficientemente ousados ao imprimir os poemas de Benn nos anos imediatos do pós-guerra, quando ele era visto negativamente em razão do apoio que tinha dado ao nacional-socialismo em 1933 (hoje se sabe que esse seu entusiasmo pelo movimento não durou quase nada). Benn datou o poema de 6 de janeiro de 1956. Pretendia que o texto fosse publicado no seu septuagésimo aniversário, em 2 de maio de 1956. Isso assinalaria a obra como um evento que ocorresse no mesmo espaço cultural alemão onde muito recentemente começara uma "miraculosa" recuperação econômica [*Wirtschaftswunder*]. *Kann keine Trauer sein* é sobre as camas onde morreram grandes figuras da literatura alemã do século e meio anterior: Stefan George, Rainer Maria Rilke, Friedrich Hölderlin e Annette von Droste--Hülshoff (uma poetisa tardo-romântica da Westfalia, que passou os derradeiros anos de sua vida num pequeno castelo em Meersburg, próximo ao lago Constança). Todos esses poetas e pensadores poderão ter – ou não – se sentido seguros no momento em que morreram, em suas camas. Porém, um sentimento existencial desse tipo – e a sua memória – tornara-se "sem sentido" num presente que Benn chamou de estado de "eterna desintegração":

> Naquele pequeno leito, quase uma cama de criança, Annette Droste morreu
> (pode ser visitada no seu museu, em Meersburg),
> Hölderlinn neste sofá, na sua torre de uma casa de marceneiro,
> Rilke, George provavelmente em camas de um hospital suíço,
> em Weimar os grandes olhos negros de Nietzsche
> jazeram sobre uma almofada
> até o derradeiro olhar –
> tudo lixo agora, ou nem sequer ali,
> indefinido, sem sentido,
> em eterna desintegração, livre de dor.[83]

Aqui, o sentimento está tão distante da esperança desesperada por "uma sepultura no vento", enunciada na *Fuga de morte* de Celan, como do espírito de progresso – e da ascendente "consciência limpa" sobre o passado – que agora alimentava o "milagre econômico" alemão.

---

83 Ibid., p.476.

6
Efeitos de latência

Na década de 1950, os "blocos" Ocidental (capitalista) e Oriental (comunista) emergentes começaram a dividir o mapa do planeta entre si com singular determinação – como se jogassem uma partida de xadrez. Esse jogo era naturalmente acompanhado por verdadeira tensão política, que de vez em quando irrompia em confrontos militares (apesar de, seja dito, nunca ter se atingido a escala de uma Terceira Guerra Mundial, com armamento nuclear). Ao mesmo tempo, a população mundial parecia afastar-se rapidamente daquilo que fora a mais devastadora experiência da história. A principal diferença entre os anos pós-1945 e o período que se seguiu à Primeira Guerra Mundial foi a facilidade – a aparente facilidade, pelo menos – com que o passado era deixado para trás, e não apenas no plano intelectual.

Nos três capítulos anteriores foi descrito um conjunto de situações culturais na década seguinte à Segunda Guerra Mundial como dimensão do *Stimmung* desse período. Antes de passar às décadas que articulam os anos imediatos do pós-guerra com o século XXI (o que farei no capítulo final), gostaria de resumir e sintetizar aquilo que até agora descobri e analisei, em termos mais abstratos – isto é, mais conceitualmente estruturados. Há três observações que me parece fundamental fazer. Em primeiro lugar, apesar das óbvias diferenças locais, é possível – e talvez até importante – compreender a situação do pós-Segunda Guerra como uma situação "global" *avant la lettre*. Os blocos Ocidental e Oriental, nações vitoriosas e nações derrotadas, e até – muito curiosamente – alguns países que não estiveram envolvidos tão intensamente em operações militares (o Brasil e a Espanha foram meus casos de teste) fizeram todos parte de uma rede de desafios, preocupações e tentativas de solução surpreendentemente homogênea – aparentemente "global". (Desnecessário dizer que essas preocupações, tentativas de soluções e desafios conjuntos emergiram todos – e foram encontrados – de maneiras específicas em cada constelação cultural.) Aliás, gostaria de deixar aqui a afirmação empírica de que as três configurações apresentadas nos três últimos capítulos podem ser vistas como formadoras de uma teia cultural global de contornos históricos específicos. Apesar de todo o progresso e das mudanças que possam ter ocorrido neste ínterim, essa forma preservou seus traços básicos até hoje – o legado cinzento de um passado que encontramos a todo o momento, mesmo se não o vemos de modo muito claro. Em outras palavras: esse legado parece ter baixado sobre o nosso presente, mas também faz parte desse presente; ele é o motivo de nossa obsessão, apesar de – ou precisamente porque – só vagamente podermos experienciar a forma que ele assumiu, e quase nunca de maneira direta. O estatuto e as dimensões de "subjetividade", por exemplo – isto é, a natureza da figura central da autorreferência para o "homem" ocidental –, não ganhou foco mais nítido agora do que tinha quando a fenomenologia começou a defini-lo, nos anos logo após 1900. Em vez disso, essa noção apenas se tornou mais problemática com o tempo.

Em segundo lugar – e reside aqui outra diferença entre os cenários que emergiram após as duas guerras mundiais –, os temas, provocações e tarefas articulados depois de 1945, em geral, não foram experienciados como coisas novas ou surpreendentes, mas sim como problemas vindos de tempos anteriores, e cuja importância persistente estava simplesmente a ser reafirmada. Tal como já fiz referência, isto é particularmente verdade para os vários tópicos epistemológicos que envolvem (entre muitas outras coisas, claro) o estatuto da subjetividade, da cognição e da ação. Às vezes, ocorriam avanços – por exemplo, quando Jean-Paul Sartre apresentou seu argumento sobre a centralidade existencial da "má-fé", em *O Ser e o Nada*; porém, mais do que verdadeiras inovações na cultura, era mais característico do período em questão um sentimento crescente de impaciência e de frustração com a escassez de soluções à vista.

Em terceiro lugar – e aqui gostaria de evitar o tipo de mal-entendido típico do modo intelectual predominante da investigação em Humanidades –, as três configurações culturais do pós-guerra que descrevi ("sem saída e sem entrada", "má-fé e interrogatórios" e "descarrilamentos e contentores"), ainda que se combinem e resultem num horizonte global de referência, não são suficientemente complementares nem estão mutuamente adaptadas para serem consideradas um "sistema". Claro que todo o tempo elas se sobrepunham e "interagiam" (por assim dizer). Porém, esses contatos eram intermitentes e, além disso, fortemente marcados por circunstâncias particulares e locais; em consequência, o seu efeito conjunto (se é que houve algum) produziu algo mais como uma congestão geral do que a confluência regular de diferentes movimentos. Nada resultou sem problemas, depois de 1945. Então, outro modo de caracterizar o efeito combinado dessas três configurações – talvez a imagem mais próxima aos modos cotidianos de expressão – seria chamar-lhe de "labirinto" ou "dédalo". O labirinto produziu tanto um desejo de partida quanto, ao mesmo tempo, o medo de que tal partida dê lugar a uma saída da terra. Assim, nosso olhar retrospectivo torna claro que o efeito mais forte de congestão resultou da circularidade (no sentido de circularidade "viciosa") que aconteceu, na medida que nenhuma das três configurações oferecia "objetivos" claros que pudéssemos atingir – ou sequer um ponto de partida tangível.

∞

Gostaria agora de descrever com mais detalhe o labirinto do ambiente do pós-guerra. Uma importante experiência produzida pelas várias articulações do motivo "sem saída e sem entrada" envolvia a impressão de que se tinha tornado impossível deixar "para trás" no tempo fosse o que fosse, o que equivale à impossibilidade de ocorrência de qualquer evento, em qualquer época. Parte dessa impossibilidade ganhava forma na (reiterada) impressão de que as fronteiras estavam se afastando – isto é, que as fronteiras "empurravam para fora" do presente toda e qualquer dimensão externa. Ora, um mundo que não permitisse a ocorrência de eventos e excluísse a transcendência (no sentido literal – ou seja, espacial – da palavra) dirigiria a atenção humana de volta à superfície do planeta, o que levaria a uma nova consciência do modo como o espaço estava aqui estruturado – uma consciência que temos cultivado, desde então, sob premissas diferentes (e, acima de tudo, ecológicas). Em última análise, porém, veio a se comprovar que é difícil chegar a entendimentos convincentes ou consensuais – para já não falar de "verdades" – dentro dessa esfera limitada; isso aconteceu também porque ninguém podia reprimir, elidir ou eliminar o ceticismo acerca da fiabilidade de todo o conhecimento humano que o século XX herdara do passado. Portanto, a soma dos vários motivos de "sem saída e sem entrada" levou à crença, antes de qualquer coisa, de que era preciso revisitar e refinar as capacidades cognitivas do Ocidente tradicional, especialmente porque estavam relacionadas com fenômenos acessíveis à pesquisa empírica (isto é, fenômenos articulados no espaço).

Não chegaria a afirmar que a descoberta filosófica da estrutura básica da "má-fé" e os argumentos concomitantes sobre a impossibilidade de uma total autotransparência ocorreram "como reação" à necessidade de aguçar a capacidade cognitiva do sujeito. Mas a verdade é que a obsessão com a má-fé após 1945 adensou consideravelmente o ceticismo, que já existia, sobre o âmbito cognitivo do sujeito. Quanto maior o sucesso que a Humanidade obtinha no controle do planeta, menos parecia confiar no conhecimento que possibilitava esse controle. Então, inventaram-se diferentes técnicas de interrogatório, e o "gênero" do interrogatório ganhou popularidade, numa tentativa histórica de reforçar quer a posição do sujeito com relação ao "mundo dos objetos" externos, quer na relação com a sua própria esfera interior. Mas também aqui as elevadas esperanças (epistemológicas) ficaram por cumprir. Não só as abordagens mais empíricas falharam na tentativa de gerar conhecimento estável, mas conduziram, além disso, a uma desvalorização do "pensamento" na tradição da "lógica". Não era esperado que nenhuma ideia definida emergisse daquilo que Antonin Artaud – ou Lucky, em *Godot* – pensava. A consequência duplamente negativa da constelação "Má-fé/Interrogatórios" pode ter dado impulso ao novo gesto epistemológico que ganhava forças no final da década de 1940 e começo da de 1950. Refiro-me aqui à tendência, nova na época, para "deixar que os fenômenos se revelassem por si" (ou, nas palavras de Martin Heidegger, "deixar o Ser se revelar") – um modo, assim se esperava, de ir além do paradigma tradicional Sujeito/Objeto.

Se a sensação de que já não era possível deixar nada "para trás" (ou "no passado") contribuía para adensar a impressão de que a história tinha "descarrilado" do trilho previsto, ela também dava origem a uma experiência profunda de insegurança e de perigo existencial. Essa sensação agravava-se com as memórias individuais de eventos particulares durante os anos da guerra (nenhuma das quais, obviamente, era comparável em alcance à detonação da bomba sobre Hiroshima). Nos capítulos anteriores, relacionei a obsessão com os vasos – "contentores" – a esta intensificada insegurança existencial. Para algumas posições de engajamento intelectual – sobretudo as de Heidegger e de Carl Schmitt –, essa ânsia por segurança existencial se fundia com o projeto filosófico de permitir que as coisas emergissem em direção ao "desvelamento". No entanto, parece que nenhuma dessas reações nem as soluções propostas chegaram a um nível confortável de estabilidade. Com o objetivo de consertar a temporalidade, operou-se um regresso do *topos* "descarrilamento e contentores" para a estrutura "sem saída e sem entrada". Mais precisamente: esse regresso teve lugar de modo a ultrapassar a regra de "sem saída", na medida que só podemos esperar avançar

Depois de 1945

no tempo se for possível deixar o passado para trás – ou, no sentido contrário, de modo a encontrar proteção existencial num lugar qualquer (e assim ultrapassar a regra de "sem entrada"). Nesse ponto, em que a terceira das configurações culturais que marca a situação global do pós-guerra se refere de volta à primeira, a interação das duas (ou, pelo menos, a nossa descrição da sua interação) revela sua circularidade. Aqui, começamos a sentir uma estrutura de tipo dédalo formada por traços desse jogo, num modo historicamente específico de viver a vida. Se a circularidade fornece uma forma em que as três configurações se ligam ao mesmo nível, ela não barra a possibilidade de que estas também possam ter operado juntas, num modo mais hierárquico (ou "sintático"). Um caso assim – em que "sem saída e sem entrada" e "má-fé e interrogatórios" ocorrem conjuntamente – gerava uma sensação de congestão e de circularidade; "descarrilamento", por outro lado, parece ser uma reação a, ou uma interpretação desta mesma sensação – e a ânsia por "contentores" significa o sonho de redenção desse estado de coisas.

∞

O labirinto congestionado que emerge da interação entre as três diferentes configurações culturais é apenas uma das dimensões do *Stimmung* predominante na década que se seguiu a 1945. Uma dimensão relacionada, que já foi referida aqui, é a facilidade com que a Humanidade parecia capaz de distanciar-se da experiência da guerra e de seus *traumata* (atitude que, mesmo de um ponto de vista atual, parece notável). O *Stimmung* histórico que engoliu a vida do corpo e do pensamento era constituído pela tensão (ainda que por vezes fosse tão somente uma questão de coexistência) entre a congestão que estou tentando descrever e uma prontidão aparentemente não problemática para partir em direção ao futuro. Obviamente, essa fácil prontidão de partir veio na esteira da energia cartesiana da modernidade; no que diz respeito à atmosfera da congestão, concordo com um colega brasileiro que a descreveu como "uma ontologia sem teleologia" – um ambiente pesado, sem tração nem vetores, no qual todas as distinções tendiam para o colapso (incluindo a distinção entre a prosa que continha "argumentos" e as obras de "ficção").

Como poderíamos associar o *Stimmung* do pós-guerra com a latência? Acima de tudo, pretendo sublinhar que existem múltiplos "efeitos de latência" – em parte, porque gostaria de afirmar e de desenvolver com mais detalhe um paradigma de latência diferente do modelo freudiano de "repressão". Não tenho certeza de que serei capaz de assinalar o quê, precisamente, se mantinha latente nos anos depois de 1945, ao passo que esperaríamos isso mesmo do esquema interpretativo da repressão. (Seja como for, afirmaria, sim, que ninguém pode dizer muito sobre aquilo que se manteve latente, a partir da posição histórica que este livro trata – isto é, os anos desde meados até final da década de 1950.) Pode bem ser que um dos efeitos da latência – a impressão de que alguma coisa tinha ficado "escondida" ou "na obscuridade" – fosse o ponto de acumulação e de convergência para múltiplas formas de experiência e de percepção, e que tenha emergido quando as três configurações culturais que vimos entraram num estado de congestão. (Este seria um primeiro nível de "latência.") Tínhamos impressões paradoxais de que certas coisas não poderiam "ficar para trás" porque desapareciam tão depressa, enquanto outras permaneciam "inacessíveis";

o eu nunca se tornaria "completamente transparente", e nenhum ambiente ofereceria abrigo e proteção completa. Em conjunto, estas impressões produziram um efeito de latência – e, com ele, a já mencionada "ontologia sem teleologia".

Entre a década de 1950 e os nossos dias, vários momentos históricos parecem ter sugerido que o que quer que esteja latente finalmente será libertado e trazido para a vista de todos. Mas todos esses momentos se revelaram ilusórios. Falarei sobre alguns deles no próximo capítulo, o último. Antes de fazê-lo, devo referir a outra dimensão histórica do efeito da latência após 1945 – que tem a ver com a simultaneidade, dentro do *Stimmung* do tempo, das sensações de congestão e do fácil movimento para frente. O movimento para frente foi fácil, no Ocidente, devido à rápida e muito significativa expansão econômica; foi fácil no Leste porque o comunismo jamais se sentiu responsável pelos males do passado, e assim a possibilidade de "seguir em frente" é dada como certa. O movimento para frente estava facilmente sincronizado com todos os tipos de discursos e conceitos historicizantes – ou seja, com discursos e conceitos segundo os quais o tempo continuaria sendo um agente inevitável de mudança e de transformação regular. Nesse espírito, o reverso da ameaça permanente de guerra nuclear era a impressão inicial de que a paz era, de fato, possível – que poderia ser negociada pelos vencedores da guerra e mudaria drasticamente o mundo, para melhor. Porém, nunca uma paz desse tipo esteve perto de ser alcançada. Aliás, sua ausência seria uma condição para a emergência da Guerra Fria – e a Guerra Fria viria, em última análise, a criar uma estrutura mais estável para prevenir o conflito à escala global do que qualquer tratado de paz dos séculos precedentes. A segurança era garantida como paradoxo cínico.

Por outro lado, o movimento circular entre as três configurações culturais não era compatível com visões historicizantes do mundo. Mais adiante, sugiro que, durante uns bons cinquenta anos, esse movimento circular implicou a possibilidade de uma "construção do tempo" diferente, não historicizante – ou seja, um novo "cronótopo" –, e que este novo cronótopo estava, por assim dizer, "em hibernação". Só hoje, no começo do século XXI, ele começou a se revelar, lentamente. Nosso fascínio renovado pelas obras escritas por Albert Camus depois de 1950, por exemplo, é sintoma da situação alterada. Mais do que qualquer um dos seus contemporâneos, Camus rejeitava o cronótopo historicizante por este ser ultrapassado, preguiçoso e, em última análise, uma perigosa estrutura de pensamento. Aqui, num segundo nível, a latência se referiria à sensação específica, produzida, a partir de 1950, pela emergência de um novo cronótopo (ou pela vaga percepção dessa emergência) – um cronótopo que ainda não se compreendia totalmente, por estar coberto de outras estruturas, mais familiares ao tempo, que tanto o mundo capitalista quanto o comunista constantemente reciclavam.

Os momentos históricos entre meados da década de 1950 e os nossos dias, de que agora me ocuparei, incluem a ilusão, repetidamente sentida, de que se tinha desenterrado o que ainda estava latente e recusava, durante tanto tempo, se revelar. Na sequência histórica, esses momentos formam uma genealogia de acordo com a qual a latência está na origem do nosso presente. O ritmo que emerge da sua silenciosa sucessão não tem a ver com o tempo vetorial do cronótopo historicizante. É uma forma de tempo estruturada pela reiterada certeza de que "alguma coisa" finalmente foi libertada por um fenômeno que ninguém antes tinha testemunhado. Tal temporalidade da latência se assemelha – ao menos da minha perspectiva – com a "História do Ser" que Heidegger imaginou numa tentativa de fornecer uma estrutura para os "eventos de verdade" (ou momentos do "desvelamento do Ser") pelos quais ele tão desesperadamente aguardava. Por essa razão, o título do meu capítulo final coloca uma pergunta: "Desvelamento da Latência?"

7
Desvelamento da latência?
Minha história com o tempo

A determinada altura no final do verão de 1958, faleceu o pai de minha mãe. Creio que tinha 62 anos – não seria mais velho do que isso. (Sua filha já não pode confirmar o ano do seu nascimento, pois vive hoje numa nuvem de demência.) Durante muitos anos – desde que me lembro – meus pais tinham com ele um debate interminável sobre "soluções" para seus problemas cardíacos crônicos. Levaram-no a várias consultas a especialistas de renome, no hospital universitário da minha cidade natal, além de prolongadas estadias em estações termais, famosas por suas águas fortificantes. Chegaram a estar envolvidos "obreiros de milagres". Um deles levou-nos uma quantia avultada para recomendar que meu avô não parasse de mascar chiclete. Meu avô depressa abandonou essa terapia, e a decisão dele me deixou com uma reserva privada de chiclete, que muito me agradou. Imaginava que, no final, o coração de meu avô pareceria gasto e fraco – um pouco como a máquina a vapor de brinquedo, do meu pai, com que tanto eu gostava de brincar. Meu avô veio a morrer numa das termas – lugar a que tinha se afeiçoado.

Minha avó – a terceira esposa dele, madrasta de minha mãe – não o acompanhara. Ela usou a ocasião da chegada do caixão do marido à cabana da floresta (onde nos reuníramos) para propagar o tradicional lamento da viúva: "Quem diria, Hans, que você regressaria assim! Oh, tão cedo partiste, tão cedo!", chorava ela, antes de se retirar, apoiada no ombro do pequeno e pesado irmão. Se minha avó realmente estava sentindo o que dizia, ela estava muito sozinha na experiência dessa situação com tamanha intensidade: meio século atrás, 62 não era idade tão estranha para se morrer.

Eu começara a sentir que meu avô – com quem tive minha relação favorita durante a infância – estava mais do que fisicamente esgotado. Deixei de conseguir ver a aura de sucesso e de riqueza que queria que ele transmitisse. Além disso, apanhei algumas das palavras trocadas numa das brigas feias que uma vez ou outra surgiam entre minha avó e minha mãe – no próprio dia do funeral – sobre certo montante que, devido a problemas de "liquidez", meu avô quis tomar de empréstimo a meus pais (que, na altura, começavam a ter um rendimento consolidado). Parece que a filha e o genro tinham se recusado a emprestar; a atitude ingrata deles foi recompensada quando herdaram um velho prédio de apartamentos em Düsseldorf, que venderiam precisamente por mil marcos (provavelmente uma boa quantia, naqueles tempos). Durante o funeral, no cemitério da aldeia onde meu avô tinha nascido, reparei, pela primeira vez e com certo sentimento de culpa, que a morte – até a morte de alguém muito importante na minha vida – deixava em mim uma impressão mais tênue do que eu pensava que deveria. Nos quatro ou cinco anos seguintes, regressei várias vezes à cabana para estar com minha avó, que tomara conta dos negócios do falecido marido e geriu as operações com surpreendente sucesso. Também era surpreendente que ela tenha começado a desempenhar na minha vida o papel que ele havia tido com uma ternura estranhamente distante. Só uma ou duas vezes visitei o túmulo dele, onde tinham colocado uma pedra de dimensões quase monumentais, com o seu nome em letras douradas. Ainda que meu avô tivesse enorme medo da morte que nem podíamos dizer a palavra perto dele, ele deixara um testamento manuscrito que – entre outras coisas mais práticas – descrevia com precisão como queria que fosse a sua sepultura. Tinha ido embora uma parte do passado – um mundo que eu gostaria de imaginar como glorioso, e do qual eu gostaria de ter feito parte; à medida que entrei na adolescência, os aspectos horrendos desse passado começaram a surgir na minha frente.

Enquanto isso, comecei o primeiro ano no *Gymnasium* e me deparei – ainda que sem o mesmo dramatismo – com os mesmos problemas e desilusões (desilusões acima de tudo para meus muito ambiciosos pais) que já encontrara na escola básica. Atraía-me sobretudo um professor de latim e de alemão que parecia mais ríspido – alguns colegas dele descreviam-no como "sádico" – do que pedagogicamente sistemático, que falava com a pronúncia prosaica e suavemente melódica das então minorias alemãs da Europa Oriental. Por vezes, surpreendia-nos (éramos alunos de 10 anos) com comentários vagos acerca da "injustiça histórica" e das "agendas nacionais inacabadas". No entanto, ao contrário de seus colegas – e ao contrário de meus pais –, ele manifestava, verbalizando, o apoio do que hoje consigo identificar como a "reeducação" imposta pelos americanos (as medidas chegavam inclusive a regular a eleição do responsável pela escola), o que a maioria dos outros professores abertamente criticava nele. Mais do que qualquer outro, foi o dr. Kurt Fina quem despertou em mim o desejo de saber mais sobre o passado – e de me imaginar como parte dele. No caso, incluía a Antiguidade Romana. Ainda que não tivesse o direito de nos obrigar a seguir as suas instruções, ainda lembro o tom da voz dele quando recomendou que os "bons" alunos comprassem para as aulas de latim um dicionário etimológico chamado *Der kleine Stowasser* (ainda guardo o volume numa prateleira atrás da escrivaninha), assim como um livro de fontes da cultura romana cotidiana, *Res Romanae*. Os colegas do dr. Fina, pelo contrário, passavam o tempo cultivando os papéis, as afetações e até as roupas de um tempo anterior – o tempo de "antes da guerra", que, quando a ele se referiam, soava como a única época que de fato tinha existido. O dr. Herbert Wilhelm, professor de Matemática, por exemplo, narrava com orgulho as suas aventuras de piloto militar (embora também tivesse composto duas operetas); o professor de Biologia, Walter Menth, gabava-se, com modéstia, dos seus dias gloriosos como estrela local de futebol (ele não sabia muito sobre biologia). Nossos professores também nos faziam sentir que não estavam autorizados a expressar o que na verdade queriam dizer – por exemplo, quando o meu instrutor de Geografia, Hans Morgenroth, partilhou conosco uma inesquecível amostra de sabedoria: "Todos sabemos, rapazes – mesmo se os manuais não o dizem mais –, que um asiático vive feliz com um punhado de arroz por dia." Então, mais do que por descrições diretas, o mundo "real" de "antes da guerra" se tornava presente – em forma latente – através das várias espécies de alusão, mesmo que a maioria delas passasse despercebida.

Depois de 1945

∞

Foi assim que eu cresci na expectativa de que um dia alguma coisa crucial se tornaria clara, embora eu não soubesse – ou acreditava já não saber – que tipo de coisa seria. Viver na certeza de uma presença que não tem identidade é viver num estado de latência. Se não estou enganado, muitos de meus colegas de escola – e muitos jovens alemães da minha geração – tinham em comum a sensação, vaga mas segura, de que o futuro continha armazenado um momento decisivo de desvelamento. Para mim, começara com a glória que eu imaginara meu avô possuir, mas que nunca se materializou diante de meus olhos; continuou com o ressentimento – talvez mesmo uma agenda oculta – que eu pressentia no modo como meus professores falavam. Acredito que foi uma sensação assim que produziu a tonalidade específica da revolta estudantil de 1968 na Alemanha: queríamos enfrentar nossos pais porque tínhamos certeza de que eles estavam escondendo alguma coisa que desconhecíamos (mesmo se, simultaneamente, fingíamos saber do que se tratava).

Esta atitude em direção ao passado determinou a relação que mantínhamos com o futuro enquanto dimensão da existência. O futuro herdado do conceito oitocentista de "História" [*Geschichte*] se parecia com um futuro que poderíamos escolher – e cujo caminho poderíamos determinar – através da ação volitiva. Para quem nasceu depois de 1945, tornou-se também um futuro que continha armazenada uma revelação, mesmo se a data – e o modo – de seu advento não fosse previsível. À primeira vista, era esta "expectativa do passado" (já de si uma atitude potencialmente paradoxal) que causava congestão – ou, para usar outra metáfora, que causava o enrugamento do decurso suave do tempo histórico que se estendia desde um passado que simplesmente se deixou para trás até um futuro que era matéria de pura escolha. Meu encontro com o tempo (de novo, estou assumindo que esta experiência não foi apenas minha) era uma expectativa constante — e constantemente frustrada — de que alguma coisa crucial se desvelaria —, assim como um esforço permanente para adaptar as visões do futuro e do passado a este ciclo repetido de esperança e desilusão.

∞

No final de 1958, durante os meus primeiros meses no *Gymnasium*, encontrava-me provavelmente entre os sonhos evanescentes sobre o mundo de meu avô e o desejo de uma imagem diferente do passado que se tornaria o meu futuro — visão agora despertada pelo Dr. Fina. Hoje vejo que o final da década de 1950 foi sobretudo um tempo de fins aparentes — um tempo em que pode ter surgido pela primeira vez a impressão de que terminara o pós-guerra. Quando, em 1955, James Dean morreu num acidente de automóvel, desapareceu o rosto de uma geração que tinha ficado para sempre fixada numa adolescência eterna pelo rude otimismo de uma nova classe média. Três anos depois de ter recebido o prêmio Nobel de Literatura, também Albert Camus perdeu sua vida num acidente de carro. Se James Dean parece nunca ter ultrapassado a indecisão sexual do começo de sua vida adulta, Camus deixou para trás mulher e dois filhos; ele era também muito mais do que um rapaz-cartaz para o sabor intelectual do tempo. Agora, no início do século XXI, muitos creem que a obra de Camus — um legado que se distingue por uma lúcida sobriedade filosófica — poderia ter servido de proteção, a toda uma série de gerações, contra o fervor de ideologias arrogantes banais (mesmo apesar de os contemporâneos de Camus logo terem começado a franzir o cenho à sua obra, por não a considerarem suficientemente "progressiva").

Aquilo que chegou ao fim – produzindo a impressão de que se estava *en route* em direção ao futuro – foram as incertezas e os receios que tinham assistido as fases iniciais da Guerra Fria. Em princípio, o desenho da nova ordem já era visível em 1950: os Estados Unidos e a União Soviética dividiriam o mundo e o "congelariam" em duas zonas de influência e controle; nesse processo, não hesitariam em separar nações e antigos territórios coloniais, como aconteceu com a Coreia e a Alemanha. (Com base em sua pré-história colonial, o Vietnã haveria de desenvolver-se de maneira semelhante.) Porém, um receio específico permanecia – com potencial de explodir e gerar pânico. Era o receio de que um dos dois lados, explorando alguma fraqueza interna do adversário, desse origem a um confronto militar direto, com o risco lógico de uma guerra mundial nuclear – e, portanto, terminal. Foi nessa atmosfera que Günter Anders desenvolveu sua campanha humanitária para manter viva a memória de Hiroshima. Os acontecimentos da Revolução Húngara, em outubro e em novembro de 1956, poriam fim a esse ambiente.

Sob o governo do Partido dos Trabalhadores, que era leal à União Soviética, a Hungria caíra numa espiral inflacionária, em ruína econômica e fome – para não falar da repressão política e da agressiva transformação de estruturas sociais que o governo, informado por um imaginário ideológico, havia encenado. Quando os crescentes e velozes protestos estudantis forçaram o governo à renúncia, em outubro de 1956, a União Soviética parecia pronta a negociar. No entanto, em 4 de novembro, o Exército Vermelho invadiu a Hungria, sem tentar sequer disfarçar a natureza de sua missão e sem revelar quaisquer restrições à extrema violência que usou contra a população. As feridas desses dias são ainda visíveis nas paredes de casas antigas, na região central de Budapeste – onde por acaso escrevo estas linhas. Por volta de 10 de novembro de 1956, toda a resistência fora derrotada. Foram mortos dois mil e quinhentos soldados húngaros e setecentos militares soviéticos, e mais de duzentos mil húngaros abandonaram suas terras como refugiados. Conforme já referi, nessa época meus pais viviam convencidos de que uma nova vida de riqueza e de status, propiciada pela crescente economia alemã, havia terminado antes de ter realmente começado a existir – e que eles tinham sido moralmente irresponsáveis trazendo outra criança (minha irmã, nascida em julho de 1956) a um mundo condenado a desaparecer.

Apesar do receio motivado em toda a Europa pela intervenção soviética na Hungria, não chegaram a ser empregadas tropas militares americanas – que se encontravam a poucas milhas dali. Uma vez que eram óbvios os problemas internos do bloco comunista, e dado que a crueldade das ações soviéticas não poderia ter sido mais conspícua, só restava uma conclusão: a impossibilidade de um tratado de paz entre as duas potências que detinham o domínio absoluto tornava bastante forte o potencial de uma catástrofe nuclear; a Guerra Fria – uma vez que a Humanidade era (e será sempre) incapaz de eliminar por completo a ameaça nuclear –, portanto, tornara-se a melhor proteção possível contra a destruição universal. Finalmente, a Humanidade parecia preparada para deixar para trás uma parte do passado. Ambas as superpotências pagaram um preço elevado – mas razoável – pela nova estabilidade. Por um lado, a promessa americana de proteger e de promover movimentos de liberação e de independência nacional perdeu grande parte de sua credibilidade. Mas, para os intelectuais em todo o mundo, que tradicionalmente se achavam compelidos – muitas vezes por motivos filosóficos – a defender a expansão do Socialismo e do Comunismo, ficou muito mais difícil apoiar a União Soviética.

Menos de cinco anos depois da repressão da Revolução Húngara, na manhã de 13 de agosto de 1961, enquanto minha família tomava o café da manhã junto a um lago, nos Alpes da Baviera, saiu a notícia de que – sob a "proteção" da polícia e dos militares da Alemanha Oriental – tinha sido rapidamente construído um muro para selar o "setor" soviético de Berlim dos três "setores" controlados pelo Ocidente. Dessa vez, os motivos para a intervenção – que violavam acordos prévios entre os países – eram, sobretudo, econômicos; estes tinham se tornado cada vez mais prementes, em consequência de uma falha na lógica que presidia o estatuto da antiga capital. Oficialmente, toda a cidade de Berlim era considerada um caso especial dentro da Alemanha Oriental. Dessa forma, Berlim reproduzia a divisão que vigorava em todo o país no pós-guerra. Em outras palavras: a cidade estava dividida em quatro partes, sendo cada uma administrada por uma das antigas forças "aliadas". Mas dentro de Berlim as pessoas podiam andar livremente entre os quatro "setores", o que significava que a Alemanha Oriental continha em si uma saída aberta que não poderia ser protegida como fronteira; e, através dessa saída, cada vez mais cidadãos alemães do Leste (principalmente médicos, advogados, trabalhadores especializados) trocavam o Estado socialista pelo mundo ocidental. Era uma decisão absolutamente plausível, a de transformar esse problema numa situação de "sem saída" e, assim, evitar a possível derrocada da economia da Alemanha Oriental – ainda que isso garantisse ao lado americano mais um avanço ideológico na Guerra Fria.

Nessa manhã, depois de ouvirmos o noticiário, meu pai – que estranhamente, mas quase tipicamente para um alemão nascido por volta de 1920, sempre tomava o lado dos soviéticos nas discussões políticas – falou, entre dentes, que a Alemanha Oriental teria feito muito melhor em manter suas fronteiras fechadas desde o começo. Minha mãe, como sempre, impacientava-se por regressar à espreguiçadeira e bronzear-se. O dono do hotel – como o sr. Kellerman, seu igual no filme americano *Dirty dancing: ritmo quente* – ficou mais aliviado ao ver que não fora arruinado o ambiente de veraneio; sempre que necessário, ele era rápido em concordar com as muitas opiniões que eram veiculadas por ali. Mais uma vez, houve muita conversa, na rádio e na televisão, sobre como o bloco oriental estava brincando com a possibilidade de um confronto nuclear. Mais tarde soube que, a determinada altura, os tanques americanos e soviéticos ficaram frente a frente, à medida que o muro estava sendo erguido. Mas já ninguém acreditava, realmente, que aquela situação tensa redundasse em qualquer ação militar; só à primeira vista o evento se assemelhava com a Revolução Húngara. Quando muito, a construção do muro de Berlim confirmava as óbvias regras não escritas da Guerra Fria.

Cinco anos depois, meus colegas de escola e eu – todos perto de se graduarem do ensino médio – fomos, numa excursão obrigatória e apoiada pelo Estado, até a "antiga capital da nação" (a qual, graças ao muro, logo havia se tornado atração turística). Ali, fomos sujeitos a verdadeiras torrentes de pregação ideológica, dada como "instrução cívica". Por fim, fomos lançados, um a um – como participantes num "contrarrelógio" de prova de ciclismo –, à parte leste da cidade, que deveríamos conhecer e onde caminharíamos durante oito horas. (Esse padrão distributivo era imposto por uma antiquada regra burocrática da administração do Leste alemão.) Na época, eu tinha quase dezoito anos, e me sentia inquieto (agitação que não partilhava com meus companheiros de escola) por manifestar a minha independência com relação ao ambiente institucional e ideológico em que tinha crescido. Tanto as restrições no Leste quanto os avisos que recebêramos no Ocidente tornavam difícil que nos sentíssemos à vontade "atrás da Cortina de Ferro". Consequentemente, a maioria dos meus amigos – de modo mais ou menos secreto – regressava assim que atravessava a fronteira. Mas eu queria ser diferente e me esforcei para achar beleza na estranhamente inconsistente paisagem urbana "do outro lado". Ela consistia de monumentos históricos que esperavam por restauro depois da destruição da Segunda Guerra, e de algumas gemas de arquitetura socialista, a maioria delas em estilo barroco stalinista. Em dado ponto, reparei num enorme cartaz chamando os passantes para uma exposição de título agressivamente pedagógico: *"Sozialistische Jugend malt den frieden"* [A Juventude Socialista criando imagens de paz]. Era uma infindável coleção de desenhos a lápis de cor, feitos por crianças, e representando soldados do Exército Nacional do Povo [*Nationale Volksarmee*] – com granadas de mão e tanques. Como tinha feito o esforço para acreditar nas boas intenções do "outro lado", estava francamente horrorizado. Mas no momento em que, na saída, me deram um caderno onde se anotavam as "reações", me peguei escrevendo, no papel marrom-cinza, as palavras que creio ainda recordar com precisão: "Como cidadão da Alemanha Ocidental, parabenizo a República Democrática da Alemanha pelo visível sucesso da sua educação para a paz. Que possa essa educação reverter para o progresso e a paz duradoura que merece se tornar". Parado naquele espaço entre a intimidação e o meu desejo de ser diferente, soube na hora que era mentira, mais até do que um ato de má-fé. Não existia nenhum movimento convergente entre os dois mundos da Guerra Fria, e era muito claro que eles advogavam códigos diferentes de comportamento.

∞

Assim que a Guerra Fria conseguiu esse estado definitivo de "segurança" precária, deve ter parecido finalmente possível deixar para trás um passado do qual ninguém queria falar. Deixar o passado para trás confundia-se também com "a História enquanto tal" – e com o movimento em direção a um horizonte aberto de futuras possibilidades entre as quais poderia se escolher, quer individualmente, quer como coletivo. Na medida em que ambos os campos, Leste e Oeste, se fundavam nos mesmos elementos básicos dessa construção do tempo quando desenhavam suas imagens e ideais para um futuro melhor, faz todo o sentido que entre eles surgisse uma competição feroz (competição essa a que muitas vezes se chamava de "corrida"). A competição tinha a ver com qual das partes se dirigia com mais velocidade em direção ao futuro – e, nisso, qual fazia as melhores escolhas; essa rivalidade perpassava em todas as instituições, desde escolas à programação de televisão. Durante alguns anos, parecia ter desaparecido a congestão do tempo que dominara o período imediatamente após a guerra, que permitira o surgimento de uma sensação de progresso. No que dizia respeito ao mais conspícuo ponto de rivalidade entre as superpotências – a "guerra espacial" –, a União Soviética ainda ia à frente, em 1960; em 1957, a URSS tinha lançado o primeiro satélite espacial. Possivelmente, foi também na União Soviética que surgiu um novo sentimento – a sensação de que o espaço representava um limite, e não uma saída aberta.

O desequilíbrio inicial entre as superpotências na corrida ao espaço deve ter sido uma das razões por que os Estados Unidos ansiavam exibir – internacionalmente, e ainda mais do que hoje – os elevados padrões de vida que o extraordinário desenvolvimento econômico e tecnológico havia disponibilizado aos seus cidadãos depois de 1945. O exemplo de maior sucesso teve lugar na Feira Mundial de Bruxelas, em 1958. (O símbolo arquitetônico do evento, o "Atomium", ainda faz parte da minha memória visual daqueles dias – em grande parte porque nos recorda que não mais do que meio século atrás a energia atômica parecia prometer um futuro mais brilhante.) Outro evento desse gênero abriu portas no Jardim Sokolniki, em Moscou, em 24 de julho de 1959: a "Exposição Nacional Americana". Talvez como reação – e compensação – pelo trauma do Sputnik, o espetáculo, centrado em instrumentos recreativos e de poupança de esforço e labor, procuravam impressionar o visitante russo com uma visão futurista do cotidiano comum de uma família americana. Tanto o primeiro-ministro soviético, Nikita Khrushchev (cujos modos joviais faziam dele a encarnação da esperança de um "degelo" pós-stalinista) quanto o vice-presidente americano Richard Nixon (que procurava divulgar a sua candidatura nas eleições presidenciais que se aproximavam) estiveram na abertura do evento. Um modelo de cozinha de casa suburbana — muito semelhante àquela tão familiar a milhões de espectadores de televisão (como eu), do seriado *Father Knows Best*, cortado ao meio para servir de palco — foi onde Khrushchev e Nixon se envolveram numa troca de palavras, um pouco fervorosa mas não de todo desagradável. Significativamente, tanto o governo da URSS quanto o dos Estados Unidos acharam o que logo seria conhecido como o "Debate da Cozinha" tão positivo em termos de imagem pública que a conversa foi retransmitida nas televisões nacionais durante os dias que se seguiram. Nikita Khrushchev iniciou a conversa comentando que, ao contrário da América, a União Soviética estava se centrando na produção de "coisas que interessavam", e não em artigos de luxo. Prosseguiu, perguntando ao vice-presidente se existia na exposição uma máquina que "pusesse a comida na boca das pessoas e a empurrasse para baixo". Nixon, bem-educado mas crítico, respondeu que a competição que estava em causa ali era "só tecnológica, não militar".

Durante alguns anos espalhou-se esse espírito de rivalidade cavalheiresca e de reservado otimismo sobre a possibilidade de uma convergência entre as superpotências. No Ocidente, ele estava muitas vezes relacionado com os modos extraordinariamente descontraídos de Nikita Khrushchev, que crescera numa família pobre de camponeses e de operários fabris; e, do outro lado da mesa proverbial, com o glamour do aluno de Harvard, John F. Kennedy (que venceu Richard Nixon na corrida presidencial de 1960). Outros cenários e protagonistas do começo da década de 1960 apenas reforçaram a nossa crença — ao mesmo tempo ingênua e maravilhosa — de que diante de nós havia um futuro mais brilhante. O antes cardeal de Veneza, afável e sereno, que viria a tomar o nome de Papa João XXIII, sucedeu ao austero Pio XII, o Papa da minha imaginação de infância (e que, nos primeiro anos como embaixador do Vaticano na Alemanha, negociara com o governo de Hitler acordos favoráveis às duas partes). Em 1959 – ao que parece, sem ter realizado muitas consultas prévias e seguindo um instinto pessoal –, o novo Papa anunciou o Segundo Conselho do Vaticano; a sua agenda revisionista era abrir a Igreja Católica ao mundo moderno (o título do programa, vastamente citado – e já não em latim – era *aggiornamento*, atualização). Enquanto isso, os serviços secretos de Israel haviam capturado Adolf Eichmann na Argentina, e o trouxeram para Jerusalém; Eichmann viria a ser julgado e executado em 31 de maio de 1962, como um dos mais altos responsáveis pela deportação de milhões de judeus para os campos de concentração. Apesar de o julgamento ter cumprido todos os quesitos e procedimentos formais em termos legislativos, não pôde deixar de aparecer como um julgamento-espetáculo. A cabine de vidro à prova de bala, dentro da qual Eichmann se sentou durante o processo no tribunal, era motivo de fascínio para mim, porque parecia dar forma física a essa ambiguidade. Oficialmente, servia para proteger o réu contra a ira das famílias das vítimas. No entanto, era inevitável que exibisse Adolf Eichmann como o maior dos criminosos. A reação predominante – na Alemanha, mas também em Israel e nos Estados Unidos – era o alívio. Libertar o mundo de um dos grandes agentes do Holocausto parecia representar um modo de distanciar-se do passado – e, assim, dar um passo em direção a um futuro melhor. Os comentários de Hannah Arendt sobre a "banalidade do mal", expressão cunhada por ela na matéria sobre o julgamento, que escreveu para a revista *New Yorker*, eram uma reação contra a insistência de Eichmann de que ele se limitara a "cumprir o seu dever". A expressão de Arendt contribuiu para adensar a impressão de que o passado estava cada vez mais distante: ao passo que as suas palavras queriam principalmente atentar para a possibilidade de acontecerem crimes como aqueles em qualquer parte do mundo, elas também atenuavam o fascínio mórbido que mantinha viva a memória das principais figuras do nacional-socialismo.

Na América do Sul, davam-se outros passos na direção da esperança. Em 22 de abril de 1960, o presidente Juscelino Kubitschek proclamou Brasília a nova capital do seu país. Desse modo, concretizou um projeto nacional concebido no começo do século XIX, durante os primeiros anos da independência do Brasil em relação a Portugal – abrir e desenvolver o interior do seu vasto território. O paisagismo altamente modernista de Lucio Costa e o desenho arquitetônico de Oscar Niemeyer foram erguidos como expressão harmoniosa de um velho sonho para o futuro, que agora se transformava no presente. Em Cuba, no ano anterior, outro líder, jovem e carismático – Fidel Castro –, terminava uma luta de guerrilha que durara seis anos, depondo o presidente Fulgencio Batista, que havia sido uma marionete nas mãos da Máfia e da CIA, e assumindo o poder político da ilha. Antes mesmo de começarmos a simpatizar com a ideologia socialista, sentíamos o carisma de figuras como Fidel Castro e Che Guevara. Até nos Estados Unidos – onde a política internacional oficialmente apoiava Batista e, óbvio, se opunha à visão de mundo marxista – a revolução cubana começou a produzir algumas ressonâncias otimistas, principalmente entre os intelectuais.

Porém, em breve Cuba viria a representar a primeira nuvem escura no céu azul do começo da Guerra Fria. Logo após tomar posse, em janeiro de 1961, Kennedy voltou a autorizar a invasão de Cuba (que já estava totalmente planejada) pelos exilados, com forte apoio militar dos Estados Unidos. Não mais do que três meses depois, a operação viria a falhar completamente, dando mais credibilidade e confiança ao regime de Castro e lhe oferecendo bons motivos para estreitar relações com a União Soviética. Em consequência, a Crise dos Mísseis de Cuba, ocorrida em 1962, fez que o mundo sustivesse a respiração – principalmente quando aviões de reconhecimento americanos detectaram postos de construção de mísseis de médio alcance a serem instalados na ilha. Seguiram-se semanas de tensão e ameaças entre as duas superpotências, até que a União Soviética concordou em retirar seus mísseis de Cuba e os Estados Unidos (secretamente) desarmaram seus postos de guerra na região do Mediterrâneo. A assimetria entre a retirada pública da União Soviética, por um lado, e as concessões invisíveis dos Estados Unidos, por outro, minaram a autoridade de Khrushchev junto ao Partido Comunista e ao governo soviético, e pode bem ter sido o início de seu declínio político. No entanto, as repercussões da crise foram também sentidas nos Estados Unidos. Quando, quase precisamente um ano depois, John F. Kennedy foi assassinado, imediatamente se espalharam os rumores de que a sua morte estaria relacionada à situação em Cuba.

Quando John F. Kennedy foi assassinado, e no ano seguinte Nikita Khrushchev desapareceu, num exílio político oficialmente apresentado como aposentadoria, a Guerra Fria ficou sem o rosto amistoso daqueles que tanto nos encantavam. Lyndon B. Johnson, o sucessor de Kennedy, muito menos charmoso do que ele, foi incapaz de evitar uma infeliz sucessão de decisões, já iniciadas na administração anterior, que em última análise arrastariam os Estados Unidos para a guerra do Vietnã. Para mim, a tensão dramática da situação nos EUA tomava corpo no carismático Cassius Clay, que se consagrou campeão do mundo de pesos-pesados em 1964, depois de derrotar Sonny Liston em seis *rounds*. À noite eu ficava escondido ouvindo meu rádio transistor, enquanto a Rede das Forças Militares transmitia os combates ao vivo. Através de Cassius Clay – que viria rapidamente a se converter ao Islã e adotar o nome de Muhammad Ali –, os Estados Unidos reentravam na minha vida em toda sua grandeza e ambiguidade; dessa vez, eu sentia a tensão entre a opressão racial e uma forte demanda de liberdade, entre a beleza atlética sem par e os esquemas criminosos das facções que promoviam os combates de Ali. A provocação dos gestos e das palavras de Ali, seus modos diretos e sua destreza e, sobretudo, suas incríveis vitórias no ringue pareciam augurar-lhe um futuro que só uns anos mais tarde começaríamos a sonhar. Hoje é impossível dizer se esse futuro chegou ou não, porque os grandes momentos da carreira de Ali nos fizeram acreditar que estávamos experimentando ao mesmo tempo o ritmo acelerado do desenvolvimento histórico e uma "ruga no tempo" (título de um famoso livro infantil, de Madeleine L'Engle, publicado em 1962). Os passos em direção a um grau absoluto de liberdade, para os americanos de ascendência africana, faziam-nos pensar em progresso; simultaneamente, esse progresso duro de atingir mostrava que o movimento regular do pós-guerra na direção da riqueza e do conforto sempre crescentes, para um número cada vez maior de americanos, em larga medida deixara de fora minorias sociais e culturais – e, portanto, precisava ser descarrilado.

Nesse ínterim, em muitos países sul-americanos os arranques e movimentos dinâmicos de transformação haviam parado. Quando, aos dezoito anos, tive o privilégio de visitar Brasília (em 1966), a nova capital ainda parecia um estaleiro de obras. Eu era um dos poucos hóspedes no enorme hotel do centro, e sentia que a cidade estava vazia — ainda que, na realidade, já se notasse um processo de crescimento demográfico que viria a exceder todas as previsões que haviam orientado Costa e Niemeyer. Sob a presidência do marechal Humberto de Alencar Castelo Branco, Brasília tornara-se a capital da ditadura militar; assim como o rosto do marechal representava o governo de direita do presente, a própria cidade se erguia como monumento a uma utopia de esquerda que o passado projetara para o futuro. Cumpri os meus deveres de turista, registrando o presente que via, e fiz trinta e seis fotografias dos edifícios de Niemeyer (estruturas que ainda hoje são famosas). Mais tarde, na longa e solitária viagem de regresso a São Paulo (onde vivia a família brasileira que me hospedava), sentia-me mais triste do que desiludido.

Momentos de desilusão como este começaram a dar um ar de ingenuidade às esperanças do começo da Guerra Fria. O medo de parecer ingênuo — o pior de todos os medos para um adolescente — talvez explique por que, à semelhança de milhões de outros jovens, eu tão prontamente aceitaria a visão de mundo mais formal (e mais explicitamente ideológica) do lado comunista. Admirava a maneira como a filosofia marxista se descrevia a si mesma como "científica". Por isso, senti praticamente uma obrigação acadêmica de me juntar à SDS, a Associação de Estudantes Alemães Socialistas, no dia depois de ter me inscrito no meu semestre inicial como estudante da

Universidade de Munique, em outubro de 1967. Sempre que possível – ou seja, sempre que o evento social em questão fosse suficientemente formal – eu vestia meu único casaco desportivo, porque me fazia parecer mais sério e permitia que eu exibisse um crachá vermelho, gravado com o perfil do Partido, que eu ansiava chamar de "Líder Mao". Aproveitávamos todas as oportunidades para provocar a geração de nossos pais. Acima de tudo, queríamos confrontá-los com o passado alemão imediato, sobre o qual a maioria não gostava de falar. Ao mesmo tempo, eu sentia a necessidade de ser intelectualmente ortodoxo e classificava como "científicos" todos os prejuízos que mantinha, assim como todos os juízos de valor que sustentava. Ser "científico" implicava que alguém poderia ser capaz de controlar o futuro.

Neste sentido, era por "necessidade científica" que protestávamos contra a intervenção americana no Vietnã e fazíamos o possível para não considerar o apoio dos soviéticos aos vietcongues e às tropas de Ho Chi Minh. O sentido de obrigação de fazer parte das "manifestações" regulares frente ao consulado americano em Munique derivava de uma atitude de má-fé que adotáramos. Por isso, quando um dia as forças policiais prenderam alguns de nós em frente ao consulado e nos encerraram no ginásio de um colégio próximo dali, o incidente parecia a confirmação de nossas teorias da conspiração preferidas. Enquanto esperávamos ser interrogados, cantamos "Bandeira Rossa" – o hino do Partido Comunista Italiano. (Talvez o tivéssemos escolhido porque a existência de um grande Partido Comunista na Itália alimentava nossa esperança de um futuro revolucionário por todo o mundo capitalista.) A minha própria imaginação – que na época era bem vívida – invocou de imediato imagens de autoimolação, ao estilo de quadros oitocentistas como *Cinco de*

Mayo, de Goya, ou *La Liberté guidant le peuple*, de Delacroix. Mas aí a porta se abriu e um policial chamou meu nome. No meu pensamento teatral, "o momento fatal" parecia ter chegado; mas o que realmente aconteceu acabou sendo um momento de profunda humilhação, que teria consequências a longo prazo. O policial falou, lacônico, "O dr. Riedl telefonou, você está livre". Os bastidores dessa história – que talvez seja comum – são completamente triviais, quase burocráticos. Eu estava estudando em Munique, graças a uma bolsa que recebera de uma organização do Estado, o Stiftung Maximilianeum; o dr. Riedl era o diretor dessa prestigiada instituição. Ao mesmo tempo – e mais importante –, ele trabalhava como executivo de alto escalão no Ministério que tutelava a polícia da Baviera. Não me atrevi a perguntar-lhe, mas estou certo de que, naquele dia, o Dr. Riedl inspecionou uma lista com os nomes dos alunos que tinham sido presos, viu meu nome e decidiu ali que ser "prisioneiro" não era coisa que se ajustasse à imagem e à aura que minha bolsa de estudo deveria envolver.

Embora àquela altura eu soubesse (e, desde então, não deixei de acreditar) que o que acontecera nesse vergonhoso incidente tinha sido tão óbvio para os meus "camaradas" como fora para mim, no dia seguinte fui à nossa reunião da SDS com uma mistura de sensações, mas sem nenhum sentimento de culpa. Pouco tempo depois, minhas piores expectativas se concretizaram. Fui acusado de "traição" (talvez até me tivessem dito que era uma "traição de classe") e instado a fazer um exercício marxista de "autocrítica". Após um longo debate, conduzido conforme o protocolo burocrático, fui condenado a imprimir quinhentos exemplares de um cartaz chamando para uma "Greve Geral", numa máquina impressora feita para trabalhos artísticos. É óbvio que aceitei meu castigo – e em breve tinha bastante tempo para deixar que o absurdo daquela situação assentasse. O único motivo por que eu teria de usar aquela máquina impressora em particular [*Siebpresse*] era porque envolvia um processo dolorosamente lento. Quando entreguei os quinhentos cartazes ao meu superior socialista, soube – com a sobriedade que assiste aos momentos profundamente decepcionantes – que tinha terminado minha participação com o marxismo revolucionário, mesmo que tenha demorado mais de uma década a admiti-lo. Em parte, assustava-me a ideia de voltar a ser humilhado. Mas talvez eu estivesse também apreensivo com a ideia de viver sem um futuro que me parecia claro e cientificamente previsível. Sobretudo, parecia-me difícil abrir mão da esperança de abandonar o passado alemão, à medida que avançávamos em direção a um futuro socialista.

∞

Em meus ambientes cotidianos, eu continuava a desempenhar o papel do socialista revolucionário que tão entusiasmadamente escolhera apenas dois anos antes. Talvez agora demonstrasse uma maior flexibilidade ideológica – se tanto, isso me fazia soar ainda menos convincente do que antes. Por exemplo, quando os Estados Unidos tomaram a dianteira na corrida ao espaço, em 20 de julho de 1969 – dia em que o primeiro homem caminhou na Lua –, disse à minha namorada americana (mais velha e mais realista do que eu), de Lawrence, Kansas, que a coisa mais importante era que a Humanidade se mantivesse no caminho do progresso. Nesse ínterim, Willy Brandt tornara-se o primeiro chanceler social-democrata da história da Alemanha Ocidental, o que nos colocou diante de mais outro desafio. Era claramente melhor ter um chanceler social-democrata em vez de outro democrata cristão; mas, ao mesmo tempo, o partido de Brandt decidira oficialmente em 1959 abandonar a interpretação marxista da economia. Reconfortávamo-nos recordando com frequência a juventude "verdadeiramente socialista" de Brandt, assim como o fato – muito denegrido pelos seus opositores da política verdadeira – de que ele passara os anos entre 1933 e 1945 na Escandinávia, combatendo o regime nazista. Brandt, pensávamos – tal como nós mesmos e ao contrário de todas as outras pessoas que viviam na Alemanha naquela época – não era responsável por nenhum crime de guerra da Alemanha. Na medida que ele representava nossa mais realista esperança de voltar a encarrilar na História, estávamos dispostos a ser flexíveis no que tocava aos pontos mais sensíveis de nossa ideologia. Em 7 de dezembro de 1970, Willy Brandt ajoelhou-se perante um memorial aos judeus deportados do gueto de Varsóvia e no mesmo dia assinou um tratado com a Polônia que confirmava – em definitivo e de maneira oficial – as fronteiras desenhadas depois da guerra. Assim terminava, mais uma vez, o período do pós-guerra. (A revista *Time* elegeu Brandt "Homem do Ano" em 1970.) Muito mais importante para mim, em termos existenciais – infinitamente mais importante do que o prêmio Nobel da Paz que Brandt receberia em 1971 –, era a questão de saber se a sua genuflexão no gueto de Varsóvia tinha sido espontânea ou se fora um gesto calculado para transmitir alguma coisa em particular. Pela primeira vez, comecei a aperceber-me de uma atmosfera de latência no ambiente ao meu redor, e compreendi que o verdadeiro desafio, para um alemão como eu, nascido nos anos imediatamente depois da guerra, implicava assumir responsabilidade e culpa pessoal – paradoxalmente, por crimes que haviam ocorrido antes de eu nascer. Enquanto esperança de redenção secular, esta atitude teria de adiar – indefinidamente – o final do pós-guerra, pois a lógica da redenção, ao mesmo tempo que envolvia uma promessa de perdão, deixa em aberto o dia em que ocorrerá o perdão. Pensávamos que assumir a responsabilidade por crimes que tinham ocorrido antes de nosso nascimento, no mínimo, daria ao nosso mundo de latência uma maior transparência. Mas, ao mesmo tempo, pressentíamos que nossa principal preocupação não era realmente com a transparência. Para nós, não existia detalhe no passado vergonhoso do país que não pudesse ser arrastado para a vista de todos e discutido abertamente na esfera pública da Alemanha Ocidental.

No outono que se seguiu à ida do homem à Lua – um bom ano antes da genuflexão de Willy Brandt em Varsóvia –, saí da Alemanha para estudar dois semestres em Salamanca, a mais antiga cidade universitária da Espanha. Preocupava-me sobremaneira que o país que eu escolhera ainda vivesse sob a ditadura do generalíssimo Francisco Franco, que subira ao poder durante a Guerra Civil Espanhola, entre 1936 e 1939, com o apoio das forças aéreas militares de Adolf Hitler. A única justificação "política" que encontrava para a minha decisão era a convicção acadêmica (que na época era vista como politicamente "conservadora") de que um verdadeiro latinista deveria estar familiarizado com algo mais do que apenas a cultura francesa (a área de estudos favorita para a maioria dos jovens acadêmicos do meu campo de estudos, àquela altura). A opção de ir para a Itália – país com um Partido Comunista que ainda parecia competitivo nas eleições nacionais – estava também disponível, e era igualmente plausível, em termos acadêmicos.

Depois de 1945

Assim, procurei persuadir-me de que o meu heroico apoio aos protestos estudantis (que agora, queria acreditar, era bastante amplo e consubstanciado) era mais necessário e mais urgente na Espanha; em breve haveria esquecido todo o esforço de iludir-me a mim mesmo – e a hesitação inicial que me levara a tentar fazê-lo. Todos os objetivos que começaram a ser relevantes durante os dez meses que passei em Salamanca – e eram intensamente relevantes – eram de natureza não política: aprender o que pudesse sobre uma cultura que não tinha sido exclusivamente cristã (procurei adquirir algum conhecimento, através dos livros, sobre a língua árabe da Andaluzia medieval), a diferença de uma vida social cujos rituais me pareciam muitas vezes arcaicamente hierárquicos, a luz intensa dos pores de sol do verão, e o frio seco do inverno de Castela. Acima de tudo, as igrejas barrocas de Salamanca e uma religiosidade que quase não havia sido tocada pelo espírito vagamente modernizador do Segundo Conselho do Vaticano voltaram a despertar – durante um breve e final momento na minha vida – o desejo de ir à missa.

Claro que meu nobre intento de apoiar o movimento estudantil espanhol quase nem entrava na equação. Para piorar (ou melhorar) as coisas, só raramente me sentia mal com o amor que experimentava por esse mundo cotidiano tão diferente, que pertencia a um passado que até então eu desconhecia – e do qual queria me sentir parte integrante. Na esquina da rua estreita que levava desde o belíssimo edifício neoclássico da universidade onde decorriam as aulas ao *colegio* (o dormitório) onde eu passava a maior parte de meus dias, lendo os clássicos da literatura espanhola, estava sempre um louco que todo mundo chamava de *"el loco Estéban"*. Fosse no frio "siberiano" do inverno de Castela (como o chamávamos), fosse no sol ofuscante do começo do verão, ele sempre vestia um longo sobretudo cinza; suas mãos pareciam mover-se para trás e para a frente dentro dos bolsos, ao ritmo de quatro palavras que ele repetia sem cessar: "*a las cuatro y media, a las cuatro y media, a las cuatro y media*". Por mais estranho que pareça, nunca pensei em Estéban como emblema do tempo que ficara parado.

Nesse ano, quando regressei à Alemanha para passar o Natal (foi a primeira vez que vi o notável design "moderno" que ainda hoje ilustra os aviões da Lufthansa) — e mais tarde, quando voltei de vez, já no verão —, senti que o país começava a mudar. Esperava que isso fosse consequência do novo estilo político introduzido por Brandt e pelo seu governo. Agora, então, poderíamos imaginar um futuro já não segundo as linhas de uma ideologia que eu ainda professava, mas antes um futuro de justiça social e de responsabilidade histórica, que prometia fechar as contas com o passado nacional que nos assombrara durante tanto tempo. Nada tornava esse fugaz momento de felicidade mais visível do que a linda arquitetura, o design e até as cores suaves escolhidas para as Olimpíadas de 1972 de Munique, que deveriam ser "os jogos alegres" [*die heiteren Spiele*] de uma nova Alemanha. Aquele dia que passei caminhando pelo "campo olímpico", mais ou menos uma semana antes da abertura, deve ter sido o único dia da minha vida em que "ter orgulho de ser alemão" não me pareceu errado de escutar. Mas depois, na madrugada de 5 de setembro de 1972, a organização terrorista "Setembro Negro" tomou onze atletas israelitas como reféns. Numa tentativa de resgate mal organizada pela polícia alemã, todos os reféns e terroristas perderam a vida. O antissemitismo regressara ao solo alemão como espectro obscuro do passado. Subitamente, os "jogos alegres" terminavam e aquelas visões, vagas mas belas – e mesmo realistas, durante um momento –, de um futuro diferente desapareciam para sempre – pelo menos, para mim. Apesar disso, fiquei feliz quando se decidiu prosseguir com os jogos, depois de um luto de vinte e quatro horas.

Depois de ter ganhado com maioria absoluta as eleições nacionais do outono de 1972, Willy Brandt deixou o poder e o cargo de chanceler da Alemanha em maio de 1974, quando os serviços secretos alemães descobriram que um dos seus conselheiros mais próximos, Günter Guillaume, tinha sido espião a serviço da Alemanha Oriental. Hoje se sabe que os motivos mais imediatos para esta retirada súbita incluíam rivalidades internas ao Partido Social-Democrata e, mais importante ainda, o esgotamento total do chanceler. A essa altura, Brandt sofria de depressão e desenvolvera um grave problema de alcoolismo. Era impossível uma pessoa moralmente responsável – concluíamos nós, os ex-revolucionários sem passado revolucionário – durar no mundo político do capitalismo. Aquele outro futuro, não ideológico, tinha agora desaparecido, e o passado que não conseguíamos deixar para trás estava mais dolorosamente presente que nunca. Além disso, mais cedo do que qualquer um de nós esperava, o futuro ideológico em que todos nós afirmáramos acreditar regressaria ao presente e derramaria sangue.

∞

28 de setembro de 1974 foi o dia em que Martin Heidegger comemorou seu 85º aniversário, em Friburgo. Dias mais tarde enviou, a todos aqueles que tinham lhe desejado felicidades, cópias de um poema, em letras góticas, escritas por uma mão um pouco trêmula. O texto apresentava como virtude filosófica

a gratidão que Heidegger sentia dever aos seus destinatários. Por aqueles dias, regressava uma sensação clara de latência, e a consciência da "presença de alguma coisa inacessível" parecia representar exatamente isso:

Depois de 26 de setembro de 1974

Possam todos os que participam na demanda pela contemplação, no tempo presente, aceitar minha gratidão pela sua lembrança

Mais enraizadora do que a poesia,
mais fundadora que o pensamento
deveria restar a gratidão.
Ela trará de volta
àqueles que se dirigem ao pensamento
a presença do inacessível
a que nós – mortais sem exceção –
somos entregues desde a origem.[1]

Se com "gratidão" Heidegger se referia a uma abertura para e afirmação do mundo, tudo o que o mundo poderia dar de volta era "a presença do inacessível". Não se fazia referência ao desvelamento do Ser nem a um "evento de verdade" (conforme Heidegger também lhe chamava) como possibilidade "realista". A consciência do inacessível e de sua presença era tudo que os humanos poderiam esperar em troca de sua gratidão. O "obrigado" de Heidegger implicava uma visão melancólica da existência humana – e, de igual modo, uma despedida

---

1 Heidegger, *Gesamtausgabe 16*, p.741.

melancólica a qualquer relação com o mundo fundada na compreensão e na empatia. Hoje, esse poema, que ele escreveu poucos dias depois de seu aniversário, nos ajuda a perceber como o próprio Heidegger, naquele momento, já não conseguia desemaranhar nem descrever as várias camadas de um mundo que parecia cada vez mais congestionado e sem direção.

Heidegger era o único filósofo que não deveria ser mencionado na presença do professor de cuja boa vontade dependia a minha posição como assistente na recém-fundada Reformuniversität, em Constança, entre 1971 e o final de 1974. Meu supervisor gostava de fazer comentários sarcásticos sobre tópicos como "a piedade do pensamento" (que, por exemplo, sustentava o poema anteriormente citado). Considerava Heidegger "demasiado conservador" na sua escala política – e aqui não se tratava sequer de uma referência ao envolvimento de Heidegger com o nacional-socialismo. Ao mesmo tempo, o indivíduo em causa convocou a mim e aos meus colegas a assinarmos um "telegrama de solidariedade" e apoio a Willy Brandt, no dia de uma votação no Parlamento, que se esperava que terminasse com o seu mandato de chanceler (a qual Brandt viria a ganhar, por uma estreitíssima margem). Apesar da admiração que eu nutria por Brandt, recusei, por princípio, assinar a petição: acreditava que as manifestações de apoio político deveriam ser sempre individuais.

Em todo o caso, a distância que meu supervisor mantinha em relação a Heidegger e o entusiasmo dele por Brandt correspondiam exatamente ao futuro de nossa profissão, no modo como ele a entendia. Durante nossa primeira conversa (cujo tema era, acima de tudo, os procedimentos burocráticos de minha contratação), ele me elogiou, dizendo que me considerava a pessoa certa para formar parte da "nova Crítica Literária" que ele associava aos "progressivos anos 1960". (Por outro lado, nunca perdia a oportunidade de expressar seu desalento pelos "conservadores anos 1970", que ameaçavam travar todo o progresso, intelectual ou semelhante.) Todos os livros que líamos, todas as páginas que escrevíamos, todos os seminários que ensinávamos deveriam contribuir de alguma maneira para um objetivo político, mesmo se vago. A posição crítica que pretendíamos representar chamava-se "estética da recepção"; seu pedigree esquerdista se fundamentava na passagem do foco de atenção, do "verdadeiro sentido" dos textos para a multiplicidade de leituras, tornada possível por diferentes grupos (ou tipos) de leitores em tempos diferentes e sob diferentes condições sociais. Desnecessário dizer que o meu supervisor considerava esse novo "paradigma" (expressão muito popular na época, utilizada para calibrar a distância histórica e o mérito) – e para cuja invenção ele contribuíra – mais "democrático" do que as práticas tradicionais no nosso campo de estudos.

No entanto, uma tarde – devido a frustrações pessoais e por algumas horas apenas – alimentei a dúvida sobre a sinceridade com que ele se dedicava à causa progressiva. Recorrendo ao novo paradigma – que eu acreditava que ele mais do que ninguém havia desenvolvido, reuni uma série de textos contrastantes (de poesia e de prosa, ficcionais e referenciais, contemporâneos e mais distanciados no tempo) e os submeti a diferentes tipos de leitores (operários fabris, alunos do ensino médio, políticos locais e outros); meu propósito era documentar e analisar os diferentes modos como reagiam. Admiti prontamente que os resultados que apresentei no nosso "colóquio de pesquisa" semanal não traziam grandes revelações. Mas isso não me preparou para o desprezo e a violência da reação do meu supervisor. Como me atrevera a tratar os textos "como matriz esvaziada", perguntou-me; não tinha eu entendido que nossa tarefa, de críticos literários, era identificar os sentidos verdadeiros e ajustados? Minha resposta – típica naquele tempo (a saber, que aquela posição me parecia estranhamente "autoritária", para quem eu considerava o pai da teoria da recepção) – só piorou as coisas. "Todos nós gostaríamos de saber", disse o professor, "por que você acredita que esse seu trabalho contém valor democrático". Nenhum dos meus colegas, se bem me recordo, protestou por ser identificado do lado do homem de quem todos dependíamos. No que me dizia respeito, era mais um projeto concebido com a melhor das intenções (que asseguraria também meu futuro profissional) que morria naquela tarde.

Dez anos mais tarde eu era um jovem professor na Universidade de Bochum, e não fiquei muito surpreso – senti apenas repulsa física – quando se tornou público que Hans Robert Jauss, nosso inexcedível supervisor progressista, o campeão da esquerda, tivera uma carreira de sucesso como oficial das SS. (Até que categoria chegou nunca se saberá com precisão, dadas suas persistentes mentiras e estratégias de dissimulação.) Nenhum de nós imaginara tal revelação. Dei-me conta, simplesmente – mais uma vez –, de como me acostumara a um passado que, vez ou outra, me apanhava; agora, por causa daquela relação particularmente próxima na tradição acadêmica da Alemanha, entre aluno e orientador, sentia-me contaminado. Ao mesmo tempo que a maioria dos meus antigos colegas em Constança se dedicavam a generosos exercícios de compreensão e perdão – que se tornavam cada dia mais explícitos à medida que vinham à tona pormenores mais escandalosos –, eu me sentia preso entre um passado do qual não conseguia fugir e um futuro que, apesar de meus melhores esforços, não conseguia jamais alcançar. Acima de tudo, sentia-me agora como se tivesse me tornado, em definitivo, parte daquele passado do qual tão desesperadamente queríamos escapar – dali para frente, teria de carregá-lo comigo, sem sequer saber o que ele continha, ou onde estava. Se durante um breve momento as Olimpíadas de Munique me haviam permitido sentir confortável no lugar onde nascera, minha experiência com aquele acadêmico hipócrita fez com que eu não quisesse sentir-me bem ali.

Não é surpresa, portanto, que começassem a fascinar-me os modos alternativos de relacionar-me com o passado (que meu supervisor havia desconsiderado por ser "não histórico" ou, usando o termo marxista, "não dialético"). Sobretudo, apaixonei-me pelas pesadas e épicas imagens, e pela tristeza paradoxal da América do pós-guerra, captadas no primeiro filme da trilogia de Francis Coppola, *O poderoso chefão* (que vi pela primeira vez em 1973). Perceber que o passado de uma família é o seu destino não deixa de ter, para mim, o seu fascínio, mesmo hoje em dia. Senti também uma afinidade com o tempo mitológico, como que congelado, em que se esperava a impossível redenção, que Gabriel García Márquez conjurou no seu magistral romance *Cem anos de solidão*. (Após uma fraca aprovação, de início meu supervisor considerou que esse livro em particular era "trivial".) Agora integrando uma atmosfera intelectual muito diferente, eu estava cada dia mais familiarizado com o entendimento idiossincrático – logo, interessante – que Niklas Luhmann tinha do tempo, como qualquer coisa definida por "complexidades cuja redução através dos sistemas sociais não aconteceu ainda". Comecei a preferir essas abordagens às promessas cada vez mais aparentemente vazias relacionadas ao "Processo da Modernidade", que minha geração de acadêmicos humanistas deveria acolher como o único sistema de referência para o ensino e para a escrita. Aliás, qualquer alternativa era bem-vinda, desde que me permitisse esquecer a minha incapacidade de deixar o passado para trás.

No verão de 1977 – no hemisfério Norte era verão, de qualquer modo – regressei ao Brasil, pela primeira vez como professor convidado. Por motivos de correção política, ainda sentia alguma hesitação por estar num país em regime ditatorial. Pior ainda foi o cartaz de boas-vindas – que me mostraram no portão de entrada para o belíssimo e muito tropical campus da Pontifícia Universidade Católica do Rio de Janeiro – que saudava o "antigo aluno" de meu tutor. Mas apesar desse começo infeliz, foi um prazer ensinar "Fenomenologia Alemã" em aulas de quatro horas, cinco dias por semana, para cerca de vinte cinco colegas e alunos de graduação; a experiência (já para não falar do charme das praias vizinhas, como Leblon e Ipanema) foi tão agradável que durante um mês inteiro – ou seja, todo o tempo de minha estada – esqueci o passado. A primavera musical do Brasil pertencia a Milton Nascimento, um cantor afro-brasileiro cuja voz encantadora, suave e sensual (com um toque "pop" sem culpa) enchia meu cérebro, meus ouvidos e todo meu corpo com a rica ingenuidade do folclore brasileiro e, de novo, da canção do catolicismo de Roma. Tudo que eu vivenciava ali se relacionava com minhas memórias da Espanha, e intensificava minha vontade de que houvesse um mundo que, em vez de ser um futuro com o qual eu teria de me comprometer, seria simplesmente não germânico e delicado – se necessário fosse, "delicado" apesar de suas instituições políticas. Regressei à Europa a tempo daquilo que os livros de História hoje descrevem como o "Outono Alemão".

A facção do Exército Vermelho (*RAF*, "*Rote Armee Fraktion*", com um "r," em alemão) era um grupo de radicais alemães que, na década que se seguiu aos movimentos de protesto de 1968, se isolara até mesmo das organizações de esquerda que quisessem participar da política *mainstream*. Suas estratégias derivavam do diagnóstico do presente como situação de guerra civil. Suas ações, fundamentadas por assumida violência (incluindo mesmo a disposição para sacrificarem a própria vida), revelavam um grau elevado de sofisticação logística, e o grupo estabelecera relações com círculos terroristas no Oriente Médio. (Nunca ficou bem claro o alcance destas relações, mas eram obviamente intensas.) No verão e no outono de 1977, a *RAF* perpetrou uma série de sequestros e de roubos, com o objetivo de libertar membros do grupo que estavam detidos em prisões alemãs (sobretudo em Stammheim, próximo a Stuttgart). Na verdade, o Outono Alemão começou no verão, em 30 de julho, com uma tentativa de sequestro de Jürgen Ponto, diretor do Banco de Dresden; embora a operação tenha falhado, Ponto veio a morrer. Em 5 de setembro, depois de matar três policiais e um motorista, a *RAF* raptou Hanns-Martin Schleyer, o presidente da Associação Alemã de Empregados. Seguiram-se várias semanas de negociações sobre como trocar Schleyer por prisioneiros da *RAF*. Quando três destes últimos foram encontrados mortos em suas celas, em 18 de outubro, um comando da *RAF* executou Schleyer e abandonou o cadáver no porta-malas de um automóvel, na cidade francesa de Mulhouse. Quando Schleyer ainda estava vivo – em 13 de outubro –, quatro membros da Frente de Libertação da Palestina desviaram um avião da Lufthansa que seguia de Palma de Malorca para Frankfurt, com 86 passageiros e cinco tripulantes a bordo; no final de uma odisseia por uma série de aeroportos mediterrâneos e do Oriente Médio, a aeronave aterrissou em Mogadíscio, capital da Somália. Depois de vários dias de negociações – novamente com o objetivo de garantir a libertação dos prisioneiros de Stammheim –, uma unidade alemã de antiterrorismo invadiu a aeronave. Morreram quatro dos raptores; todos os passageiros e os tripulantes que tinham sobrevivido (os terroristas haviam executado o piloto) foram libertados. Evidentemente, esses acontecimentos levaram às três mortes de Stammheim (que talvez tenham sido suicídio) e à execução de Hanns-Martin Schleyer.

Diversas partes do passado que eu herdara se combinaram para transformar as semanas do Outono Alemão num verdadeiro pesadelo dos nossos dias: os obstinados "sonhos revolucionários" de 1968, que haviam se tornado uma complexa sequência de crimes quase de guerra: a indisponibilidade dos palestinos para aceitarem a legitimidade de Israel, na procura da resolução de problemas políticos; o Holocausto enquanto horizonte inescapável da história e do tempo na Alemanha; e o assassinato dos atletas judeus em 1972, que obscurecera e destruíra a aura das Olimpíadas de Munique como "jogos serenos" que iriam inaugurar um novo presente alemão. Como reação à renovada experiência da impossibilidade de deixar o passado para trás, o governo alemão finalmente tentou uma mudança definitiva. Foi formalmente decidido que nunca mais negociariam com grupos terroristas. Essa reação sem dúvida ajudou a fechar, nos anos seguintes, o capítulo do Outono Alemão, isolando do presente as suas consequências.

Como resultado disso, parecia que "ia secando" a energia de protesto e de raiva que ainda assombrava a minha geração. *O casamento de Maria Braun* (1979), magnífico filme de Rainer Werner Fassbinder – que, tal como o livro de que foi adaptado (mas de modo mais forte), procura evocar o *Stimmung* dos anos do pós-guerra –, termina com uma montagem inspirada pela teimosa disforia da minha geração. As vozes, assim como as fotografias de políticos alemães contemporâneos (Helmut Schmidt, Konrad Adenauer, entre outros) se transformam em fotografias e vozes icônicas de nazistas importantes, sugerindo, assim, uma continuidade "histórica" e nacional sem rupturas. Na época não teria me atrevido a afirmar que o gesto falhara e não me convencera. A verdade é que deliberadamente evitei decidir. Sentia que os meus pressupostos políticos mais básicos se esbatiam durante os anos que se seguiram. Mas o horror que todos nós sentimos marcou as relações políticas entre a Alemanha, os países muçulmanos do Oriente Médio e Israel, até os dias de hoje – talvez mesmo até entre aqueles muito jovens para ter memórias concretas da tensão e do desespero que fizeram o Outono Alemão de 1977 ser tão desastroso. Naquele tempo, meu sentimento pessoal de contaminação pelo passado alemão redobrava, com a certeza de que a sociedade alemã (e o Estado alemão) jamais ultrapassaria o seu fardo histórico específico. Talvez isso fosse uma reação exagerada – a Alemanha hoje está muito bem e conseguiu evitar o confronto com o que sucedeu no final dos anos 1970. Ainda assim, apenas um quarto de século depois viria a tornar-se claro, para mim, que a energia do passado se mantinha viva.

∞

Depois de 1945

Poucos meses depois do Outono Alemão, nas primeiras horas do dia 24 de maio de 1978, nascia Marco, o primeiro de meus quatro filhos, num hospital de Bochum-Langendreer. Ter esse filho deu a mim e à mãe dele a esperança de que poderíamos, finalmente, modelar nosso presente – um presente diferente dos legados de nossas famílias, na Espanha e na Alemanha, com quem nos mantínhamos bastante próximos. Não consigo pensar em outro acontecimento que, por si só, tivesse alterado tão abrupta e irreversivelmente o horizonte temporal de minha existência como a chegada de meu primogênito. Após passar aqueles intermináveis minutos em que um jovem pai receia pela vida da mãe e do bebê, e depois de segurar, com muito cuidado, o meu filho nos braços pela primeira vez, regressei exausto ao apartamento. Horas depois, quando acordei, soube de imediato que alguma coisa em minha existência tinha mudado para sempre. A princípio não soube dizer o que era. Fumei o primeiro cigarro da manhã – aquele que deixa o cérebro alerta – e reparei, de súbito, que começava a me preocupar com os anos para lá de 2000. Até então associara esse futuro com aquilo que imaginava ser a velhice – e também com previsões preocupantes mas distantes a propósito de ameaças que afligiam a Humanidade no seu todo. Até 24 de maio de 1978, o tempo que viria depois do ano 2000 fora um futuro irrelevante – um futuro como uma nuvem cinza –, um futuro que minhas preocupações e minhas ações cotidianas nem sequer precisavam tocar. Agora era um futuro que importava, para o pai de uma criança que atingiria a idade adulta na virada do milênio – e pelo qual, ainda sem nenhum objetivo nem planos específicos, eu me sentia responsável. Era um futuro vazio – já não mais um futuro preenchido por uma nuvem sem forma, mas um futuro limpo, pronto para adquirir forma. Minhas recordações dessa manhã ainda estão vívidas e claras; não há nelas o menor indício de latência. O passado continuava tão pesado como sempre tinha sido, mas agora não era mais minha exclusiva e sufocante preocupação. Não creio que tenha tomado muitas boas decisões com relação ao futuro de meus filhos. Mas de qualquer maneira, desde 24 de maio de 1978 nada foi mais importante para mim do que a esperança de que o futuro deles lhes permitirá sentirem-se de modo diferente quanto ao passado que herdei – e que eles, agora, herdaram de mim.

∞

Antes que Marco completasse dois anos me chamaram para dar aulas, durante três meses, como professor convidado no Departamento de Francês da Universidade da Califórnia, em Berkeley. Inicialmente me debati com a questão de saber se, com o tempo que passaria e com as aulas que daria nos Estados Unidos, estaria traindo o compromisso que tinha (já não tão seguro) com meu esquerdismo adolescente. Era como o tênue som de um eco – um eco "obrigatório" – de 1968. Por fim, prevaleceu o desejo de aceitar (ou seja, uma combinação de ambição acadêmica e de curiosidade). Em parte, esse desejo se fundava nas memórias de infância dos amistosos soldados (negros, na maioria dos casos), pais de alguns dos meus colegas de escola, que sempre haviam nos tratado como da família quando, nos dias de descanso, dirigiam seus jipes até onde morávamos. Então, lá fui para a Califórnia, com Marco e minha esposa – e sem tanta má-fé, pois estava disposto a admitir para mim mesmo que estava tomando a decisão certa, pelo menos para mim.

Depois de 1945

Desde o início fiquei impressionado com a luminosidade da costa do Pacífico. Senti quase de imediato que encontrara um lugar que chamaria de "meu". Talvez isso acontecesse porque tinha optado por ir para lá contra tudo que ainda acreditava ser minhas "mais profundas convicções" – e também porque meu trabalho em Berkeley me dava mais prazer do que qualquer outra coisa. Foi ainda em Berkeley que ganhei familiaridade com uma sensibilidade intelectual de nome tão ameaçador quanto promissor. Naqueles anos, a "Desconstrução" não deixava indiferente nenhum pesquisador americano nas Humanidades. Ou a aceitávamos ou a rejeitávamos; nenhuma existência profissional das Humanidades acadêmicas ficou insensível. Nesse sentido, quando comecei a perceber que a Desconstrução se recusava a transformar o passado em "História", fiquei verdadeiramente escandalizado; mas, em segredo, talvez sentisse algum alívio.

Na primavera de 1980, o choque de uma luminosidade mais forte e um ambiente de trabalho bem diferente começaram a me mudar mais do que eu estava disposto a admitir. Quando tive a honra de ser convidado de novo para Berkeley, nos primeiros meses de 1982, fui sozinho, pois minha mulher estava grávida de nossa filha Sara; além disso, ela queria ficar um tempo em Salamanca com sua família e com nosso filho. Entrementes, a nossa relação ia se complicando – o que, a meus olhos, tornava ainda mais sedutor o sonho de um futuro californiano. Quando me pediram para dar um seminário com vista a uma vaga para professor de Literatura Comparada, falei (com sugestões irônicas) sobre "A burguesia sempre em ascensão nas Histórias marxistas da literatura". Ainda lembro como me senti ferido pela primeira pergunta na discussão que se seguiu – e que veio de um colega adepto do desconstrucionismo, claro: "Estávamos todos aguardando alguma leitura séria – e, em vez disso, você nos entediou com uma narrativa meio tonta." As palavras foram agressivas assim. Nem sequer me lembro o que respondi. Apesar disso, quase por milagre, acabei ficando com a vaga. Mas enquanto dizia a todo o mundo ali que, claro, me mudaria para a Califórnia (o que era absolutamente verdade, no que dizia respeito à minha vontade e às minhas intenções), também sabia que essa decisão seria certamente mortal para a nossa já frágil vida familiar. Por isso decidi ficar na Alemanha. Era como se estivesse apagando a possibilidade de um futuro novo, aberto, quando coloquei no correio a carta de declínio – marcada com o carimbo "correio aéreo" e coberta de selos.

Descartar um futuro que eu tanto desejava acabou por coincidir com uma oferta, na Alemanha, para me mudar para uma universidade menor a qual, por necessitar de jovens assistentes para assegurar o seu próprio futuro, me daria condições de trabalho excepcionais. Naquele tempo, esta era uma situação comum nas universidades alemãs. Seguindo as ondas de sucesso e de expansão por detrás do "milagre econômico" da década de 1950, haviam sido fundadas inúmeras instituições – ao que parece, graças mais à competição entre os dez estados federados do que como resultado de um plano estratégico para promover o ensino superior. O futuro das novas universidades era tão vago quanto o meu próprio futuro – ainda que os orçamentos à disposição dessas instituições parecessem infindáveis. Minha modesta contribuição para a alocação de recursos na Universidade de Siegen (bem no centro da velha República Federal) incluía organizar cinco grandes colóquios financiados num chamado "Centro de Pesquisa Interdisciplinar", na bela cidade de Dubrovnik, no Adriático, entre 1981 e 1989. O fato de Dubrovnik ser na Iugoslávia – o único país socialista com políticas econômicas e educacionais relativamente liberais – foi fulcral. A Iugoslávia permitia que os acadêmicos ocidentais organizassem um evento acadêmico com seus próprios fundos, e nos dava absoluta liberdade intelectual. Ao mesmo tempo, os outros países socialistas, mais totalitários, não encontravam razões convincentes para negar aos seus acadêmicos a possibilidade de ir até a Iugoslávia. Queríamos muito que esses colegas participassem, já que o socialismo e (talvez menos) o marxismo ainda nos pareciam, a muitos de nós, a melhor maneira de definir o futuro.

Por mais condescendente e preconceituoso que possa parecer, hoje diria que esse magnânimo projeto de "inclusão" intelectual (para aplicar um termo californiano a uma realidade do passado europeu) logo perdeu importância, pela simples razão de que, apesar das nossas expectativas elevadas e das melhores das suas intenções, a maioria dos nossos colegas do mundo socialista nunca causou grande impacto nos debates. Folheando os cinco enormes volumes das atas de Dubrovnik (três dos quais coeditei com meu amigo Ludwig Pfeiffer, versátil e intelectualmente muito ativo), me surpreendo – e ainda sinto grande orgulho – quando vejo quantos daqueles participantes se tornaram figuras acadêmicas importantes no *Geisteswissenschaften* alemão. (Claro que há muitos outros cujo nome já não associo a nenhum rosto.) Ao menos para mim, esse projeto de uma década era alimentado pelo impulso edipiano de desafiar o grupo *Poetik und Hermeneutik* – uma rede de acadêmicos de alta conta, reunidos nas Humanidades em volta de alguns dos meus antigos supervisores de Constança (que eu sentia que não reconheciam meus méritos o suficiente). Graças à decisão do maior grupo editorial alemão de editar nossos livros em edições econômicas, tivemos parte do sucesso em nossa luta contra a geração mais velha. Tinha sido o passado a trazer-nos a Dubrovnik, mas Ludwig e eu estávamos cada vez mais conscientes do nosso papel como catalisadores de um estilo acadêmico diferente – o estilo da primeira verdadeira geração de acadêmicos alemães do pós-guerra. Cada um dos nossos colóquios tinha um tópico assumido – por vezes exagerado –, e todos esses tópicos convergiam na intenção de preservar a dinâmica intelectual do final da década de 1960 (que já tinha uma aura quase sagrada) na definição do futuro das Humanidades. Entre 1981 e 1985, "revisitamos" certos segmentos do passado de nossa disciplina, apenas para descobrir novas orientações ou para renovar projetos que tinham ficado por concretizar: os tópicos dos três primeiros colóquios eram a História acadêmica institucional, abordagens ao problema da periodização histórica e o conceito de "estilo".

Então, numa tirada um pouco mais ousada, queríamos revisitar o "materialismo" como centro filosófico de todas as teorias marxistas. Foi durante os debates sobre a "materialidade" que pressentimos pela primeira vez que algum grau de descontinuidade intelectual seria até desejável. Se alguns dos contributos, e menos ainda discussões, realmente se centravam na tradição do "materialismo", surgia um novo ponto de fuga, que a capa do nosso quarto volume de Dubrovnik descrevia como "Materialidades da Comunicação" – as quais nós definimos como "todos aqueles fenômenos que contribuem para a emergência do sentido, sem serem, eles mesmos, constituídos de sentido". Com base neste entendimento revisado do nosso projeto, o colóquio e aquelas atas[2] se tornaram uma das fases de

---

2 Gumbrecht; Pfeiffer (Orgs.), *Materialität der Kommunikation*.

um movimento intelectual que deu aos "estudos da mídia" um caráter de obsessão, dentro das Humanidades nas universidades alemãs, que ainda hoje perdura. (Influência muito mais forte e decisiva, na mesma direção, veio dos ensaios iniciais de Friedrich Kittler – que, por acaso, esteve na maioria dos encontros de Dubrovnik.)

A partir daquele momento, após a primavera de 1987, acreditávamos (eu, pelo menos, acreditava) que desenháramos, finalmente, o futuro profissional de nossa geração. Hoje em dia me pergunto às vezes se o título do nosso quinto e último simpósio – "Paradoxos, Dissonâncias Cognitivas e Ruptura" – não era um sintoma de energia edipiana que se tornara autodestrutiva. A convicção de que tínhamos um programa para o futuro – ou de que tínhamos articulado nossa posição – fez que parecesse fácil conseguirmos aquilo que ainda pensávamos ser uma obrigação para cada nova geração: romper os laços com o passado imediato e "deixar para trás" o que era óbvio e o que permanecera latente. A certa altura, durante esse período que tendo a recordar como "meus anos de Dubrovnik" (e talvez não seja casual que eu tenha esquecido a data exata), concorri à vaga de assistente do meu antigo orientador, que àquela altura se aposentara, na Universidade de Konstanz. Queria muito essa vaga, e não duvido que a teria aceitado se me tivesse sido oferecida. No entanto, ansiava ainda mais ter a possibilidade de rejeitá-la. Mais precisamente: aquilo que eu queria era a realista liberdade de imaginar que me seria dada a oportunidade de rejeitar uma proposta de Konstanz. Só que essa liberdade nunca chegou. Tentei conquistar a alta cidadela da "Hermenêutica Literária" com uma aula sobre "O Não Hermenêutico" – que deu ao comitê de emprego oportunidade fácil de me dar uma lição de poder. A decisão do comitê foi bem humilhante para mim: nem sequer cheguei ao grupo de finalistas que haviam se candidatado e estavam "sendo considerados". E, realmente, por que haveria o comitê de me considerar, se eu estava tentando desafiar tudo quanto Konstanz se orgulhava de ser? No âmbito da estrutura em mutação da temporalidade histórica dos anos de 1980, a experiência me ajudou a extrair uma conclusão dupla sobre o tempo pessoal: comecei a compreender que a energia edipiana se tornara motivação inadequada para o professor de quase quarenta anos que eu era; isso também significou que, além de me convencer a mim mesmo de que formara o meu futuro intelectual, eu precisava encontrar um ambiente institucional para esse futuro – um ambiente que não seria herdado, mas que eu escolheria; um ambiente que, tanto quanto possível, pudesse ser moldado por mim. Entretanto, o passado continuava intocado.

∞

Com as lutas pessoais e profissionais como pano de fundo, subitamente um debate começou a atrair a nossa atenção e a provocar a todos; pela primeira vez tornavam-se explícitas as dúvidas sobre a viabilidade da construção do tempo que havíamos herdado. Em 1979, Jean-François Lyotard publicou um pequeno livro, *A condição pós-moderna*, que começara a escrever como análise da atualidade e como programa para um sistema educativo potencialmente independente, no Quebec. A atenção de Lyotard ia, antes de mais nada, para as grandes narrativas da história [*les grands récits*] que dominaram os modos ocidentais de assimilação do passado desde o começo do século XIX. Porém, ao questionar estas formações discursivas, Lyotard lança sérias dúvidas sobre as promessas de todas as concepções de tempo que se fundam em conceitos como "modernidade" e "progresso"; a ideia do "pós-moderno", por outro lado, abre espaço epistemológico para modos alternativos de assimilação do passado. Mas, ao passo que Lyotard nunca chegou a avançar muito na imaginação nem na descrição de tais possibilidades alternativas, senti-me imediatamente atraído pela sua perspectiva – e pelo modo elegante como apresentava seu argumento. (Ao mesmo tempo, evitei fazer corresponder gestos estilísticos "pós-modernos", que apresentam tradições historicamente diferentes como fenômenos simultâneos.)

Do mesmo modo nunca consegui me relacionar, tanto quanto acreditava ser o meu dever, com certas preocupações e motivos ecológicos que eram dados como novos e provocadores, por volta de 1985 – e que hoje se tornaram consensuais para todos os partidos políticos. Eu certamente acreditava nas previsões (muito populares na Alemanha daquele tempo) de que todas as florestas teriam desaparecido já no início do século XXI, e partilhava a preocupação com os perigos das centrais nucleares (que haveriam de se confirmar dali a pouco, com o desastre de Chernobyl). Apesar de estar disposto a acreditar, nunca consegui integrar na minha rotina nenhum dos novos hábitos que hoje se chamariam de "defesa do ambiente". À parte de sua novidade, as preocupações ecológicas e a minha reação a elas me fizeram pela primeira vez consciente do quanto tinha sido – por assim dizer, de modo latente – pessimista sobre o futuro no qual, apesar de tudo, não quisera deixar nenhuma marca. Parecia que esse futuro estava recuando lentamente.

Entrementes, o passado parecia ter se rompido, de súbito – como se por um ato misericordioso da Providência –, de muitas maneiras e em vários níveis. Um bom amigo meu me disse recentemente que — sempre por casualidade, claro — eu testemunhara, na minha vida, muitos momentos em que coincidiram meus limiares pessoais com eventos históricos. Se tiver razão, nunca isso foi mais verdadeiro do que em 1989, quando começou a implodir o Socialismo de Estado, trazendo com isso um final surpreendentemente veloz à Guerra Fria. Tinha nascido meu terceiro filho (o segundo homem), Christopher; eu tinha me divorciado e voltado a casar; e tínhamos acabado de deixar a Alemanha para começar uma vida nova — com todas as expectativas tradicionais de "uma nova vida na América" — na Universidade de Stanford (Califórnia), quando começou a grande mudança. O primeiro jornal que li nos Estados Unidos, assim que chegamos, no Dia do Trabalhador, nesse ano de 1989, trazia uma reportagem sobre cidadãos da Alemanha Oriental que, ao regressar a casa de férias nos outros países socialistas, estavam buscando refugiar-se nas embaixadas da Alemanha Ocidental (tinham esse direito, pois a Constituição da Alemanha Ocidental incluía "alemães do Leste" na sua definição de cidadão). Esse foi o começo da reunificação alemã, que agora se tornava o fator central — e provavelmente o mais dinâmico — do desmantelamento progressivo e da transformação do Socialismo de Estado na Europa. A meu ver, tudo aconteceu de modo tão necessariamente (numa perspectiva ampla) inesperado quanto fora no início.

Meus últimos meses na Europa incluíram uma viagem pela Romênia (dando palestras) onde, mais do que em qualquer outro lugar da Europa Oriental, o socialismo se deteriorara num teatro grotesco de slogans oficiais e de promessas de uma "época de ouro nacional" que ninguém sequer tentava conciliar com a dura realidade. Meu "hotel de cinco estrelas" em Bucareste, segundo me informaram na recepção, só tinha água quente entre as 3 e 5 da manhã. Antes de visitar outras cidades universitárias, o diretor do Instituto Cultural Alemão me apresentou, abertamente e com algum sarcasmo, a um homem de ar ameaçador, que seria "nosso motorista e também um agente da Segurança". De vez em quando o diretor fazia longos discursos, em tom de desafio, para as paredes do edifício, por estar convencido de que estavam repletas de uma série de aparelhos de escuta. Mas, pelo contrário, os dias que eu e a minha nova esposa passamos na Berlim Oriental, no verão de 1989, despedindo-nos de amigos, nos fizeram acreditar que o socialismo finalmente chegara a uma forma de equilíbrio cotidiano prazerosamente pacífica – e ocasionalmente repressiva. Se alguém tivesse nos revelado o que estava prestes a tornar-se realidade histórica – se alguém tivesse nos dito que o Estado da Alemanha Oriental vivia suas semanas derradeiras –, teríamos considerado essa pessoa como alguém absurdamente tendencioso e ideologicamente cego.

∞

Também a nossa vida na América começou com eventos que nunca antes tínhamos experimentado. No final da tarde de 17 de outubro de 1989 – um mês e meio depois da nossa chegada – houve um enorme sismo na região da baía de San Francisco. Ainda me lembro de como vi, da janela do meu novo gabinete, duas das torres, típicas de qualquer campus universitário nos Estados Unidos, balançando ao som dos sinos; como senti o chão tremer em segundos que pareciam uma eternidade. Demorei semanas até voltar a confiar no chão onde caminhava. Desde então, vivemos na quase certeza de que o Norte da Califórnia ainda será atingido por um terremoto semelhante, ou de maior magnitude, durante a nossa vida. Apesar dessa perspectiva – que se aproxima mais a cada dia, quase matematicamente –, esse canto do mundo continua a atrair pessoas de todo o mundo que querem viver ali (por exemplo, minha família e eu).

Menos de um ano e meio depois, no começo de 1991, os Estados Unidos lideraram a coligação militar internacional de libertação do Kuwait, após a invasão e ocupação daquele país pelo Iraque. Pela primeira vez em minha vida eu estava vivendo num país oficialmente em guerra, sem ver nele grandes sinais de repúdio coletivo. Impressionavam-me as bandeiras penduradas no exterior das casas, em sinal de apoio aos soldados americanos, mas, enquanto alemão da geração imediatamente posterior ao fim da guerra, sentia culpa pela minha reação. Em 7 de fevereiro de 1991 – durante a primeira Guerra do Golfo – nascia Laura, minha filha mais nova, meu quarto rebento. Por ter nascido nos Estados Unidos, e porque nem eu nem a mãe reclamou para ela a cidadania alemã, Laura foi a primeira cidadã americana na nossa família. Este efeito burocrático – na verdade, um "efeito colateral" – me deixou confusamente orgulhoso, porque me dava a impressão de que o futuro que eu tinha desejado começava, finalmente, a se materializar.

Nesses primeiros – e muito felizes – anos na Califórnia, preocupava-me o menos possível a antecipação do futuro, ou o deixar o passado para trás. Dos meus quatro filhos, três viviam conosco e cresciam tão depressa – e tão devagar – quanto as crianças crescem. Muito lentamente, comecei a apreciar o modo como as universidades americanas, em geral, diferiam das europeias, e em muito mais do que eu havia imaginado. Cada dia no trabalho era um presente prazeroso. A maneira progressiva como esse tempo luminoso e aprazível foi tomando forma pode ter sido um dos motivos por que meu primeiro projeto incluía a tentativa de transformar um ano do passado o mais presente possível no meu próprio mundo. Teria de ser um ano escolhido ao acaso – um ano que ninguém reclamasse como relevante. Minha ideia não era "compreender" o ano em causa – isto é, explicar de que modo havia emergido do seu próprio passado e, daí, se constituído em um legado e agente mediador para o nosso presente. Em vez disso, meu objetivo era produzir, por meio de certas estratégias e efeitos textuais, a máxima impressão de tangibilidade e de imediatez. Acabei escolhendo o ano de 1926. (Desnecessário dizer que vários colegas e leitores vieram me congratular por ter descoberto a verdadeira e até ali oculta importância de 1926 – o que nunca fora minha intenção fazer.) Dois aspectos do livro (que veio a lume em 1997) se revelaram importantíssimos para o entendimento de como minha relação com o passado se alterara. Em Konstanz, meu orientador planejara escrever uma história literária do século XIX por meio de "quatro cortes sincrônicos". Embora ele nunca tenha chegado a conduzir o projeto até a fase de concretização, eu sabia que nunca teria desenvolvido um projeto tão próximo de uma ideia dele, mesmo se inacabada, nas condições institucionais da Alemanha. Mas agora era possível e fácil. Também me era, finalmente, possível ler Heidegger, cuja obra eu simplesmente evitara, nos meus anos europeus, por causa de seu envolvimento com a ideologia nazista – e com o Partido Nazista. Na Califórnia – com uma nova distância espacial, cultural e política –, eu poderia permitir que a filosofia de Heidegger crescesse em mim e viesse, com o tempo, a se tornar crucial. Isso nem era uma grande surpresa. Dois exemplos do passado latente tinham tomado formas com as quais eu conseguia me relacionar, ainda que a minha história com o passado estivesse longe de acabar.

Certo dia, eu estava trabalhando no último capítulo do livro sobre 1926 – acima de tudo, tentava descrever o contexto histórico da obra *Ser e Tempo*, de Heidegger (cujo manuscrito fora escrito todo nesse ano) –, quando, no jantar, Marco, que naquela época deveria ter uns dezesseis anos, me perguntou – sem aviso prévio, de rompante – como eu podia passar tanto tempo com um livro de um autor que se parecia bastante com Adolf Hitler. Fiquei bem contente com a pergunta dele, com toda a sua deliberada ingenuidade, pois sugeria que meu filho estava tão distante da história da Alemanha quanto eu sempre quisera estar. Pela mesma razão, fiquei surpreendido – e até triste – quando, cerca de um ano depois, Marco me informou que tinha se candidatado para ser piloto militar na Força Aérea da Alemanha. Não era exatamente esse o futuro que eu imaginara para ele no dia do seu nascimento. Nas longas discussões que se seguiram, sempre mais agressivas e dolorosas do que qualquer um de nós previra, comecei a perceber – e não apenas no sentido teórico – que o meu passado e o meu futuro, assim como todos os valores, medos e tabus que deles dependiam, haviam sido indiscutivelmente moldados pela data e pelo local de meu nascimento. Isso significava também que não existia nem a necessidade nem sequer uma possibilidade de fazê-los "acertar" com o tempo da vida dos meus filhos. Por eles, eu teria de abdicar aquilo de que era incapaz de abdicar por mim. Mesmo hoje, admito que não é fácil aceitar esta mudança geracional – o modo como os anos do pós-guerra se impuseram sobre a minha vida, uma vez ou outra. Tanto é assim que, a cada vez que uma sensação de transição regressava, trazia consigo a impressão de que o tempo estava congestionado – de que certa fatalidade não produziu ainda forma e clareza. Um novo tempo – o tempo de Marco – começava a me deixar para trás, ainda que eu não fosse capaz de abandonar o meu próprio passado.

No final do verão de 1996, Marco foi para Alemanha – gostaria de acreditar que não "regressou à Alemanha", mas que foi a uma Alemanha diferente daquela que eu conhecera –, que se tornou no futuro o presente que ele escolheu para si, que tem continuado, desde então, a escolher. Não foram simétricos nossos pontos de partida, mas espero que tenham sido justos – apesar de eu sentir que o tempo estava descarrilando, que se dirigia a um presente e a um futuro que eu nunca desejara. Esse tempo de aparente descarrilamento coincidiu com o início do melhor período de minha vida profissional – mesmo quando eu estava experienciando esse presente, já me imaginava olhando para trás com nostalgia. O Conselho Geral de Stanford elegera um novo presidente da universidade. Gerhard Casper era professor de Direito, de origem alemã, que passara a maior parte de sua carreira acadêmica nos Estados Unidos; uma das mais decisivas influências durante os anos que passou em Chicago tinha sido Hannah Arendt. Todos na Universidade ficaram surpresos quando Casper nomeou para diretora da Universidade Condoleezza Rice, uma jovem professora de ciência política de origem afro-americana. (Mais tarde, Rice viria a ser conselheira de Estado para a Segurança Nacional, e ministra das Relações Exteriores.) Casper trabalhou com ela sete dos oito anos em que dirigiu a universidade. Senti-me de imediato atraído pela visão de Casper e de Rice quanto ao potencial da vida acadêmica. Durante o tempo em que estiveram no governo de Stanford, tive sempre a sensação de que a visão deles representava a universidade que eu queria. Talvez seja essa a razão por que me senti tão seduzido quando, de um jeito informal, num jantar, me pediram que organizasse uma série de vinte palestras e quatro colóquios, sob a designação genérica de "Palestras Reitorais de Stanford sobre o futuro das Humanidades e das Artes no ensino superior". Teria à minha disposição, para isso, um orçamento praticamente ilimitado, e garantiam-me liberdade acadêmica quase sem restrições. O objetivo, de grande ambição, era o de tornar as Humanidades e as Artes mais centrais na vida de uma universidade cuja reputação nacional e internacional se fundamentava, até ali, quase totalmente na Ciência, na Engenharia e nas Faculdades de Gestão e de Direito.

A tarefa de que me incumbiram se parecia muito com a agenda autodesignada de nossos colóquios de Dubrovnik, de uns bons dez anos atrás. Mas desta vez não havia nenhum passado em relação ao qual se distanciar, nenhuma energia de mudança a preservar, nenhum futuro a conquistar. Em vez disso, cada palestra e cada colóquio dava oportunidade de celebrar as Artes e as Humanidades no presente. Não se tratava explicitamente de elogiar a tradição, mas, pelo menos em alguns casos, de testemunhar o brilho intelectual em ação – ou, em casos alternativos, em espetacular performance. A noite em que Pina Bausch interpretou o *Sacre du printemps* [A sagração da primavera] com um jovem bailarino brasileiro, perante uma plateia emudecida, foi um dos raríssimos momentos da minha vida em que – perante tal beleza (e imbuído, além disso, de tamanha sensação de orgulho e de missão cumprida) – quis que o tempo tivesse parado. A palestra de Jacques Derrida, que nunca antes estivera em Stanford, foi também memorável, ainda que modo diferente. Como sempre fazia naquela época, Derrida falou durante mais de duas horas. Aquilo que disse foi tão impenetrável para os não iniciados no seu pensamento filosófico quanto a maioria de seus escritos. No entanto, ele se referiu a uma "Universidade que poderá vir do futuro". Houve um caloroso debate sobre a possível inspiração judaica, ou messiânica, dessa visão. A nova – principalmente implícita – perspectiva derrideana sobre o tempo foi decisiva: o futuro já não surgia como dimensão a conquistar, mas como movimento – esperança que se materializava, visão, ameaça – que vinha se aproximando de nós. Por mais independente que estivesse da obra de Derrida, o título de sua palestra era um sintoma de uma relação com o tempo profundamente transformada.

A maioria dos acadêmicos que convidamos ganhara reputação durante os intensos debates teóricos que dominaram as Artes e as Humanidades durante os breves cinquenta anos desde o início da década de 1950 até a última década do milênio. No entanto, ficou claro – quer no contexto desse programa reitoral, quer em outros contextos – que a vontade de teorizar, crescente nas décadas anteriores, estava agora em declínio; isso nos ajudou a descobrir um surpreendente paralelo cronológico – difícil de explicar – entre a Guerra Fria e a grande era da "teoria" nas Artes e Humanidades. (E, tal como a Guerra Fria, também a "teoria" se mantém por aí e continua a ser ensinada – nem que seja por falta de tópicos mais coetâneos.)

Foi no período em que estive responsável pela organização das "Palestras Reitorais" que me foi concedida cidadania americana. Nessa altura, era bem claro para mim que eu jamais seria "completamente americano". Era claro também – questão mais importante, se bem que menos frustrante – que ninguém (talvez com exceção de mim mesmo) esperaria que isso ocorresse.

Ninguém tinha me pressionado para que tentasse obtê-la. Aquilo que *não* aconteceu depois de eu ter concordado organizar as "Palestras Reitorais de Stanford" foi a promoção para uma função administrativa mais visível, que eu esperava que viesse a ocorrer. (Esperava-o sem, no entanto, tentar imaginar o que isso implicaria, além da oportunidade de desenhar as Humanidades – pelo menos em Stanford –, e nem sequer sei hoje se de fato queria esse tipo de atribuição.) Que não me tivesse sido dada essa posição acabou me garantindo mais futuro – mais tempo disponível – do que nunca. Até então, a maior parte do passado não surgia com clareza suficiente para ser "resgatada" da latência – isso não acontecera em 1968 nem em 1989, tampouco em nenhum outro momento da História. Mudavam-se os tempos, de maneira profunda – e, apesar de tudo, mudavam cada vez menos. Eu experimentava uma sensação de aprazível suspense, com menos pressa, menos pressão do que nunca, para descobrir o que permanecia oculto.

∞

Sempre que recordo os tempos que passei desde a longa década que se seguiu a 2000, é difícil vê-los como parte de uma sequência cronológica. Não sei bem se isso será um efeito do avançar da minha idade, se resultado de uma transformação na construção social do tempo. (Quando falei aos meus alunos, num seminário, acerca desta impressão, surpreenderam-me quando disseram que era uma sensação que lhes era familiar.) Até mesmo aquele dia que marcou os outros de maneira tão profunda, aquele dia que parece ter criado uma distinta divisão entre um "antes" e um "depois" – o Onze de Setembro de 2001 –, lançou uma luz monocromática sobre o período que se seguiu, em vez de surgir como ponto de mudança. Quando aconteceu a destruição – suicida e assassina – das torres gêmeas em Nova York, era madrugada na Califórnia. Sem razão aparente, minha esposa acordara mais cedo do que o habitual e estava vendo televisão, e foi me chamar ao escritório assim que deram a notícia dos dois edifícios atacados por aviões sequestrados. Creio que a primeira torre começava a colapsar quando me foquei na imagem da televisão, e seguimos a emissão ao vivo, nos momentos que se seguiram (mas posso estar enganado quanto a isto). Aquilo que recordo – com precisão gráfica, como se estivesse em câmera lenta – é que havia tempo suficiente para ter esperança de que, em última análise, aquilo não estaria acontecendo. Os segundos em que a primeira torre começou, por fim, a cair, lentamente e em definitivo, foram momentos de forte fascínio – tanto o fascínio que deriva de formas em movimento quanto o fascínio de alguma coisa que não poder ser verdade, mas que está, de fato, acontecendo. Talvez nenhum outro dia na história tenha produzido uma impressão mais imediata de que o mundo "nunca mais voltará a ser o mesmo". Pelo menos isso ficou claro desde o começo. No entanto – e, por mais espantoso que seja, isso é típico de um tempo de latência prolongada –, ainda hoje se discute sobre o que faz do tempo "pós-Onze de Setembro" um mundo diferente do mundo antes de 11 de setembro de 2001. Os anos que se seguiram àquela data revelaram-nos que a ação militar já não inclui uma demonstração de movimentação estrategicamente planificada entre opositores que, a princípio, têm poder comparável. A maioria das ações militares tornou-se, em muitos níveis, assimétrica; acima de tudo, isso explica porque já não é mais possível ganhar guerras de maneira definitiva. No entanto, acredito que o Onze de Setembro de 2001 tenha "condensado" um aspecto de mudança bem mais profunda. Antes de qualquer outra coisa, foi a primeira – e, talvez, a única – ocasião em que o território dos Estados Unidos foi violado por uma potência inimiga. Mas o que também tornou aquele ataque único foi o conjunto de motivos e as várias formas de ressentimento do passado que nele convergiram. Foi como se os terroristas do Outono Alemão de 1977 tivessem regressado e reaparecessem no começo do século XXI, com uma loucura mais determinada, mais ousada e mais mortífera do que nunca. Atrás deles – congestionados e explosivamente condensados – estavam múltiplas ondas históricas antissemíticas (por exemplo, o assassinato dos atletas israelitas em 1972, ou mesmo o Holocausto) e, consequência e reverso delas, um antiamericanismo do mais hediondo. Anos de frustração e de ódio convergiram, com força suficiente para deixar cicatrizes permanentes num continente que acreditara durante bastante tempo que estaria protegido pela distância entre ele e o Velho Mundo (e todo o legado desse Velho Mundo). Desde o Onze de Setembro de 2001 estamos conscientes de que a globalização também significa que nenhum lugar da Terra está a salvo da energia assassina e destruidora que subjaz, sedimentada, no passado da Humanidade. A Europa, a América do Sul, a África e a Ásia não estão mais seguras do que os Estados Unidos. É precisamente por isso que o mundo não voltará a ser o mesmo – e é por isso que, como um tom ou como uma cor, os eventos do Onze de Setembro obscureceram cada dia, cada hora e cada minuto que se seguiu.

Nessa mesma década, em setembro de 2005, um mês depois de ter completado 85 anos, meu pai faleceu. Nos anos finais de sua vida, nossa relação tinha sido agradável, ainda que distante;

por isso reagi à morte dele – a primeira vez que morreu um parente próximo a mim – com silenciosa tristeza. Vinte anos antes, quando se aposentara, meu pai era um famoso cirurgião do interior. Também era muito um homem da sua geração, no sentido de que tanto a guerra quanto os anos imediatamente posteriores a ela eram, para ele, referência constante. Como gostava de provocar – e como sabia o quanto podia me ferir com suas doces memórias do passado nazista –, eu tinha a certeza de que, à data de sua morte, não existia nenhum pormenor desagradável da vida dele que eu não conhecesse. Mas então li, no pequeno obituário publicado no jornal do interior, que meu pai estudara na Academia Militar de Medicina do Partido Nacional-Socialista – e não na universidade local, como sempre nos dissera. Nunca conseguirei saber a verdade – nem me preocupam, na verdade, os fatos. Pode ser que meu pai tivesse escondido de mim e de minha irmã a sua ligação à Academia Militar de Medicina – e, no entanto, também é possível que tenha inventado essa parte de sua vida, numa entrevista qualquer, para impressionar um repórter do jornal local. Seja como for, mesmo para mim, nada muda. Apesar de ter morrido, meu pai não levou com ele a parte de sua vida que sempre assombrou a minha. Eis o que me interessava: que ele deixasse a seus descendentes alguma clareza (ou seja, também para mim e para aquilo que resta de minha vida).

Quando vi seu corpo congelado, no hospital onde ele morreu – com algumas marcas de sofrimento no seu rosto –, coloquei minha mão sobre a dele até o gelo começar a derreter e eu sentir uma proximidade distante. Pouco antes do funeral, tentei também deixar no meu pensamento uma última lembrança do seu rosto, e para isso estive algum tempo junto do caixão aberto.

Mas o rosto, maquiado, parecia uma figura de cera; nem sequer podia reconhecê-lo como variação do que o rosto de meu pai fora em vida. Não parecia ele – e só estava me perturbando. Quando, por fim, fiquei de pé junto da sepultura, com uma pá, e escutei a terra caindo sobre o caixão fechado, não senti a gratidão que queria dever-lhe – nem ternura, nem paz, nem amargo conforto. Em vez disso, perguntei-me se meu pai teria mentido a nós ou ao jornalista que provavelmente eu nunca viria a conhecer. Durante o funeral, tentei dar a aparência de que estava absorto em contemplação piedosa, mas percebi, mais uma vez, que nunca conseguiria escapar ao passado de meu pai – o qual, com a morte dele, ficou inteiro sob minha posse.

Meu pai teria gostado de conhecer os filhos de Marco, nascidos em 2008 e em 2010 (Clara, a mais velha, nasceu no dia em que Barack Obama foi eleito presidente). Tenho a certeza de que Marco, que teve com meu pai uma relação bem mais descontraída e amorosa do que eu consegui ter, teria gostado de ver isso acontecer. Quanto a mim, penso que é bom que meus netos cresçam ainda mais distantes do passado, diferente do que aconteceu com meus filhos – um passado que eu vivenciei como fardo enorme. No caso de Clara e Diego quererem um dia saber mais sobre seus familiares do lado paterno, que viveram em meados do século XX, escrevi para eles, durante um ano sabático que passei na Alemanha (o segundo ano da vida de Clara), tudo que me lembro. Às vezes sinto que minha própria presença seja – devido às cicatrizes e entorses adquiridas dos meus confrontos com o passado –, no melhor dos casos, uma espécie de bênção mista. Por isso dou passos cautelosos quando estou com Clara e Diego: minha própria vida teria sido bem melhor com laços menos intensos entre as gerações.

Depois de 1945

Como falei aqui tão detidamente sobre a "distância" que vivenciei em relação à família de meus pais, e à história que para mim representa, deveria talvez explicar que nunca foi uma distância que eu pretendesse ter. Em vez disso, ela surgiu por diferentes razões de cada vez. No caso de meu pai, resultou de uma oscilação entre simpatia e autoproteção. No caso de minha irmã, o fato é que não partilhamos muitos interesses, nem amigos nem preocupações. No que diz respeito à minha mãe (conforme referi ao abrir este capítulo), existe entre nós uma distância intransponível, pois ela sofre de uma perda ativa de memória e, por isso, deixou de ser capaz de distinguir entre seu falecido marido, seu neto e eu mesmo. A situação é de tal maneira que estive há pouco tempo num evento acadêmico na cidade onde vivem minha mãe e minha irmã e nem lhes disse que estava ali. Entendo este estado de coisas como o melhor final possível para uma história que também é, claro, infindável (nossa vida poderia facilmente se reencontrar em algum ponto do futuro). Por agora, preocupa-me, sobretudo, o futuro de meus netos. Mas se isso acontece, são por motivos amplamente desligados do passado que, através de seu pai, herdaram de mim.

∞

Ser capaz de voltar atrás – quase sem pensar duas vezes –, à cidade onde nasci e onde passei os primeiros dezenove anos da minha vida é um bom final para a minha "história" com o tempo – porque não contém nenhum drama e é verdadeiramente banal. Mas, como disse, tenho o futuro dos meus netos para me preocupar, que é independente do meu próprio passado; a profissão que exerço também me incita a pensar como o tempo é moldado. Clara e Diego poderão viver uma vida longa. (Quando nasceram foi entregue a cada um deles uma declaração oficial que indicava a expectativa média de vida de cada um, e que ultrapassa os cem anos.) Acredito que a vida deles se desenvolverá num futuro que pertence à construção de um tempo diferente daquele em que eu nasci. Neste novo cronótopo, o futuro já não será vivenciado como um horizonte aberto de possibilidades entre as quais podemos escolher, mas sim como uma multiplicidade de ameaças que se aproximam. Em vez de uma série de escolhas que eles têm de fazer, a vida dos meus netos será uma sequência de desafios para sua sobrevivência. Não discutirei aqui os méritos nem as incertezas de prognósticos como "o aquecimento global" ou "o esgotamento dos recursos naturais"; basta notar o modo como nos afetam, como parecem inevitáveis, e como até os mais empenhados esforços ecológicos parecem desacelerar de modo pouco significativo sua vinda. Por outro lado, Clara e Diego não serão mais capazes de deixar nenhum passado definitivamente para trás, e assim o passado invadirá o presente deles – tal como já começou a fazer, sob a forma de ondas de nostalgia, múltiplas e em permanente retorno. A capacidade de armazenamento, sem precedentes, de todos os componentes de mídia eletrônica vai constantemente compondo este efeito. Entre aquele outro futuro e este passado diferente, o presente dos meus netos não será um "momento imperceptivelmente curto de transição" (na descrição que Charles Baudelaire fez do presente do cronótopo que habitava), mas sim um feixe em constante aumento das simultaneidades. Quando nada pode ser deixado para trás, cada passado recente se impõe, no presente, sobre os passados prévios armazenados, e neste presente do novo cronótopo, que sempre está aumentando, haverá um sentido menor daquilo que cada um dos "agoras" – cada presente – realmente "é". (Já hoje tenho a certeza de que há menos mulheres que sabem quais as cores da moda do que há vinte anos.)

O presente sempre em expansão começou a nos dar a impressão de que estamos encurralados num momento de estagnação. O tempo deixa de ser considerado um agente absoluto de mudança. Ao mesmo tempo, dentro do presente em expansão, certas atividades e comportamentos – certamente todas as formas de comportamento facilitadas pela tecnologia eletrônica – vão acelerar e consumir cada vez mais do tempo que temos ao nosso dispor, sem produzir nenhum sentido de direção nem de realização. Se o "velho presente" – o presente da transição e da mudança – era o habitat epistemológico do Sujeito cartesiano (significando com isso uma concepção do sujeito que equaciona sua própria ontologia com a consciência humana), então o novo presente, o "presente expandido" de simultaneidades informará um tipo diferente de autorreferência. Pode residir aqui o motivo para todos os esforços feitos nas Artes e Humanidades, ao longo das últimas décadas, para regressar ao "corpo" enquanto nossa autoimagem predominante; estes esforços acadêmicos podem nos dar uma abertura para uma vontade, nas gerações vindouras, de levar ("de regressar a") uma vida mais sensual. Claro que nossa incapacidade de deixar para trás qualquer passado também se aplica ao legado do cronótopo anterior. Uma vez que somos incapazes de deixar para trás seja o que for do passado, meus netos poderão continuar a utilizar – reciclando – conceitos do cronótopo anterior, mesmo se fazê-lo já não corresponda ao comportamento do cotidiano deles dentro das alteradas dimensões do passado, do futuro e do presente.

Ao longo da década passada tive várias oportunidades acadêmicas para explicar e para refinar a minha intuição acerca da emergência de um novo cronótopo.[3] Seria, portanto, muito decepcionante se terminasse este livro limitando-me a repetir afirmações antigas e dizendo que "minha história com o tempo" culminou no novo cronótopo do presente expandido. O argumento a ser feito tem de se relacionar com os anos do pós-guerra como um período de latência – mais especificamente, como esses anos de latência se relacionam com o novo cronótopo. Parece uma hipótese plausível que o período de latência do pós-guerra tenha sido uma ruga inicial no caminho suave do "tempo histórico", ou seja, uma primeira ruga no "tempo histórico" enquanto cronótopo cujas três condições-chave – deixar o passado para trás, passar por um presente de simples transição e entrar no futuro enquanto horizonte de possibilidades – são tidas como certas pelas gerações anteriores, a tal ponto que confundiam esta topologia específica com o "próprio tempo" ou com a "História" *per se*. Como a geração anterior considerava estas condições meta-históricas, transculturais e, por isso mesmo, inevitáveis, não havia como pensar que alguma coisa sobre o "tempo" começara a mudar quando as ações diárias de nossos pais – e mais tarde as nossas – deixaram de convergir com o cronótopo historicista e com seus efeitos familiares. Ser incapaz de deixar o passado ou nossos pais para trás, assim acreditávamos em 1968, deverá ser o resultado do silêncio e da repressão, de deixar por dizer certos fatos e ações – uma forma de (in)ação que ganha uma enorme dimensão de latência, a saber, a presença do passado que foi e que é, ao mesmo tempo, perturbador e inacessível.

---

3 Gumbrecht, *Unsere breite Gegenwart*.

Depois de 1945

Num olhar retrospectivo desde o início do século XXI, conseguimos hoje perceber o ambiente dos anos pós-1945 como uma ruga primeira na temporalidade linear do cronótopo que se chamou de "História" (e que se considerava estar fora do próprio tempo) – uma ruga na temporalidade linear de um cronótopo anterior a que hoje sucedeu uma construção diferente do tempo, e que tem sido evidente, por via de sintomas mais claros, desde o fim dos anos de 1970 (época em que todos nós andávamos envolvidos naquela batalha entre os campeões da "pós-modernidade" e os defensores da "modernidade"). Se ousarmos pensar toda essa historicização da "História", será então possível especular que talvez nada, depois de 1945, tenha ficado, de fato, latente. Em outras palavras: "latência", assim como todas as angústias expressas em "sem saída e sem entrada", "má-fé e interrogatório" e "descarrilamento e contentores" podem ter sido efeitos provocados pela incipiente transformação do cronótopo que então prevalecia. Minha história com o tempo – a história da minha geração com o tempo – teria, pois, sido precisamente esse processo de viver por meio de uma metamorfose prolongada do cronótopo historicizante. Óbvio que não existe como provar "empiricamente" esta tese. De novo recorrendo a termos mais pessoais, ela explica por que nenhum dos filósofos com quem tive a sorte de interagir me desafiou mais, ou me impressionou mais, do que Jean-François Lyotard. Enquanto "sintomatologista do presente" (como gostava de se apresentar), foi ele o primeiro que ousou afirmar que o tempo histórico tinha chegado ao fim.

Resta ainda a questão sobre as razões de tal alteração cronotópica – mas sempre que me faço essa pergunta, as respostas que me ocorrem tendem a ser tão gerais e abstratas que parecem arbitrárias e triviais. Penso em explicações como "a cada vez maior complexidade externa ou interna do nosso mundo" ou no "choque provocado pelas energias destruidoras da Segunda Guerra Mundial" – e então desisto, desiludido com as minhas soluções; estou convencido de que ficaria satisfeito se conseguisse descrever a sensação de latência de meados do século XX como uma congestão inicial dentro do tempo histórico – uma congestão que haveria de revelar-se um dos primeiros sintomas da emergência do novo cronótopo.

∞

Comecei a redação deste último capítulo durante (mais) um breve período como professor convidado em Budapeste. Aquelas duas curtas semanas na capital da Hungria foram sempre acompanhadas por uma sensação (que era, naturalmente, a sensação de um escritor obcecado com seu próprio livro) de que nenhuma outra cidade exibe com tanta evidência e "para todos os tempos" as marcas trágicas do momento quando a temporalidade histórica começou a entrar em colapso. É que, quando os tanques soviéticos irromperam em Budapeste, no outono de 1956, eles fecharam de modo violento o futuro aberto que deveria ser tanto condição quanto promessa do socialismo. A partir daquele momento – o qual, do meu ponto de vista, foi a verdadeira inauguração da "Guerra Fria" –, ficou claro que o socialismo já não propunha um futuro aberto para se escolher e moldar, mas um futuro que estava predefinido e era dirigido por um regime envelhecido e pela sua ortodoxia. No entanto, não pretendo afirmar que foi a União Soviética, sozinha, que destruiu o socialismo e com ele o cronótopo da História. Longe disso: acredito que os generais soviéticos e os secretários do Partido que deram a ordem fatal de invadir a Hungria iniciaram a primeira fase da mudança de cronótopo. Só mais tarde, nas duas décadas que antecederam o colapso do socialismo de Estado – quando os cidadãos soviéticos começaram a descrever o seu presente como um "tempo de estagnação" –, ficou claro como o socialismo – enquanto possibilidade e promessa até bem generosa – esteve tão profundamente ligado ao tempo e ao cronótopo da "História".

Há lugares na paisagem urbana de Budapeste – sobretudo na praça em frente ao Parlamento, onde os edifícios exibem ainda as marcas das balas soviéticas – que se erguem como monumentos a um sonho que foi dizimado e transformado em ruínas. Não pude deixar de associar o peso da atmosfera daqueles dias quentes de "verão indiano" com uma tristeza que tomou conta de mim e que parecia ter estado sempre ali. Foi nessa época que me mostraram a versão inglesa (na tradução de Ted Hughes) de um texto em que o grande poeta húngaro János Pilinszki condensava e preservava o tempo em direção a outubro e novembro de 1956. Pilinszki trabalhou nesse texto durante os piores anos do stalinismo húngaro, entre 1950 e 1955, quando sua publicação estava proibida. Acabou saindo finalmente, em julho de 1956, três meses antes da catástrofe nacional. O título do poema é "Apócrifa". Abre com um verso que viria, logo depois, a revelar-se profético. Declara que um dia, no futuro, o futuro (desse futuro) se perderá e se fechará para sempre: "Tudo então será abandonado." A estrofe que se segue está cheia de símbolos do futuro que antes suscitava esperança e que agora apenas tem a aparência de coisa gasta e "muda":

> O silêncio dos céus será afastado
> E para sempre afastados
> Os campos arruinados do mundo que terminou.
> E afastado
> o silêncio dos canis.
> No ar, um bando de aves em fuga
> E haveremos de ver o sol nascente
> Silencioso como a demente pupila de um olho
> E calmo como uma fera vigiando.[4]

A primeira vez que li "Apócrifa", fiquei de imediato tomado por uma frase que parecia conter uma epifania, de tão luminosa era a luz que derramava sobre a época do pós-guerra que tenho procurado trazer de novo ao presente e analisar neste livro: "Compreendes a ruga/ do transitório?" O transitório, eu acreditava até então, não tem ruga. É uma transição tão suave e fácil que não deixa lugar — ou, mais literalmente, não deixa "tempo" — para nada a não ser para si mesmo, ou seja, para (mais) o efêmero. Transitório com uma ruga, compreendia agora, era um presente específico — o presente do cronótopo do progresso, quando começa a desacelerar e a gerar a dor: "Compreendes/ minhas mãos nodosas? Sabes/ qual o nome do orfanato? Sabes// qual a dor que atravessa a escuridão opressiva/ de cascos fendidos, de pés em teia?"[5] Se o futuro está silencioso e o presente contém uma ruga, o passado congela, petrifica, torna-se pesado e se recusa a ficar para "trás", onde "pertence". A dimensão de futuro é ocupada pelo futuro congelado do passado; por isso

---

4 Dávidházi et al. (Orgs.), *The Lost Rider*, p.412-7.
5 Pilinszki, *Lautlos gegen die Vernichtung*.

tudo o que ficou por completar vem para diante, retrospectiva e agressivamente:

> Virá o fim do dia, e a noite ficará petrificada
> sobre mim, com sua lama. Debaixo das pálpebras cerradas
> não deixo de fazer guarda a esta procissão
> esta sarça ardente, seus minúsculos ramos.
> Folha a folha, a lenhazinha brilhando.
> Dantes, o Paraíso era aqui.
> Em meio ao sono, o renovar da dor:
> escutar suas árvores gigantescas.[6]

Entre o mutismo, o enrugar e a petrificação, o tempo cessa de avançar, e a estagnação substitui o progresso e a aceleração. O que antes fora movimento e esperança está agora reduzido, esmagado em pedacinhos:

> Deus vê que estou de pé, ao sol.
> Ele vê minha sombra sobre a pedra e a cerca.
> Ele vê minha sombra de pé,
> sem um sopro na pressão sem ar.
> Nesse instante, sou já como a pedra;
> uma dobra morta, o desenho de um milhar de sulcos,
> uma boa mancheia de entulho
> é então o rosto da criatura.
> E em vez das lágrimas, as rugas no rosto
> derramando, a vala vazia desce, gotejando.[7]

---

6 Ibid.
7 Ibid.

Mas essa descrição poética do tempo se contraindo, pormenorizada e forte, feita em 1956, é apenas uma das dimensões de "Apócrifa" que me ajudaram a entender o que eu estava procurando descrever neste livro. Além disso, o texto relaciona o panorama do tempo se detendo com motivos que se sobrepõem — e, algumas vezes, são idênticos — aos motivos que eu identificara e com que costumava evocar o *Stimmung* dos anos do pós-guerra — a saber, o difícil desejo de ultrapassar os limiares, a opacidade e o vazio aberto (o estado existencial que, creio, subjaz a obsessão de estar confinado e protegido). O poema contém uma estrofe sobre o regresso ao lar paterno, que me recorda a tentativa do soldado Beckmann de achar a casa de sua família, na obra de Wolfgang Borchert (*Draussen vor der Tür*):

Casa — queria finalmente chegar em casa —
chegar como chegou aquele da Bíblia.
Minha sombra sinistra no pátio.
O silêncio esmagado, os pais envelhecidos na casa.
E lá vêm eles, já chamam por mim,
meus pobres pais, já vêm chorando,
me abraçando, tropeçando —
a velha ordem se abre para me readmitir.[8]

O que se segue é um lamento sobre a impossibilidade de alguém se fazer entender, por meio da linguagem, ou de outro modo. Se, por um lado, está em aberto se o "tu" nesta passagem se refere aos pais, é inconcebível que ser "readmitido na velha ordem" seja uma

---

8 Ibid.

questão de reintegração simples e recuperadora. É que tanto as "palavras" quanto a "voz" são "desalojadas":

> Se pelo menos desta vez eu pudesse falar contigo
> a quem tanto amava. Ano após ano
> porém nunca me cansei de repetir
> o que uma criança soluça
> nos intervalos da vedação.
> A esperança quase asfixiante
> de que eu regresse e te encontre.
> Tua proximidade palpita na minha garganta.
> Estou agitado como um animal selvagem.
> Não falo as palavras da tua língua.
> O discurso dos homens. Há pássaros vivos
> que hoje estão inconsoláveis
> sob o céu. Debaixo do céu em chamas.
> Estacas desamparadas num campo brilhante,
> e gaiolas ardendo, imóveis.
> Não falo a tua língua.
> Minha voz está mais desalojada do que a palavra!
> Não tenho palavras.[9]

É difícil chegar em casa – doloroso, com lampejos de alegria –, e tanto as palavras quanto a voz falham, na tentativa de captar a essência disso. O vazio se alonga sob o céu aberto; "cadeiras de jardim" e "cadeiras de navio" aguardam os corpos, mas permanecem vazias; a solidão e a frieza habitam o interior

---

9 Ibid.

da proteção na qual aqueles que viveram no pós-guerra buscavam algum conforto:

> Estás em lugar algum. Como está vazio o mundo.
> Uma cadeira de jardim e uma cadeira de navio, esquecidas lá fora.
> Entre rochas afiadas, minha sombra ressoando.
> Estou cansado. Emirjo da terra.[10]

Hoje, 65 anos depois da publicação de "Apócrifa", talvez já tenhamos nos entendido, mais ou menos, com o cronótopo transformado. Mas ainda considero muito dolorosas as imagens do difícil regresso, da comunicação impossível, do vazio existencial que acompanha a descrição poética do tempo congestionado. Não só elas não nos abandonaram — parecem estar tão mais próximas de nossa percepção do mundo de hoje que, há pouco tempo, durante uma peça de Samuel Beckett, me ocorreu que as cenas e as personagens já não me impressionavam. O universo de Beckett se transformou no nosso mundo cotidiano. É por isso que — como qualquer outro verdadeiro clássico — o poema de Pilinszki nos interpela tão diretamente. O que ele comprimiu nesse poema é metade da nossa história com o tempo.

∞

Em minha casa, sobre a mesa onde trabalho, tenho um cartaz que reproduz, com as dimensões do original, o quadro *Número 28*, de Jackson Pollock (obra de 1950). Desde que, em meados

---

10 Ibid.

da década de 1960, na mesma semana um professor do ensino médio e um pintor californiano me falaram do seu nome, nenhum outro artista tem fascinado meus olhos como Pollock. Digo-o sem hesitação alguma ou dúvida – e utilizo a palavra "fascinação" no seu sentido literal: as telas de Jackson Pollock me atraem de um modo irresistível, a um nível mais ou menos elevado do que qualquer outra coisa de que tenha consciência – e com tamanho poder que sou incapaz de desviar o olhar na sua presença. O *Número 28* é um quadrado enorme, em que predominam os tons cinza; pinceladas de branco cobrindo áreas de verde; e as suas múltiplas camadas exibem as marcas da tinta preta que Pollock deixou gotejar sobre a tela. Em alguns pontos, essas marcas vão se adensando até virarem manchas – manchas de aparência estranhamente frágil, algumas se parecendo até com ilhas alongadas. Tudo o que vejo parece estar num movimento incessante. Sempre que me deixo arrastar até o espaço da pintura, ao mesmo tempo lisa e de algum modo mais do que bidimensional – como tantas vezes acontece nas horas de escrita e de leitura intensa, de madrugada –, o que vejo é sempre demasiado, arrebatador ou sublime. Ao mesmo tempo, aquilo que vejo promete forma, ritmo, ou algum outro tipo de regularidade que, em última análise, jamais consigo captar. Meu problema é o mesmo com que se confrontam todos os críticos da obra de Pollock, apesar dos esforços estranhamente desesperados para conseguir interpretações psicanalíticas ou outras igualmente engenhosas. As pinturas de Pollock não são traduzíveis em conceitos nem em algoritmos. No entanto, também sinto que o *Número 28* me envolve num drama existencial da metade do século XX – período que coincidiu com o breve instante da produtividade amadurecida de Pollock. Sinto-me dividido entre a impressão de que, apesar do irresistível apelo que exerce sobre mim, esta tela me rejeita e simultaneamente não me liberta. Às vezes, o quadro parece exprimir uma vida interior que não sou capaz de decifrar; em outros momentos, assemelha-se à superfície impenetrável de um mineral. É como um redemoinho que me puxa, aprazível, para dentro de um abrigo profundo, e que desencadeia pensamentos e sentimentos que me levam para longe daquilo em que estive me concentrando.

Após duas décadas de instável experimentação artística, pobreza e excesso de álcool, Jackson Pollock encontrou na segunda metade da década de 1940 um modo de pintar com que se sentia confortável – e que teve sucesso quase imediato:

> Meus quadros não nascem do cavalete. Quase nunca estico minha tela antes de pintar. Prefiro tachar a tela, mesmo sem estar esticada, no chão ou numa parede rija. Preciso da resistência de uma superfície dura. Estou mais à vontade no chão. Sinto-me mais próximo, fazendo mais parte da pintura; assim, posso caminhar ao redor dela, trabalhar dos seus quatro lados, estar literalmente *dentro* da pintura [...].
>
> Quando estou dentro da pintura, não tenho consciência do que estou fazendo. Só depois de uma espécie de período para "tomar conhecimento" é que vejo o que estou preparando. Não receio fazer mudanças nem destruir a imagem etc., porque a pintura tem vida própria. Tento que ela se expresse. Só quando perco contato com a pintura é que o resultado é uma confusão. Quando não perco esse contato, o que há é harmonia pura, uma troca muito fácil, e a pintura dá certo.[11]

---

11 Varnedoe; Karmel, *Jackson Pollock*, p.48.

A palavra-chave nesta passagem está em destaque – é uma questão de estar *dentro* da pintura durante o processo de sua emergência. Pollock pode não ter sido o primeiro artista a praticar o que viríamos a chamar de *"action painting"* [pintura de ação], porém ninguém mais do que ele retirou mais energia desse processo. Estar dentro da pintura, creio, não implica apenas um "dentro" espacial; a intuição de Pollock exige também uma transformação do tempo – porque estar "dentro da pintura" significa transformar múltiplos momentos de transição (o presente do antigo cronótopo) num único tempo expandido de criação, no qual a agência do artista é substituída pela "vida própria" que reside dentro da pintura. O momento expandido em que o presente habita e que expande me parece ser mais uma ruga no tempo – uma ruga que nos chega a partir do meio do século XX. É um presente em que os mais arcaicos aspectos da pintura coincidem com o impulso mais energético da vanguarda.

No entanto, ao passo que a ruga do tempo no poema de Jänos Pilinszki é uma ruga de imobilidade, sofrimento e morte, a dobra, na obra de Jackson Pollock, que envolve o tempo impessoal da criação, é uma ruga de êxtase. Isto certamente deriva do estado muitas vezes muito intoxicado e desinibido em que ele espalhava a tinta sobre a tela, mas se relaciona também com o impacto que suas pinturas têm em muitas das pessoas que se abrem ao poder esmagador das obras. Mais: o conceito de êxtase capta uma condição específica que pertence também ao contexto histórico em que Pollock viveu e trabalhou. É óbvio que tanto o socialismo (que existia principalmente enquanto ideologia utópica) quanto o capitalismo (que ainda hoje existe, enquanto ação e movimento, a um ritmo cada vez mais acelerado) dependem do antigo cronótopo do progresso, da transição e do distanciamento em relação ao passado. Nas nodosas conexões entre "Apócrifa" de Pilinszki e os acontecimentos da revolução húngara torna-se visível como é que, sob um regime de condições socialistas, este cronótopo revelou os primeiros sinais do colapso quando o futuro aberto ficou congestionado e começou, por fim, a fechar-se. Será possível que agora exista um risco equivalente (aliás, um destino) de colapso que atinja o lado capitalista – e talvez num dia próximo –, como resultado de sua aceleração ilimitada e extática em direção a um futuro ainda mais aberto? Será que a crise financeira em que vivemos, a crise que ninguém sabe como resolver – a não ser tomando mais empréstimos ao futuro (e, assim, agravando-a) –, será esta crise de sobreaquecida aceleração o equivalente autodestrutivo do capitalismo à estagnação socialista que começou na década de 1980?

A vida de Jackson Pollock tem sido descrita como "um drama em três atos". Este esquema de representação se assemelha a uma versão comprimida de uma possível história do capitalismo: "1930-1947, em busca de si mesmo; 1947-1950, ele se encontra; 1950-1956, ele se perde."[12] Por comparação, o capitalismo demorou séculos a emergir, mas gozou de um breve momento, durante o qual seus efeitos positivos foram maximizados – mais ou menos entre 1970 e 2001. Hoje, como resultado desta automaximização acelerada, poderá ter perdido sua relação com a realidade, isto é, com as condições necessárias para sua sobrevivência. O *Número 28* de Pollock, assim como grande parte de seus quadros mais famosos, foi produzido durante o verão de 1950, para uma exposição em Nova York

---

12 Ibid., p.62.

que inauguraria em novembro. Àquela altura, Pollock estava sóbrio havia dois anos. Deve ter sido uma das poucas vezes em que o êxtase de seu processo criativo não se fundava na autodestruição. Nesse outono, uma equipe de filmagens esteve no estúdio de Pollock, em Long Island, para filmar e fazer fotos de sua *"action painting"*. Por motivos técnicos, a maioria das cenas filmadas era nada mais do que simulações, o que veio a revelar-se penoso para Pollock. No final – pouco antes da inauguração da exposição – o artista sucumbiu, mais uma vez, à bebida. Entrou numa espiral depressiva da qual nunca mais viria a se recuperar e que o impossibilitaria de pintar. O fim chegou em 11 de agosto de 1956, três meses e meio antes da revolução húngara. Muito embriagado (e até perto do seu estúdio), Pollock se juntaria a outros titãs de sua idade que morreram em acidentes de automóvel. Há na sua arte alguma coisa que me é perturbadoramente familiar – e sinto o mesmo em relação ao poema de Pilinszki (apesar dessa sensação ser ainda recente, enquanto a pintura de Pollock tenha produzido seus efeitos durante quase toda a minha vida). Tanto o poema quanto a pintura tornam visível a transformação do tempo que estava se operando quando foram produzidos; tanto o poema quanto a pintura tornam presentes, para mim – e me integram neles –, os dramas existenciais da década de 1950. Por isso, ambos nos incitam a pensar sobre um potencial autodestrutivo dentro do socialismo, no passado, que poderá desfazer o capitalismo, no futuro.

Quando este capítulo já estava terminado, meu amigo Martin Seel me mandou por e-mail uma reação ao que eu escrevera, na qual relacionava a pintura de Pollock aos desafios existenciais do nosso presente. Como achei surpreendentes os seus comentários – muito diferentes da minha visão, mas não incompatíveis – decidi traduzi-lo e citá-lo aqui (sem reproduzir exatamente suas palavras, pois a minha tradução poderá conter uma dose considerável de interpretação). Escreve Seel que o que este capítulo diz sobre Pollock sugere que a alternativa entre o progresso e a imobilidade, agora, colapsou. Desapareceu a crença num percurso comum em direção ao futuro, desvaneceram os sonhos utópicos; mas – apesar do Onze de Setembro de 2001, e apesar da crise financeira – também se extinguiu a visão de estar sem saída. Então, agora pode ser o momento de repensarmos, a partir de uma perspectiva diferente, sobre o que poderá ser a "abertura do tempo". Com grande probabilidade, esta abertura já não será uma direção e não oferecerá o contraste de ser ou gloriosa ou apocalíptica; em vez disso, é um tecido opaco de coisas e de eventos e, ao mesmo tempo, um ritmo fabuloso de possibilidades e de impossibilidades, dentro das quais nós (e as gerações que virão) devemos nos orientar. Pode parecer mais melancólico do que na verdade é – pois só é melancólico com relação ao sonho da filosofia da história, que busca um princípio abrangente de clareza e estrutura. Pollock, conclui Seel, nos faz pensar que agora é o momento de ter um sentido afinado de, e uma atenção maior ao presente – um foco sobre cada sucessivo *hic et nunc*, já não tendendo nem em direção ao passado nem em direção ao futuro.

Quase sempre que contemplo a reprodução de Pollock na minha casa na Califórnia, aqui e agora, o quadro, como eu disse, parece ameaçador, como um redemoinho de energia sublime. Porém, a ameaça também promete a absorção num conforto telúrico que jamais encontrei em outro lugar, em toda a minha vida. Só agora compreendi que é aqui que termina minha história com o tempo, minha história com o tempo conforme começou por volta de 1950. A história termina comigo me sentindo

Depois de 1945

simultaneamente atraído e rejeitado pela reprodução da pintura de Pollock, pendurada acima de minha escrivaninha, em casa. Ou, para ser mais preciso, termina na minha cabine no terceiro andar da biblioteca Green, em Stanford, na segunda-feira, 24 de outubro de 2011, às 5h26 da tarde, eu sentado e descrevendo como esta manhã fiquei impressionado pela pintura. Finalmente, compreendo por que Pollock sempre me fascinou. Sua obra me leva de volta ao ponto onde este livro começou – aos anos de 1950. Acredito que agora compreendo melhor o meu fascínio por suas pinturas. Aquilo que surgia num estado de latência, então, está na origem da diferente ordem de tempo em que estamos vivendo, agora.

A forma deste livro

A forma deste livro, com os seus sete capítulos, é mais simétrica e, por isso, mais visível do que qualquer um dos livros que já escrevi – e não esperava que isso acontecesse quando comecei a pensar no projeto, há seis ou sete anos. Na verdade, não começou com nenhum pensamento ou ideia, nem intuição ou "projeto" – mas sim com uma imperiosa necessidade de ver imagens e de ler textos dos anos de meados do século XX, por volta da época do meu nascimento. No último dia em que escrevo – por acaso, é o último dia da primeira semana de 2012, vejo como esse primeiro impulso me levou (e me arrastou) a um final onde estou começando a entender por que todo este processo de trabalho se tornou assim tão urgente. No meio, entre o desejo inicial de me ver absorto num momento específico do passado e a retrospectiva de hoje, está este livro, com a sua estrutura muito simétrica a disfarçar toda a paixão investida. Como não tinha uma direção definida e muito menos um objetivo, de início falo sobre esta urgência (que veio a se transformar em livro) mais amiúde e com mais amigos e colegas (quer em conversas presenciais, quer por via eletrônica) do que o habitual (isto apesar de sempre ter pensado, e sentido com isso o embaraço da ausência de bons padrões acadêmicos, que sou bastante promíscuo no que confesso de minhas fascinações intelectuais à medida que as vou tendo). Desde o princípio, portanto, essa abertura (que era em igual medida o meu desespero) tem causado reações várias, muitas vezes de particular veemência e intensidade – intensidade e veemência essas que associo à estrutura limpa que acabei desenvolvendo no livro e à impressão, mais apreensível no capítulo final, de que ele contém um argumento coerente.

Tomara que estas frases não se pareçam com o vazio da retórica acadêmica obrigatória. Não gostaria de repetir que o meu livro "deve muito ao diálogo e à sã crítica de alguns dos meus mais estimados colegas". Mais justa e mais precisa é a metáfora muito mecânica, segundo a qual foi como resistência e por vezes resposta negativa direta que as reações aos meus inúmeros textos, e-mails, palestras e seminários sobre a época pós-1945 transformaram a necessidade e a paixão inicial em forma e argumento. Em outras palavras, devo a muitos generosos leitores, ouvintes, falantes e escritores com quem tive contato, muito mais do que algumas boas ideias, informações preciosas e imprescindíveis correções. Aquilo que me deixa feliz e grato é a transformação do que começou não sendo mais que intensidade, num ritmo de trabalho e na forma de um livro. Quando tento recordar todos esses instantes intelectuais, parece interminável (quase no sentido literal da palavra) a tarefa de agradecer. Por isso me vejo de novo diante do problema de achar uma forma, desta vez não a forma de um argumento, mas aquela que me permita modelar as diferentes porções de gratidão, de um modo que seja claro e forte o suficiente para corresponder ao que sinto. Sabendo desde logo que não existe, em última análise, uma solução perfeita, decidi distinguir entre, por um lado, as conversas que aconteceram em lugares específicos e, por outro, os diálogos eletrônicos. Implicitamente, estou separando também as reações encorajadoras das que me alertavam contra o livro que surgia (fique claro que isso não significa que prefira o primeiro tipo, mais agradável, ao segundo). Deixem que comece, então, pelo diário de bordo do projeto, a que se seguirá o seu diretório eletrônico.

Tudo começou em 2007, com dois períodos quinzenais como professor visitante no Instituto Simon Dubnow de Cultura e História Judaica em Leipzig, onde a presença (por vezes silenciosa) de Dan Diner me fez perceber o que tinha em mãos. De Leipzig, onde me dei conta, ao ler a obra de Anselm Haverkamp, o quanto estava intrigado pelo conceito de "latência", fui quase direto para Lisboa realizar um seminário sobre textos dos anos que se seguiram a 1945, no edifício de meados do século XX da Faculdade de Letras, e onde tomei como bom sinal (que se tornaria boa constelação) que Miguel Tamen tanto apreciasse ouvir as minhas notas acerca de como os alunos estavam reagindo ao meu tópico – e que ele quisesse para o seu programa em Teoria da Literatura, em dezembro de 2011, uma cópia do manuscrito terminado. A calma e o tempo indispensáveis à leitura (e por vezes mesmo ao pensamento) sobre os anos do início da minha vida, consegui-os nos nove meses que passei no triângulo entre Amalienstrasse, Bayerische Staatsbibliothek e o Carl-Friedrich-von-Siemens-Stiftung em Munique-Nymphenburg. Seu diretor, o meu mais que generoso patrono Heinrich Meier, fez justiça à amizade, apoiando meu estilo de trabalhar e de viver que bem sei que não o convencem (recordo também com prazer as conversas bávaras que tive com Oliver Primavesi, Tatjana Michaelis e Michael Krueger, acompanhadas pelos excelentes pratos italianos do Pasquale, no restaurante "Al Torquio", assim como as incontáveis viagens de táxi, quase sempre para o aeroporto, e os intensos diálogos com o Ness). Recorro ao estilo dos anúncios comerciais norte-americanos: gostaria de assinalar que a Pontifícia Universidade Católica no Rio de Janeiro e o Departamento de História da Universidade Federal de Ouro Preto e Mariana foram dois "lares" que acolheram o meu livro. Durante três revigorantes invernos brasileiros, entre 2009 e 2011, Valdei Araújo e Lua, Luiz Costa Lima, Ricardo Benzaquen de Araújo, Marcelo Jasmin, Maísa Mader, Karl Erik Schoelhammer e todos os seus alunos revelaram paciência, agudeza e originalidade nas discussões dos meus rascunhos, quantas vezes erráticos. "Lar" de toda a minha obra, de um modo menos exótico mas não menos luminoso, tem sido o campus da Universidade de Stanford e as salas anônimas do terceiro piso da Green Library (onde escrevo estas palavras no teclado do meu laptop). De há vinte e dois anos para cá, Margaret Tompkins tem sido a metade melhor daquilo que uma vez ela chamou de nossa "empresa internacional de dupla pessoa com escritórios sedeados na Califórnia"; mas ela é também a leitora mais precisa e entusiasta que já conheci, enquanto a melhor metade do meu ser espiritual é a radiante inteligência de Robert Harrison, que desde cedo impediu que o meu livro se transformasse em *kitsch* intelectual. Por fim, a pacífica determinação de Emily Cohen deu ao livro o acolhimento da sua casa editorial. E no fim das contas, quando pensava que tudo já estava escrito e terminado, cheguei a Budapeste no verão indiano de 2011, onde Kelemen Pal, Kerekes Amalia, Kallay

Geza e Contemplatio me mostraram as feridas visíveis daqueles tempos no rosto da sua cidade e me ajudaram a tornar-me parte daquela dor, à volta do café e dos refrescos no pátio do ELTE. Para que conste, e antes que me esqueça, devo referir ainda que foi na presença de Perla Chinchilla, Luis Vergara e Ilan Semo, da Universidade Iberoamericana da Cidade do México, que tive pela primeira vez a péssima ideia de cantar durante uma palestra (era *La vie en rose*, de Edith Piaf, e a ocasião aconteceu em novembro de 2011).

Do meu diretório eletrônico, quero começar lembrando e prestando homenagem ao falecido (e, no melhor dos casos, meio eletrônico) aparelho de fax de Karl Heinz Bohrer, que transmitiu tantas belas cartas manuscritas, por vezes perigosamente encorajadoras, de Londres para a Califórnia, antes de a sua vida mecânica ter tido um fim causado por esgotamento, do qual assumo toda a responsabilidade. A insatisfação de Klaus Birnstiel me fez reescrever o capítulo final e saber quando era momento de parar; Lisa Block de Behar compreendeu perfeitamente por que Graf Spee teria de estar neste livro (e não apenas porque mora em Montevidéu); Vittoria Borso tantas vezes achou as palavras que eu não tinha; Pedro Dolabela Chagas não ficou satisfeito com o que eu dizia do Brasil enquanto eu não acertei tudo (assim espero); Sonja Fielitz combateu uma luta desinteressada (e receio que nem sempre fácil) contra o meu narcisismo; Grisha Freidin por vezes se transforma no meu irmão um pouco mais velho, e também foi ele quem me mandou as mais emocionantes saudações que já recebi, de São Petersburgo; Heike Gfrereis quis uma leitura pública em inglês para um arquivo nacional na Alemanha; a permanente e calorosa resposta de Noreen Khawaja me deu a linda, perigosa e encorajadora ilusão de que escrevo bem (e ela lê como ninguém o Heidegger pós-1945); Florian Klinger fez a diferença mais certeira (e menos latente) entre concordância e divergência; Henning Marmulla manteve-se imperturbável, apesar das minhas muitas perguntas estúpidas e propostas escandalosas – porque é o amigo que é e por acreditar nos livros mais do que nos autores (e receio que tenha acertado na aposta – ou, no caso de livros como os meus, "no espírito"); Sergio Missana, sendo um grande romancista, achou algo de "literário" nas páginas que escrevi; Ludwig Pfeiffer tem o maior bom gosto intelectual, e é sempre uma aposta ganha; Marci Shore escreve uns e-mails tão lindos que a única resposta possível é em livros; Martin Seel gostou de um manuscrito que não era bem o seu estilo e entendeu maravilhosamente bem o que estava em causa; Jan-Geoerg Soeffner leu cada uma destas palavras, várias vezes, desde as primeiras páginas do capítulo inicial (conhece o livro melhor do que o próprio autor, e deu-lhe o apoio que só um padrinho italiano ou um campeão americano de pesos pesados conseguem oferecer); Peter Sloterdijk resumiu em duas frases o que eu tinha a dizer (uma me deixou melancólico – a outra, quase orgulhoso); as reações de José Luis Villacañas dariam uma introdução melhor do que o livro que se dava a introduzir.

Algumas das pessoas a quem aborreci com a leitura de capítulos me mostraram o carinho que me têm, ao revelarem que não tinham gostado muito do livro (ou, pelo menos, de um ou outro capítulo): Christian Benne achava que era muito cedo para uma autobiografia; Mara Delius reservou os elogios para textos de que genuinamente tinha gostado; Cosana Eram achou que eu não estava ainda bem informado; Amir Eshel foi delicada e não me deu resposta; Ingrid Fernandez, *meine liebe*

Studentin, me deu, receio, nota B-; Hans-Martin Gauger ficou meio desiludido (sem ser cruel a dizê-lo); Agnès Gayraud achou que a maioria dos capítulos estava por terminar; Frank Guan não encontrou um argumento no meu livro; Ronmel Navas deu prova de sua amizade quando me disse por que não gostava da escrita; Melanie Moeller, creio, e Xavi Pla preferiram outros projetos; e Serge Zenkine foi muito claro quando me disse para reescrever tudo.

Outros leitores foram discretos, mas eficazmente encorajadores: Christine Abbt, que associou latência a esquecimento; Andino em Eugene que, como aluno de graduação, não achava razão senão em grandes argumentos para explicar por que tinha gostado daquele capítulo em particular; Gordon Blennemann, que me disse que perdeu a saída do metrô quando estava lendo outro capítulo; Bliss Carnochan, que descobriu que algumas partes deveriam se chamar *"tours de force"*; Adrian Daub, que escreveu que não tinha objeções (como não as teve Dan Edelstein); Karl Ellerbrock, que muito claramente prefere falar comigo do que ler o que escrevo; Monika Fick, que escreve as cartas mais lindas, cheias de pesados elogios que parecem penas leves que me fazem voar; Denise Gigante, cujos juízos próximos e simpatia me aquecem o coração e alguns momentos de manhã cedo; Hans-Joerg Neuschaefer, que se esqueceu de dormir por conta do último capítulo; Aron Rodrigue, que disse que isto deveria interessar aos historiadores; Mads Rosendal, que é um mestre na generosa arte de partilhar a alegria; Andreas Rosenfelder, que após perder a gravação de uma conversa, pediu mais duas ou três; Lindsay Waters, que descobriu tarde o seu interesse; Laura Wittman, que não consegue evitar viver o passado de maneira filosófica; e Raimar Zons, que queria saber mais. Agradeço tanto a todos eles. *E nem precisava dizê-lo – são só eles os responsáveis absolutos por quaisquer falhas que venham a descobrir nas páginas deste livro.*

Ricky, Marco, Anke, Sara, Christopher, Gina, Laura, Clara e Diego me dão um mundo longe dos livros que escrevo – e, no entanto, tão próximo daquilo que é importante que é só para eles que escrevo. Dedico este livro à memória de Yasushi Ishii: desde o dia em que nos conhecemos, em 1989, até sua morte em 2011, foi para mim como um irmão mais novo, que por muitas razões amei. Uma delas foi porque ele sabe o que significa herdar um passado que não se quer, mas do qual não se consegue ficar excluído.

Referências bibliográficas

ANDERS, G. *Hiroshima ist überall*: Tegebuch aus Hiroshima und Nagasaki. Munique: C.H. Beck; Beck'sche Reihe, 1963.

ANDRES, S. Manchmal im Traum. *Die Wandlung*: Eine Monatsschrift 3, n.5, p.402, 1948.

ARENDT, H. *The Human Condition*. Chicago: University of Chicago Press, 1998. [Ed. bras.: *A condição humana*. 11.ed. Rio de Janeiro: Forense Universitária, 2010.]

ARTAUD, A. To Have Done with the Judgment of God. In: SONTAG, S. (Org.). *Selected Writings*. Berkeley: University of California Press, 1988.

AUERBACH, E. Philologie der Weltliteratur. In: _____. *Gesammelte Aufsätze zur romanischen Philologie*. Berne: Francke, 1967. p.301-10.

BECKETT, S. *Waiting for Godot*. New York: Grove Press, 1954/1982. [Ed. bras.: *Esperando Godot*. São Paulo: Cosac Naify, 2005.]

BENN, G. *Gedichte*: In der Fassung der Erstdrucke. Frankfurt am Main: Fischer, 1982/2001.

BORCHERT, W. *Draussen vor der Tür und ausgewählte Erzählungen*. Hamburgo: Rowohlt, 1964.

BRANDT, K. Die Lösung des deutschen Ernährungsproblems. *Die Wandlung*: Eine Monatsschrift 3, n.5, p.390-401, 1948.

BRECHT, B. *Gesammelte Werke 4*: Stücke 4. Frankfurt am Main: Suhrkamp, 1967.

_____. *Gesammelte Werke 5*: Stücke 5. Frankfurt am Main: Suhrkamp, 1967.

_____. *Gesammelte Werke 10*: Gedichte 3. Frankfurt am Main: Suhrkamp, 1967.

_____. *Gesammelte Werke 20*: Schriften zur Politik und Gesellschaft. Frankfurt am Main: Suhrkamp, 1967.

CABRAL DE MELO NETO, J. *Selected Poetry*. (Org. D. Kadir.) Hanover, NH: Wesleyan University Press; University Press of New England, 1994.

_____. *Education by Stone*: Selected Poems. Nova York: Archipelago Books, 2005.

CAMUS, A. *L'Homme révolté*. Paris: Gallimard, 1951. [Ed. bras.: *O homem revoltado*. Rio de Janeiro: Record, 1997.]

_____. *La peste*. Paris: Gallimard, 1947. [Ed. bras.: *A peste*. Rio de Janeiro: Record, 1997.]

CELAN, P. *Gesammelte Werke 1*. Gedichte I. Frankfurt am Main: Suhrkamp, 1983.

_____. *Gesammelte Werke 2*. Gedichte II. Frankfurt am Main: Suhrkamp, 1986.

_____. *Gesammelte Werke 3*. Gedichte III. Frankfurt am Main: Suhrkamp, 1986.

CÉLINE, L.-F. *Lettres*. Paris: Gallimard; Bibliothèque de la Pléiade, 2009.

CURTIUS, E. R. *Europäische Literatur und Lateinisches Mittelalter*. Bern: Francke, 1948.

DAGERMAN, S. *Deutscher Herbst'46*. Köln-Lövenich: Hohenheim, 1981. (Edição sueca: Estocolmo, 1947.)

DÁVIDHÁZI, P. et al. (Orgs.). *The Lost Rider*: A Bilingual Anthology. Tradução de Ted Hughes e János Csokits. Budapeste, 1999.

ELLISON, R. *Invisible Man*. Nova York: Vintage Books; Random House, 1995. [Ed. bras.: *O homem invisível*. Rio de Janeiro: Marco Zero, 1990.]

Depois de 1945

ENZENSBERGER, H. M. *Das Verhör von Habana*. Frankfurt am Main: Suhrkamp, 1974.

FAULKNER, W. *Novels 1942-54*. The Library of America/ Literary Classics of the United States, 1994.

GEIGER, R.-E. *Marilyn Monroe*. Hamburgo: Rowohlt, 1995.

GUARESCHI, G. *Don Camillo e Peppone*: Opere di Giovannino Guareschi. Milão: Rizzolo, 2011.

GUIMARÃES ROSA, J. *The Devil to Pay in the Backlands*. Nova York: Alfred A. Knopf, 1963. [Ed. bras.: *Grande sertão*: veredas. Rio de Janeiro: Nova Aguilar, 1994.]

GUMBRECHT, H. U. *Unsere breite Gegenwart*. Berlim: Suhrkamp, 2010.

_____; PFEIFFER, K. L. (Orgs.). *Materialität der Kommunikation*. Frankfurt am Main: Suhrkamp, 1988.

HACHIYA, M. *Hiroshima Diary*: The Journal of a Japanese Physician, August 6-September 30, 1945. Chapel Hill: University of North Carolina Press, 1995.

HEIDEGGER, M. *Gesamtausgabe 7*: Vorträge und Aufsätze. Frankfurt am Main: Klostermann, 1997.

_____. *Gesamtausgabe 9*: Wegmarken. Frankfurt am Main: Klostermann, 1997.

_____. *Gesamtausgabe 10*: Der Satz vom Grund. Frankfurt am Main: Klostermann, 1997.

_____. *Gesamtausgabe 13*: Aus der Erfahrung des Denkens. Frankfurt am Main: Klostermann, 1997.

_____. *Gesamtausgabe 16*: Reden und andere Zeugnisse eines Lebensweges. Frankfurt am Main: Klostermann, 1997.

_____. *Holzwege*. Frankfurt am Main: Klostermann, 1994.

JONES, J. H. *Alfred C. Kinsey: A Public/Private Life*. Nova York: Norton, 1997.

KINSEY, A. C.; POMEROY, W. B.; MARTIN, C. E. *Sexual Behavior in the Human Male*. Filadélfia: W. B. Saunders Co., 1948.

KRAUSS, W. *Vor gefallenem Vorhang*: Aufzeichnungen eines Kronzeugen des Jahrhunderts. Frankfurt am Main: Fischer, 1995.

MANN, G. *Vom Geist Amerikas*: Eine Einführung in amerikanisches Denken und Handeln in zwanzigsten Jahrhundert. Stuttgart: W. Kohlhammer, 1961.

MARTÍN-SANTOS, L. *Time of Silence*. Nova York: Columbia University Press, 1989.

PASOLINI, P. P. *Tutte le poesie*. v.1. Milão: Arnoldo Mondadore, 2003.

PASTERNAK, B. *Doctor Zhivago*. Nova York: Random House; Pantheon Books, 1997.

PILINSZKI, J. *Lautlos gegen die Vernichtung*: Gedichte. Zurique: Ammann, 1989.

PONGE, F. *Oeuvres complètes*. v.1-2. Paris: Gallimard; Bibliothèque de la Pléiade, 1999.

RIDRUEJO, D. *Con fuego y con raíces*: casi unas memorias. Barcelona: Planeta, 1976.

SARTRE, J.-P. *Being and Nothingness*. Nova York: Washington Square Press, 1992.

_____. *L'Être et le Néant*: Essai d'ontologie phénoménologique. Paris: Gallimard; Bibliothèque des Idées, 1943/1965. [Ed. bras.: *O Ser e o Nada*. Ensaio de ontologia fenomenológica. Petrópolis: Vozes, 1997.]

_____. *Huis Clos, suivi de Les Mouches*. Paris: Gallimard, 1947. [Ed. bras.: *Entre quatro paredes*. Rio de Janeiro: Civilização Brasileira, 2006.]

_____. *Situations III*: Lendemains de guerre. Paris: NRF; Gallimard, 1949.

SCHMITT, C. *Glossarium*. Berlim: Duncker & Humblot, 1991.

SERTORIUS, L. Die vorletzten Dinge. *Die Wandlung*: Eine Monatsschrift 2, n.3, 1947, p.221-3.

STERNBERGER, D. (Org.). *Die Wandlung*: Eine Monatsschrift: Zweiter Jahrgang, Drittes Heft. Heidelberg: Carl Winter Universitätsverlag, 1947.

_____. *Die Wandlung*: Eine Monatsschrift: Dritter Jahrgang, Fünftes Heft. Heidelberg: Carl Winter Universitätsverlag, 1948.

_____. *Panorama, oder Ansichten vom 19*. Jahrhundert. Hamburgo: Classen & Goverts, 1946.

TRIFONOV, Y. *Students*: A Novel. Moscou: Foreign Languages Publishing House, 1953.

VARNEDOE, K.; KARMEL, P. *Jackson Pollock*. Nova York: Museum of Modern Art, 1998.

Índice remissivo

Adenauer, Konrad, 294
Adorno, Theodor W., 35
Adriático, 298
África, 174, 314
afro-americano, 83, 96-8, 104, 149-51, 309
Alemanha, ano zero, 81
Alencar Castelo Branco, Humberto de, 277
Ali, Muhammad, 276
América do Sul/sul-americano, 67, 274, 314
América/americano, 9-11, 13-4, 16, 18-9, 28-9, 31-2, 37, 48-9, 108-9, 135, 166, 184, 190-1, 221-2, 261, 265, 268, 271-6, 280, 296, 304-6, 309, 314, 340, 342
Anders, Gunther, 221-5, 265
Anders, Stefan, 147

anjo exterminador, O, 71
antiamericano, 180, 314
antissemita/antissemitismo, 15, 82, 284, 314
"Apócrifa", 323-4, 326, 328, 332
árabe, 283
Areia das urnas [Der Sand aus den Urnen], 195
Arendt, Hannah, 113-5, 181-2, 224, 273-4, 309
Argentina/argentino, 66-7, 273
Arndt, Adolf, 28
Artaud, Antonin, 179-81, 252
Ásia/asiático, 262, 314
Associação de Estudantes Socialistas da Alemanha (SDS), 214, 277-9
Auerbach, Erich, 160, 242
Avila, Teresa de, 216

Baía dos Porcos, 158
Bastardos inglórios, 50
Batista, Fulgencio, 274
Baudelaire, Charles, 318
Bausch, Pina, 310
Beaufret, Jean, 24
Beckett, Samuel, 43-6, 71, 111, 177, 328
Bélgica, 14
Benn, Gottfried, 92-3, 170-3, 192, 243-4
Berkeley, 14, 296-7
Berlim, 19, 81, 103, 113, 118, 120, 122, 183-4, 213, 267-8, 305
Borchert, Wolfgang, 58, 72-4, 77-8, 103, 168, 192, 326
Brandt, Willy, 280-2, 284-5, 287
Brasil/brasileiro, 62, 90, 203-4, 248, 254, 274, 277, 291, 310, 340-1
Brasília, 274, 277
Brecht, Bertolt, 168-71, 213-5, 235-6
britânico/Inglaterra/inglês, 9, 11, 15, 18-9, 31, 33, 44, 66, 82, 88, 103, 109, 117, 119, 184, 189, 191, 323, 341
Bruxelas, 271
Budapeste, 113, 266, 322-3, 340
Buenos Aires, 66-7
Buñuel, Luis, 71

Califórnia, 14, 296-9, 304, 306-7, 313, 329, 334, 340-1

campo de concentração, 20, 36, 122, 195-7, 273
Camus, Albert, 81, 95-6, 104, 112, 239-41, 256, 264-5
capitalismo/capitalista, 48, 61, 180, 188, 236, 247, 256, 278, 285, 331-3
Carta sobre o Humanismo, 25, 122, 229
casamento de Maria Braun, O, 47, 191, 294
Casper, Gerhard, 309
Castro, Fidel, 166, 274
católico, 86, 136-7, 156, 185-6, 273, 291, 340
Celan, Paul, 61, 195-9, 201-7, 217, 231, 245
Celine, Louis-Ferdinand, 82
Cem anos de solidão, 290
Cerdan, Marcel, 174
Chernobyl, 303
China, 18, 49, 112
Churchill, Winston, 117
claustrofilia, 74
claustrofobia, 67-9, 71
Clay, Cassius *ver* Muhammad Ali
Clay, Lucius D., 14, 16, 19, 184
"Coisa, A", 227, 230
colaborador, 143-5
Colônia, 19
colonial/colônias, 184, 265
Como agarrar um milionário, 140
comunismo/comunista, 19, 35, 49, 61, 113, 136, 138-9, 158-9, 170, 183, 185-8, 213-4,

247, 255-6, 266-7, 275, 277-8, 282
condição humana, A, 113, 181, 224
condição pós-moderna, A, 302
Copa do Mundo, 47, 191
Coppola, Francis Ford, 290
Coreia, 112, 265
corrida espacial, 271, 280
Cortina de Ferro, 48, 105, 112, 269
Costa, Lucio, 274, 277
cristão, 86, 137, 281, 283
Cuba/cubano, 158, 166, 242, 274-5
Curtius, Ernst Robert, 207

Dagerman, Stig, 21-3
Dalí, Salvador, 109
Dasein, 25, 93, 228
Dean, James, 85, 101, 148, 264
Delacroix, Eugene, 279
Der kleine Stowasser, 262
Derrida, Jacques, 310
descarrilamento, 183-7, 197, 201, 209, 211, 214, 216, 223, 225, 237, 240, 249, 253
desconstrução, 297
desnazificação, 11, 22, 190
Destouches, Lucette, 82
dialética do esclarecimento, A, 35
Diário de Hiroshima, 88, 232
diáspora, 184
Dinamarca, 82
Dirty dancing: ritmo quente, 268

ditador/ditadura, 100, 118, 277, 282
Dolabela, Pedro, 90, 341
Don Camillo e Peppone, 136, 140, 185
Doren, Charles Van, 164
Dortmund, 20, 190
Doutor Jivago, 61, 89-90, 169, 237
Draussen vor der Tür, 58, 72-4, 77-8, 168, 326
Drosre-Hulshofi, Annette von, 244-5
Dubrovnik, 298-301, 310
Dusseldorf, 122, 260

Eatherly, Claude, 221-2
Eichmann, Adolf, 273
Ellison, Ralph, 96-8, 104, 112, 217
Entre quatro paredes, 58, 68-9, 72, 77-8, 81, 146
entrevista, 128, 130-4, 315
Enzensberger, Hans Magnus, 158
Escócia, 119
Esperando Godot, 43-5, 71-2, 111, 232, 252
Espírito alemão em perigo [*Deutscher Geist in Gefahr*], 208
Estados Unidos, 14, 32, 37, 49, 108-9, 135, 166, 184, 221-2, 265, 271-6, 280, 296, 304-6, 309, 314
Estudantes, 105, 159, 214
ético/ética, 50, 86, 129, 144, 221
Exército Vermelho, 159, 242, 266

existencialismo/existencialista, 24, 30, 107, 129, 136, 143, 168-9, 176, 240, 242

facção do Exército Vermelho [Rote Armee Fraktion], 292
fascismo/fascista, 35, 61, 170, 213, 239
Fassbinder, Rainer Werner, 47, 191, 294
Faulkner, William, 60, 83, 153-4, 220
Feira Mundial, 271
"fim da guerra, O" [La fin de la guerre], 54
Fina, Kurt, 262, 264
Flick, Friedrich, 120-2
Floresta Negra, 121, 226-7
França/francês, 14-6, 18, 24, 30, 36, 39, 40, 49, 73, 82-3, 117, 121-3, 127, 143, 145, 179, 184, 221, 230, 242, 269, 282, 290
Franco, Francisco, 282
Frankfurt, 9, 19, 189, 223
"Fuga da Morte", 195, 245
Funk, Walter, 119-21, 181

G. I. Blues, 9, 189
García Marquez, Gabriel, 290
Geisteswissenschaften, 299
Gelassenheit, 176
George, Stefan, 244-5
gigante, O, 85
Glossarium, 158

Goebbels, Joseph, 119
Goodman, Benny, 18
Goring, Hermann, 124
Goya, Francisco de, 279
Graf Spee, 65-8, 341
Gramsci, Antonio, 210
Grande sertão: veredas, 90, 155, 219
Guareschi, Giovannino, 136-7
Guerra Civil Espanhola, 65, 282
guerra civil, 184, 187, 292
Guerra Fria, 19, 48, 55, 112-3, 188, 214, 255, 265-6, 268, 270, 275, 277, 304, 311, 322
Guevara, Ernesto "Che", 274
Guillaume, Gunter, 285
Guimarães Rosa, João, 90-1, 155-8, 219

habitação [*wohnen*], 93, 226
Hachiya, Michihiko, 88, 160, 232
Hannover, 19
Hayworth, Rita, 33
Hegel, Georg Friedrich Wilhelm, 26, 79, 95, 123, 242
Heidegger, Martin, 23-8, 34, 86-7, 92-4, 102, 122-3, 176-8, 181, 225-31, 252, 257, 285-7, 307-8, 341
hermenêutica, 132-3, 299
Herr Puntila, 236
Hess, Rudolf, 118-9
heterossexual, 131-2, 158
hierárquico/hierarquia, 100, 148, 159, 253

Himmler, Heinrich, 17, 119
Hiroshima, 37-8, 56, 160, 221-4, 252, 265
Hitler, Adolf, 15, 17, 20-2, 54, 65-6, 68, 83, 119-20, 238-9, 273, 282, 308
Ho Chi Minh, 278
Holanda, 14
Holderlin, Friedrich, 229, 244
Hollywood, 142, 146
Holocausto, 50, 119, 273, 293, 314
homem invisível, O, 96, 148, 217
homem revoltado, O, 95
homossexual/homossexualidade, 119, 126-7, 131-2, 145, 157, 162
Horkheimer, Max, 35
Hughes, Ted, 323
Hungria, 191, 242, 265-6, 322-3
Husserl, Edmund, 221

Índia, 184
interrogatório, 48, 59, 117-8, 128, 134-5, 142, 148-50, 152-3, 155-6, 158, 163-7, 194, 216, 249
Ishii, Yasushi, 344
Israel/israelense, 15, 184, 273, 284, 293-4, 314
Istambul, 160
Ítaca, 96
Itália/italiano, 55, 61, 85, 90, 117, 121, 137, 173, 180, 185, 209-11, 278, 282, 340

Iugoslávia, 19, 299

Japão/japonês, 30, 36-7, 39, 55, 88-9, 108, 117
jarro(a), 193-2, 198-201, 227-8, 230, 244
Jaspers, Karl, 28
Jauss, Hans Robert, 289
João XXIII, 272
Johnson, Lyndon B., 166, 275
judeu/judaico, 15, 83, 122-3, 160, 184, 195-7, 273, 281, 293, 311, 339
julgamento de La Habana, O [*Das Verhör von Habana*], 158
Jünger, Ernst, 35, 86

Kallay, Geza, 340
Kansas, 108, 280
Kaschnitz, Marie Luise, 28
Kennedy, John F., 165-6, 272, 275
Kerekes, Amalia, 340
Khrushchev, Nikira, 271-2, 275
Kinsey, Alfred C., 60, 128-34, 158
Kittler, Friedrich, 301
Klinger, Florian, 40, 342
Krauss, Werner, 242
Kubitschek, Juscelino, 274

"L'existentialisme est un humanism" [*O existencialismo é um humanismo*], 24

La Cruche [O jarro], 230
labirinto, 250, 253
Langsdorff, Hans, 65-8
Lengle, Madeleine, 276
Lenin, Vladimir Ilyich, 138, 183
lésbica, 69, 146
Life, 37-9, 108
Lisboa, 32, 339
Liston, Sonny, 276
Literatura Europeia e Idade Média Latina, 207
Luhmann, Niklas, 290
Luxemburgo, 14
Lyotard, Jean-François, 302, 321

má-fé, 59, 117, 124-8, 134-5, 137, 139-47, 152, 154, 157-9, 161-2, 215, 249, 251-3, 270, 278, 296, 321
Madri, 215-6
Mao Tse-Tung, 278
Martín-Santos, Luis, 79, 99-100, 153, 215
Martin, Clyde E., 128
marxismo/marxista, 61, 95, 168-9, 209-10, 213, 238, 242-3, 274, 277, 279-81, 290, 297, 299-300
melancolia, 334, 342
Melo Neto, João Cabral de, 62, 203
Menth, Walter, 262
Mercedes, 31, 120
metodismo, 129

"milagre econômico" [Wirtschajiswunder], 18, 244-5, 298
Mogadíscio, 293
Monroe, Marilyn, 140, 165
Montevidéu, 66-8, 341
Montherlant, Henri de, 16
Morgenroth, Hans, 262
Morrison, Toni, 42
Moscou, 61, 89, 106, 118, 237, 241, 271
mulçumano, 184
Mulhouse, 292
Munique, 15-7, 31, 278-9, 284, 290, 293
Museu do Exército, 36

Nacional Socialismo/Nacional Socialista/Nazi/NSDAP, 10, 17, 22-4, 65-7, 73-4, 81-2, 103, 109, 117-9, 160, 190, 195, 208, 221, 235, 244, 274, 281, 287, 294, 307, 315
Nagasaki, 30, 38
Nascimento, Milton, 291
Natal, 9-11, 37-8, 108-10, 188-9, 191, 284
"Natureza morta", 243-4
Niemeyer, Oscar, 274, 277
Nietzsche, Friedrich, 161, 245
niilismo/niilista, 86-7, 171
Nixon, Richard, 271-2
Normandia, 68, 173
Nova Jersey, 129

nuclear, 36, 38, 88, 221-3, 225, 242, 247, 255, 265-6, 268, 303
Nuremberg, 22, 117, 119-20, 181

Obama, Barack, 316
Olimpíadas, 39, 284, 290, 293
Onze de Setembro, 62, 312-4, 334
Opel, 9, 11, 31, 188, 190
Ópio e memória [Mohn und Gedächtnis], 195
Oswald, Lee Harvey, 166
otimismo/otimista, 28, 133, 223, 225, 264, 272, 274
"Outono Alemão", 21, 292-5

Paisà, 86
Palestina, 184
Papai sabe tudo [Father Knows Best], 139, 163, 272
Paquistão, 184
Paris, 36, 43, 49, 68, 82, 145, 174
Partido da União Socialista da Alemanha, 214
Pasolini, Pier Paolo, 61, 209-13, 241
Pasternak, Boris, 61, 89-90, 169-70, 237-9, 241
pecado mora ao lado, O, 140
peste, A, 81
Pfeiffer, Karl Ludwig, 299-300, 342

Piaf, Edith, 173-6, 236, 341
Pilinszky, Janos, 323, 331
Pio XII, 111, 273
poderoso chefão, O, 290
Poetik und Hermeneutik, 299
Pollock, Jackson, 328-35
Polônia/polonês, 11, 191, 281
Pomeroy, Wardell B., 128, 130-1
Ponge, Francis, 230-1
Ponto, Jürgen, 292
"Por vezes em sonhos" [Manchmal im Traum], 147
Portugal/português, 33, 274
Pour en finir avec le jugement de dieu [Para acabar de vez com o juízo de Deus], 179
Praga, 113
prazeres [Vergnügungen], 235
Presley, Elvis, 9, 189
Primeira Guerra Mundial, 9, 34-6, 65, 83, 98, 118, 173, 208, 247
Princípio da razão [Der Satz vom Grund], 102
proletário/proletariado, 171, 183, 210-1
prostituta, 101, 175
protestante, 86

quádruplo [Geviert], 93, 227-8, 231
Quanto mais quente melhor, 141-2
Quebec, 302
questionário, 130, 158

rádio, 38, 47, 72, 135, 139, 173, 179, 191, 268, 276
Rede das Forças Militares Americanas, 18, 276
redimir/redenção, 25, 46, 62, 78, 95, 147, 152, 197, 202, 217, 253, 282, 290
Relatório Kinsey, O, 60, 128-9, 134-5, 158
repressão, 39-40, 254, 265, 267, 320
Réquiem por uma freira, 60, 83, 153, 220
Res Romanae, 262
Rice, Condoleezza, 309
Riedl, Karl, 274
Rilke, Rainer Maria, 244-5
Rio da Prata, 67-8
Rio de Janeiro, 291, 340
Rommains, Jules, 15
Rossellini, Roberto, 81, 85-6, 161
Ruby, Jack, 166
Ruga no tempo, 276
Runia, Eelco, 40
Rússia/russo, 49, 114, 119, 180, 271

Salamanca, 282-3, 297
San Remo, 121
São Petersburgo, 341
Sartre, Jean-Paul, 24, 54-60, 68, 73, 78, 81, 107-8, 122-8, 134, 143-6, 249

Schleyer, Hanns Martin, 292
Schmeling, Max, 74
Schmidt, Helmut, 294
Schmitt, Carl, 103-5, 112, 135-6, 158, 167, 169, 229-31, 252
Seel, Martin, 333-4, 342
Segunda Guerra Mundial, 35-6, 43, 49, 51, 53-5, 57, 59-60, 65, 67, 78, 247-8, 269, 322
sem abrigo, 25-6, 193, 225-6, 229, 235, 255
Sem luto possível [Kann keine Trauer sein], 244
Ser e o Nada, O, 59
Ser e Tempo, 92, 308
Sertorius, Lili, 193
Sexual Behavior in the Human Male [Comportamento sexual do homem], 128
Siegen, 298
Sloterdijk, Peter, 342
socialismo/socialista, 48, 61-2, 106, 158-60, 183-4, 214, 242, 244, 267, 269, 274, 277, 299, 304, 322-3, 331-3
Spee, Maximilian von, 65
Spessart, 9, 189
Sputnik, 113-5, 241-2, 271
Stalin, Josef, 105, 117, 180, 183-4
Stalingrado, 107
stalinismo/stalinista, 61, 269, 271, 323
Stempel, Herbert, 163-4

Sternberger, Dolf, 28
Stimmung, 41, 48, 53, 57-8, 60, 68, 114, 143, 247, 253, 294, 326

Tarantino, Quentin, 50
Temple, Shirley, 33, 74
"teoria", 58, 311
Terceira Guerra Mundial, 221, 242, 247
Terceiro Reich, 120, 242
The $64,000 Question [A pergunta dos 64 mil], 163
Tiempo de silencio, 79, 99, 151, 215
Tóquio, 39, 109, 160
Trifonov, Yuri, 105, 159, 214
Truman, Harry, 13

Ulisses, 96
União Soviética, 14, 19, 36, 113, 118, 166, 183, 237, 241, 265-7, 271-2, 275, 322
Universidade de Columbia, 164
Universidade de Indiana, 128
Universidade de Stanford, 304, 309-12, 335, 340

Universidade de Yale, 160
utopia/utópico, 95, 131, 277, 331, 334

Vega, Lope de, 16
"Viagem" [Reisen], 92
Vidas amargas [East of Eden], 101-2, 148
Viewfinder Clouded with Tears [Visor embaçado com lágrimas], 56
vita activa, 181
Volkswagen, 10, 31-2, 193

Wandlung, Die, 28, 147, 193
Weber, Alfred, 28
Wilhelm, Herbert, 262
Wittgenstein, Ludwig, 34
Wolfe, Thomas, 103

You Can't Go Home Again [Você não pode voltar para casa], 103

Zimmermann, Herbert, 47
Zuckmayer, Carl, 13, 15

SOBRE O LIVRO

Formato: 14 x 21 cm
Mancha: 23,5 x 39 paicas
Tipologia: Venetian 301 BT 12,5/16
Papel: Pólen Soft 80 g/m² (miolo)
Cartão Supremo 250 g/m² (capa)
1ª *edição*: 2014

EQUIPE DE REALIZAÇÃO

Edição de texto
Tomoe Moroizumi (Copidesque)
Paula Souza Dias Nogueira (Revisão)

Capa
Estúdio Bogari

Imagem de capa
Frauenkirche, Dresden – Alemanha –
Segunda Guerra Mundial / janeiro de 1952 /
© AFP / Getty Images

Editoração eletrônica
Sergio Gzeschnik (Diagramação)

Assistência editorial
Jennifer Rangel de França